LES CONSEILLERS DU ROI

(LES CHRONIQUES DE L'HUDRES –1)

DE LA MÊME AUTEURE

LES CHRONIQUES DE L'HUDRES

1. *Les Conseillers du Roi*. Roman.
   Lévis : Alire, Romans 081, 2004.

2. *Les Enfants du solstice*. Roman.
   Lévis : Alire, Romans 089, 2005.

3. *L'Ourse et le Boucher*. Roman.
   Lévis : Alire, Romans 097, 2006.

LES CONSEILLERS
DU ROI

(LES CHRONIQUES DE L'HUDRES –1)

HÉLOÏSE CÔTÉ

ALIRE

Illustration de couverture
GUY ENGLAND

Photographie
HÉLOÏSE CÔTÉ

Diffusion et distribution pour le Canada
Messageries ADP
2315, rue de la Province, Longueuil (Québec) Canada J4G 1G4
Tél. : 450-640-1237   Fax : 450-674-6237

Diffusion et distribution pour la France
DNM (Distribution du Nouveau Monde)
30, rue Gay Lussac, 75005 Paris
Tél. : 01.43.54.49.02   Fax : 01.43.54.39.15
Courriel : libraires@librairieduquebec.fr
Internet : www.librairieduquebec.fr

Pour toute information supplémentaire
LES ÉDITIONS ALIRE INC.
C. P. 67, Succ. B, Québec (Qc) Canada G1K 7A1
Tél. : 418-835-4441   Fax : 418-838-4443
Courriel : info@alire.com
Internet : www.alire.com

Les Éditions Alire inc. bénéficient des programmes d'aide à l'édition de la
Société de développement des entreprises culturelles du Québec (SODEC),
du Conseil des Arts du Canada (CAC) et reconnaissent l'aide financière du
gouvernement du Canada par l'entremise du Programme d'aide au développement de l'industrie de l'édition (PADIÉ) pour leurs activités d'édition.

Gouvernement du Québec – Programme de crédit d'impôt pour l'édition
de livres – Gestion Sodec.

1er dépôt légal : 4e trimestre 2004
Bibliothèque nationale du Québec
Bibliothèque nationale du Canada

TABLE DES MATIÈRES

À Jean-Paul et Lucille,
en souvenir de Maya

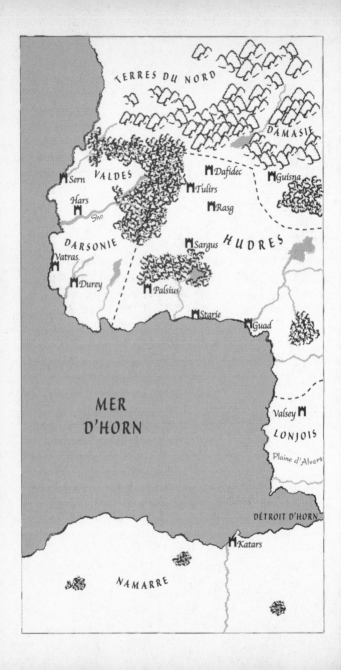

PROLOGUE

SUR LA PLAINE D'ALVERS

La pleine lune brillait haut dans le ciel, éclairant les tentes qui avaient poussé à proximité de la plaine où, jadis, Alvers plantait son blé. De l'ancien cultivateur ne subsistait cependant plus de traces, sinon le nom, car ses descendants avaient fui les lieux un siècle auparavant. Les herbes folles avaient succédé aux récoltes abondantes, mais nul ne s'en souciait ; au royaume du Lonjois, plus rien n'avait d'importance, sinon de garder intactes les quelques parcelles de terre qui avaient été épargnées miraculeusement par la guerre.

Malgré son sol fertile et son climat doux, le royaume du Lonjois avait un défaut : celui d'être coincé entre les royaumes du nord et celui du sud et d'être, par conséquent, l'unique obstacle à la haine farouche que se portaient ses belliqueux voisins. En vérité, s'il était un royaume des terres d'Occident qui ne méritait pas son nom, c'était bien le Lonjois. Ravagé par les batailles dont il était voué à être le champ, il avait perdu depuis longtemps tout motif de se réjouir.

Encore une fois, demain, le Lonjois serait le théâtre d'un bain de sang : derrière les collines au sud de la plaine, les forces du Namarre étaient installées, tandis que derrière celles au nord, l'armée de l'Hudres cherchait à goûter à un repos nécessaire en vue du combat qui l'attendait, à l'aube.

Avec le roi Magne à sa tête, l'armée hudresienne, déjà auréolée de plusieurs victoires remportées contre les Damasiens et les barbares osjes, n'avait plus à faire ses preuves… Ce qui ne l'empêchait pas d'avoir les nerfs tendus. Les triomphes passés ne garantissaient pas ceux du futur, d'autant plus qu'elle n'affronterait ni des légions inexpérimentées ni une horde de barbares désorganisés. Les Namarres comptaient également plusieurs triomphes et, depuis la chute de l'empire de Darsonie, cinq siècles auparavant, ils avaient étendu leur hégémonie sur le sud, sur une grande partie des terres d'Orient et, tout récemment, sur le Lonjois.

Bien que l'animosité entre le nord et le sud remontât pratiquement à la création même du monde, l'armée de Magne n'avait pas encore affronté celle des Namarres. Le souverain du sud, le Rishan, méprisait ce peuple qui vénérait une déesse et jugeait plus digne de son armée d'écraser une rébellion aux frontières orientales de son royaume que de massacrer une dérisoire troupe de femmelettes venue du nord… jusqu'à ce qu'il ait vent que le roi Magne, après son triomphe sur la Damasie, risquait d'envahir le Lonjois pour libérer celui-ci de la présence namarre. Alors, le Rishan, déterminé à ne pas perdre le royaume qu'il venait de conquérir aux mains d'adorateurs de femmes, avait franchi le détroit d'Horn et envahi la plaine d'Alvers.

Dès qu'il avait appris que l'armée du Rishan campait au sud, le roi de l'Hudres avait rassemblé ses troupes et traversé la frontière séparant son royaume de celui du Lonjois. Car la nouvelle, loin de le prendre au dépourvu, avait réjoui Magne : lui et ses conseillers militaires préparaient depuis si longtemps l'affrontement qu'ils en étaient venus à se demander si le Rishan finirait par quitter la sécurité de son palais pour protéger sa nouvelle province. En chassant l'oppresseur namarre du Lonjois, le souverain hudresien satisferait à ses propres visées impérialistes : il profiterait de la reconnaissance de la population de l'endroit pour placer sur le trône un vassal qui saurait veiller à ce que le Rishan ne convoite plus jamais les terres au nord du détroit d'Horn.

À la condition, évidemment, de gagner.

Or, cette exigence était loin d'être assurée et les soldats hudresiens, conscients que la bataille entraînerait de lourdes pertes dans leurs rangs, connaissaient un sommeil agité.

Ils n'étaient pas les seuls. Leurs opposants namarres souffraient également d'insomnie. Néanmoins, alors que les ennemis manifestaient le même symptôme, celui-ci résultait d'un tourment différent : contrairement à la plupart des hommes, les guerriers namarres allaient à la mort sans peur. Ils savaient que le dieu mâle, Shir, était à leurs côtés et qu'ils avaient à leur tête le meilleur général du sud et de l'Orient réunis, le général Nantor. Toutefois, cette double assurance ne les empêchait pas de garder les yeux ouverts et de prier avec ferveur. Ce n'était pas l'affrontement qu'ils redoutaient, mais leur souverain, celui-ci réservant un sort funeste aux survivants d'une défaite. Plutôt tomber sur le champ de bataille que d'être éviscéré sur un des autels de Shir et de savoir son nom maudit pour sept générations par les prêtres du dieu mâle !

Dissimulés de part et d'autre des collines bordant la plaine d'Alvers, les adversaires de demain étaient pour l'heure frères d'insomnie ; bientôt, nombre de combattants seraient aussi frères dans la mort, le solstice d'été marquant pour eux le début de la plus longue des nuits.

◆

Dans le camp hudresien au nord de la plaine, une silhouette drapée de noir se faufilait entre les tentes en jetant des coups d'œil furtifs autour d'elle. Assurée que nul ne la suivait, elle se glissa sans hésiter dans l'un des abris les plus luxueux, réservés à l'état-major.

Léonte, grand maître de l'Ordre des chevaliers de Shirana, la déesse femelle, ne dormait pas. Penché au-dessus du tracé de la plaine, le front plissé, les sourcils froncés, son visage juvénile arborant un sérieux d'un autre âge, il révisait pour la énième fois la stratégie qu'il avait conçue, étudiait chaque colline, chaque dénivellation, en quête d'une faiblesse.

Le jeune homme avait entendu suffisamment de rumeurs à propos de l'intelligence du général namarre pour savoir que la plus infime erreur de la part de l'armée hudresienne conduirait celle-ci tout droit à la défaite. Apparemment, non seulement le légendaire Nantor élaborait-il des plans sans faille, mais il parvenait aussi à repérer les faiblesses dans la tactique de ses opposants. Son esprit était si redoutable que la légende voulait que le dieu mâle lui-même le guide vers la victoire.

Or, il était du devoir de Léonte de passer les commérages au crible pour ne retenir que les informations lui permettant de mener ses propres troupes vers le triomphe. En le désignant comme son premier conseiller militaire, le roi Magne avait placé une lourde responsabilité sur les épaules du jeune homme et celui-ci tenait à s'en montrer digne. Certes, le roi s'en remettait de plus en plus souvent à lui dans les batailles, privilégiant la jeunesse au détriment de l'expérience des vieillissants ducs de Rasg et de Sargus, mais c'était la première fois que Léonte agissait en tant que premier conseiller, et ce, contre le plus fin stratège du monde actuel.

Évidemment, le roi Magne n'avait pas remis le destin de ses armées entre les mains d'un néophyte. Léonte, bien qu'il ne soit âgé que de vingt-deux ans, détenait le titre de grand maître de l'Ordre de Shirana depuis sept ans et les troubadours chantaient déjà ses exploits, au même titre que ceux d'autres héros légendaires. Le roi, en confiant la direction de ses troupes au jeune grand maître, n'avait pas choisi au hasard ; il avait jeté son dévolu sur son plus courageux, son plus humble et son plus imaginatif serviteur. Cette dernière qualité avait pesé dans la balance lorsque Magne avait désigné Léonte, car les ducs de Rasg et de Sargus préféraient répéter les plans éprouvés plutôt que d'innover et, face à Nantor, qui avait étudié scrupuleusement toutes les tactiques employées par les plus fins stratèges des royaumes du nord, la seule chance de victoire résidait dans l'inédit.

Alors que de tels honneurs seraient montés à la tête de plusieurs, Léonte avait su rester tel qu'il avait toujours été, modeste et renfermé au point que certaines mauvaises langues le traitaient d'homme de glace, voire de boucher, lui qui ne cillait jamais, pas même devant les entrailles qu'un adversaire répandait sous ses yeux…

… ou lorsqu'un visiteur inattendu pénétrait dans sa tente : devant l'apparition de la figure drapée de noir, Léonte avait simplement levé la tête, les sourcils froncés, posé calmement la main sur la garde argentée de l'épée accrochée à sa ceinture et toisé froidement l'inconnu.

Ce dernier rejeta son capuchon en arrière, découvrant une longue chevelure blanche, un petit visage mangé par d'immenses yeux turquoise et se terminant en un menton pointu fièrement levé.

« Léonte, dit la jeune fille d'un ton supérieur.

— Léane, répondit le jeune homme d'une voix dépourvue d'émotion.

— C'est le solstice d'été, ce soir. En tant que grande prêtresse de Shirana, je dois célébrer le rite de la fertilité pour attirer la bénédiction de la déesse sur nos troupes. »

Léonte la dévisagea sans que rien sur ses traits, hormis un imperceptible tressaillement de sa paupière gauche, ne trahisse son irritation intérieure. Tout à ses préparatifs militaires, il avait oublié le rituel du solstice d'été et les obligations qui s'y rattachaient. En tant que grand maître de l'Ordre des chevaliers de Shirana, la déesse femelle, et devant l'absence de Fine, le grand prêtre de Shir, demeuré dans la capitale de l'Hudres, il devait partager la couche de la grande prêtresse. Par cette célébration de l'accouplement originel ayant mené à la création du monde, la fertilité serait assurée pour une autre année et l'armée de l'Hudres bénéficierait de la bonté de la déesse.

Or, avec la bataille du lendemain, Léonte n'avait guère le temps de batifoler avec une gamine, malgré tout le respect qu'il portait aux dieux mâle et femelle de l'Hudres.

Sous le regard de glace du jeune homme, Léane déglutit nerveusement. Néanmoins, malgré son malaise croissant, elle parvint à conserver sa superbe.

Après ce qui parut à sa visiteuse une éternité, Léonte finit par prendre la parole. Conscient que s'attirer les foudres de la grande prêtresse de Shirana mettrait en péril la victoire de l'armée hudresienne, il tenait à ne commettre aucun impair. Aussi pesa-t-il soigneusement chaque mot :

« Tu as raison, nous devons mettre toutes les chances de notre côté. L'appui de la déesse ne sera pas de trop, demain. Dommage que Fine soit resté à Dafidec. »

Léane interpréta comme une invitation la réponse de Léonte : elle contourna la table où la carte de la plaine d'Alvers était déroulée et s'approcha de lui. Le parfum de sapin de la grande prêtresse emplit les narines du jeune homme. Enivré, ce dernier sentit sa volonté fléchir.

Léane se hissa sur la pointe des pieds pour que ses lèvres douces effleurent l'oreille du grand maître et murmura, enjôleuse :

« Es-tu certain de trouver cela dommage, Léonte ? N'oublie pas que, si le grand prêtre de Shir n'est pas disponible, le grand maître de l'Ordre des chevaliers de Shirana doit le remplacer. »

Avec un sourire coquin, elle fit un pas en arrière, attrapa la boucle qui retenait sa cape, la défit d'un coup sec. L'étoffe glissa sur le sol, révélant son corps nu, sa poitrine à peine formée et ses hanches encore prisonnières du gras de l'enfance. Un physique prometteur, mais qui dévoilait que si sa propriétaire jouait à la femme, elle était loin d'en avoir les attributs.

Le tressaillement de la paupière de Léonte devint plus apparent, alors que le jeune homme réprimait le désir qui montait en lui. S'il avait écouté son instinct, il aurait cédé aux avances de la jeune fille. Heureusement, à la limite de son champ de vision se trouvait la carte de la plaine d'Alvers pour lui rappeler ses priorités. Il aurait besoin de toute sa tête, au matin, et de toutes ses forces. Il ne pouvait pas se laisser distraire sous prétexte qu'une jeune fille avait envie de s'amuser… et qu'il était tenté en retour.

Il cligna brièvement les yeux et, lorsqu'il regarda de nouveau Léane, sa paupière ne cillait plus.

La jeune fille ne remarqua pas le changement imperceptible dans l'attitude de son interlocuteur. Les poings sur les hanches, la mine aguicheuse, elle le pressa :

« Nous devons accomplir le rituel à minuit, Léonte. Dépêche-toi ! »

Léane avait l'habitude que les hommes cèdent à ses moindres caprices. En tant que grande prêtresse de Shirana, elle avait le droit de siéger au conseil royal comme au conseil militaire et d'y faire entendre sa voix au même titre que les autres conseillers, ainsi que d'être traitée en égale par le roi. Habituée à voir les personnages les plus importants du royaume s'incliner devant elle, lui demander conseil ou louer ses nombreuses qualités pour obtenir les bienfaits de la déesse, elle ne comprenait donc pas que quelqu'un puisse lui résister.

Toutefois, il était dit qu'en cette nuit du solstice, elle se heurterait à un refus glacial. Son ton impatient, plutôt que d'avoir l'effet escompté, conforta Léonte dans sa décision. Devant lui se tenait une jeune fille aussi orgueilleuse que belle, mais il était hors de question que lui, Léonte, premier conseiller militaire du roi Magne, se fasse donner des ordres par une gamine. Il avait le devoir de remplacer Fine, certes, mais il avait surtout celui d'affronter et de vaincre Nantor. De plus, il connaissait les écritures de Shirana : le grand maître n'était pas le seul substitut possible au grand prêtre de Shir. Que Léane trouve quelqu'un d'autre avec qui pratiquer son rituel !

Fort de sa résolution, le jeune homme continua de fixer la grande prêtresse sans broncher.

Léane remarqua l'impassibilité de Léonte. Il en fallait toutefois davantage pour la faire reculer, maintenant qu'elle s'était autant avancée ; elle lança donc, non sans une note d'hésitation dans la voix :

« Léonte, j'attends ! »

Son interlocuteur secoua la tête.

« J'ai d'autres responsabilités, Léane. Va voir quelqu'un d'autre. »

La jeune fille, la mâchoire affaissée sous le choc, vit que la résolution de Léonte était inébranlable. Lentement, le plus dignement possible, elle ramassa sa cape noire, s'en drapa et sortit sans un mot, sans un regard.

Léonte savait qu'il l'avait offensée, mais il s'était plié à son devoir premier. La conscience en paix, il se replongea dans l'étude de la carte déroulée sur la table, puis, tard dans la nuit, il gagna finalement sa couche.

Peut-être aurait-il été moins tranquille s'il avait su l'ampleur des dégâts qu'il avait infligés à la grande prêtresse. Les airs supérieurs qu'affectait Léane dissimulaient un amour dévorant comme seules les passions juvéniles savent l'être, ainsi que la crainte viscérale d'avoir à essuyer un refus de la part du seul homme qui lui importait. La jeune fille avait rassemblé tout son courage pour demander à Léonte de participer à la célébration du solstice et la réponse de ce dernier avait été un coup dur tant pour son orgueil que pour son amour.

Or, il ne faut pas sous-estimer la puissance vengeresse d'un cœur brisé. Déchirée entre le chagrin et la furie, aveuglée par les larmes, Léane chercha une lumière dans les ténèbres nocturnes. Minuit approchait, le moment où elle devait atteindre la jouissance suprême, l'exaltation au saint nom de Shirana. Malgré sa rage, la grande prêtresse avait une cérémonie à célébrer et, pour cela, il fallait qu'elle trouve un homme, n'importe lequel, les commandements de Shirana ne précisant pas de qui sa servante partageait la couche lorsque ni le grand prêtre de Shir ni le grand maître des Shiraniens n'étaient disponibles.

Quand Léane aperçut la tente éclairée d'un autre membre de l'état-major, elle essuya l'eau qui ruisselait le long de ses joues et se dirigea vers la lueur.

Par ce simple geste né du dépit amoureux, de la vengeance et de la nécessité, Léane venait de sceller le destin des onze prochaines années de Léonte, de celui qui lui permit d'accomplir le rituel du solstice et d'elle-même. La grande prêtresse était encore jeune ; tout à son égoïsme et à la crainte des représailles de la déesse si elle manquait à sa tâche, elle ne voyait pas à si long terme. L'important était que Shirana soit satisfaite et que Léonte soit châtié. Cette nuit-là, la déesse fut comblée, tout comme l'homme dont la grande prêtresse partagea la couche.

Ce n'est que lorsque le solstice d'été fut passé et que l'aurore eut jeté un éclairage nouveau sur ses actes nocturnes que Léane prit conscience du désastre qu'elle avait causé. Dans son désir de punir Léonte, ce n'était pas une personne qu'elle avait blessée, mais trois, dont elle-même.

◆

Un peu avant que l'aube se lève sur le champ de bataille, Magne, juché sur son étalon blanc, contemplait la plaine d'Alvers d'un regard conquérant. Jamais l'Hudres n'avait eu meilleur roi. D'un territoire affaibli par les querelles internes et par une dispute ancestrale avec sa voisine, la Damasie, il avait fait un royaume puissant, uni, qui avait ensuite écrasé sans peine sa rivale. Pour la première fois depuis la chute de l'empire darsonien, un souverain du nord se révélait assez charismatique pour inspirer à ses hommes une loyauté indéfectible et assez futé pour s'entourer de conseillers aussi intelligents qu'expérimentés, lui permettant de donner corps à ses ambitions.

Encore aujourd'hui, Magne le sentait dans toutes les fibres de son être, la victoire serait sienne. Alors que les armées s'éveillaient, il se tenait à l'avant, mais dès que des traits roses zébreraient le voile de la nuit, il se retirerait afin de laisser toute la place à son premier conseiller qui, pour l'instant, était occupé à rappeler aux troupes le rôle qu'elles avaient à jouer. Le souverain de l'Hudres avait assez de flair pour savoir quand il devait s'incliner devant la compétence… et quand se montrer pour récolter les honneurs.

Il pouvait entendre la psalmodie des fanatiques Namarres se livrant à leurs prières matinales derrière les collines, à l'autre extrémité de la plaine. Avant que ne retentisse le fracas de milliers d'épées entrechoquées, devant l'adversité, le roi s'autorisa quelques pensées paisibles… Selon les oracles, qui avaient proclamé la venue de l'héritier du trône tant souhaité, la reine, enceinte depuis peu, portait un fils, que Magne nommerait comme son défunt père, Regde. Avec la naissance de ce dernier dans quelques mois, le roi espérait que la haine que le peuple portait à son épouse s'atténuerait. Certes, il ne tenait pas rigueur aux Hudresiens de leur antipathie à l'égard de Lyntas, fille unique du souverain de la Damasie, que Magne avait réclamée comme butin et qui incarnait aux yeux du peuple l'étrangère, l'ennemie. Néanmoins, un roi ne regardait pas sa reine du même œil que le peuple ; non seulement l'assurait-elle déjà d'une longue paix avec la Damasie, mais elle remplissait aussi ses devoirs de femme en donnant un héritier à l'Hudres ! C'est pourquoi, malgré les supplications de ses conseillers, les ducs de Rasg et de Sargus, qui le jugeaient ensorcelé par son épouse, Magne ne la répudierait pas. Elle était de religion différente ? Soit. Elle avait un fichu caractère ? Lui aussi !

Au loin, sur la plaine lonjoise, une silhouette apparut, bientôt suivie d'une autre, puis d'une autre. L'armée namarre envahissait les lieux.

Une présence se dessina aux côtés du roi, puis une rumeur monta dans son dos. Un coup d'œil par-dessus son épaule l'assura que ses troupes étaient prêtes à donner l'assaut. Son regard se reporta sur le jeune homme blond à sa droite.

« Léonte ! le salua-t-il joyeusement. Prêt pour la bataille ? Nos adversaires sont en place, alors je te laisse le champ libre ! »

Le premier conseiller militaire du roi hocha la tête d'un mouvement sec. Magne aperçut ses mains nerveusement crispées autour des rênes.

Le roi sourit avec un attendrissement paternel. Il se souvenait de ses premiers combats, livrés contre les nobles lors de la réunification de l'Hudres. À peine plus vieux que Léonte à l'époque, il portait déjà toutes les responsabilités de la couronne sur les épaules. Il comprenait l'anxiété du jeune homme, car elle avait jadis noué ses propres entrailles.

Il tapota affectueusement l'épaule de Léonte et dit :

« J'ai rêvé que je ferais de l'Hudres un royaume uni, et je l'ai fait. J'ai rêvé que je ferais de l'Hudres un royaume puissant, craint par ses voisins, et je le fais. Je concrétise toujours mes rêves, Léonte, tu sais pourquoi ? »

Son premier conseiller, l'œil froid, d'imperceptibles soubresauts agitant sa paupière gauche, fixa son souverain sans répondre, attendant la suite.

« Parce que je sais choisir les bonnes personnes pour les mener à bien. Et tu fais partie de ces gens, Léonte.

— Je vous aiderai toujours à concrétiser vos rêves », jura son interlocuteur, sa voix habituellement neutre vibrant d'une rare chaleur.

Sur les traits de Magne, la gravité succéda à la douce nostalgie.

« Continue à aimer l'Hudres comme tu le fais, Léonte. Continue à aimer l'Hudres autant que les ducs et moi l'aimons, et tu seras le plus loué de tous les grands maîtres shiraniens. L'Hudres est un vaste royaume. Sa foi en la Dualité, et la tolérance qui en résulte, fait de lui l'unificateur de tous les cultes. L'Hudres est unique, Léonte, et c'est pourquoi nous devons tout mettre en œuvre pour affirmer sa puissance et s'assurer qu'il me survive. Ce que je te dis aujourd'hui, je le dirai également à Regde qui grandit dans le ventre de la reine, car toi comme lui, vous êtes mes enfants. L'avenir de l'Hudres est entre vos mains. À présent, montre-moi comment tu aimes l'Hudres. Remporte cette victoire pour lui. Ordonne aux troupes de donner l'assaut. »

Sur ce, le roi Magne talonna sa monture et quitta la colline en direction du camp.

Il fallait un grand souverain, capable de reconnaître rapidement la valeur de ses hommes, pour s'en remettre à un si jeune stratège. Or, cette qualité, Magne la détenait. Les chroniqueurs désigneraient son règne comme celui des années dorées de l'Hudres.

Dorées comme les blés, elles dureraient aussi longtemps qu'eux ; l'histoire, comme la nature, veut qu'à l'été succède la saison morte.

Resté seul, le tic de sa paupière calmé, Léonte suivit d'un œil brillant l'étalon blanc jusqu'à ce qu'il ait disparu entre les tentes, puis contempla les hommes armés, toute trace de chaleur envolée. Ces derniers n'attendaient qu'un signal de sa part pour courir à leur perte.

Alors qu'au-dessus de lui la lumière du jour chassait les ténèbres, le grand maître des Shiraniens tira son épée. Aussitôt, les Hudresiens franchirent la colline et coururent à la rencontre des Namarres.

◆

Les longues heures que Léonte avait passées à peaufiner son attaque, à répartir ses hommes en petites troupes qui s'acharnaient contre les flancs de l'armée namarre plutôt que sur son centre, qui attaquaient promptement et lestement, telles des meutes de loups agiles, portèrent fruit. En effet, en procédant à la rotation de ses petites « meutes », le grand maître et premier conseiller militaire du roi permettait à ses hommes de se reposer pendant de brefs instants avant de retourner au combat, alors que les Namarres, contraints de protéger sans relâche leurs flancs assaillis, ne pouvaient quitter le centre de la plaine. Ce qui, sur le plan stratégique, s'annonçait un gain important pour les hommes du sud se révéla finalement être un piège mortel.

Le soleil de Shir se coucha sur la défaite de ses adorateurs. La lune de Shirana baigna de sa douce lumière argentée les Hudresiens épuisés. Les hommes du sud avaient prouvé que leur réputation de combattants acharnés n'était pas surfaite et, avant de succomber, ils avaient occis bon nombre d'Hudresiens.

Le dernier Namarre finit tout de même par être passé au fil de l'épée. Les soldats victorieux purent rentrer au camp soigner leurs blessures et goûter à un repos dûment mérité, abandonnant leurs morts, le temps d'une nuit, aux corbeaux. À l'aube, ils se chargeraient de brûler leurs compagnons tombés au combat; pour l'instant, ils voulaient savourer l'égoïste bonheur d'être vivants et de voir la lune éclairer leur victoire absolue: non seulement avaient-ils écrasé les Namarres, mais ils avaient réussi à capturer l'un d'eux. Étant donné la détermination des Namarres à mourir au combat, cet exploit relevait du miracle... ou d'un coup de chance incroyable: l'homme exhortait ses troupes quand une lance hudresienne s'était enfoncée dans le poitrail de sa monture. La bête, affolée, s'était cambrée. Son cavalier, surpris, avait vidé les étriers et perdu conscience en heurtant le sol. Il gisait, encore inconscient, lorsque les Hudresiens l'avaient trouvé et emmené avec eux. Ils rentraient donc au camp la tête haute, avec une raison supplémentaire de se réjouir; le prisonnier n'était nul autre que Nantor, le général des Namarres!

La nouvelle de cette capture incroyable fit le tour du camp à la vitesse de l'éclair, parvint aux oreilles des membres du conseil royal, réunis sous la tente de Magne pour faire le bilan de la bataille. Aussitôt, le roi ordonna à son premier conseiller militaire d'aller interroger le captif. L'intéressé s'exécuta sur-le-champ, brûlant de voir enfin l'ennemi qui l'avait privé de sommeil pendant de nombreuses nuits.

Alors qu'il approchait de la tente où était gardé le prisonnier, des rires gras parvinrent aux oreilles de Léonte. Il pressa le pas, arriva en vue de l'abri. Constatant qu'aucun garde ne se trouvait devant l'entrée, il jura entre ses dents. La surveillance du prisonnier aurait dû être confiée à ses chevaliers plutôt qu'à de simples soldats ! Les Shiraniens détestaient les Namarres autant que n'importe quel Hudresien, mais au moins ils l'auraient traité avec les égards auxquels tout prisonnier de haut rang avait droit !

D'un coup sec, le grand maître écarta le pan de toile qui lui voilait l'intérieur de la tente. À sa vue, un air coupable se peignit sur les traits des trois soldats qui s'y trouvaient. Léonte dit sèchement :

« Pourquoi avez-vous quitté votre poste ? Écartez-vous ! »

Les trois soldats obéirent. Sur le sol derrière eux était garrotté le plus grand homme que Léonte ait jamais vu. Les Namarres dépassaient les hommes du nord d'une demi-tête en moyenne, mais même parmi les siens, Nantor faisait figure de géant. Pour l'instant, il était recroquevillé, sa tête rasée blottie tant bien que mal contre ses genoux pour la protéger des coups. La lampe accrochée à l'un des poteaux de la tente éclairait faiblement ses vêtements déchirés et les filets de liquide sombre qui ruisselaient entre ses doigts.

Léonte foudroya les gardiens du regard.

«Ignorez-vous qu'un prisonnier de guerre est sacré ? Vous méritez la bastonnade ! »

Les soldats rentrèrent peureusement la tête dans les épaules, mais l'un d'eux, plus téméraire, argua d'un ton impudent :

« C'est déjà un cadavre, de toute façon ! Tout le monde sait le sort que le Rishan réserve aux chefs qui perdent un combat ! »

Léonte, en son for intérieur, reconnut que le soldat n'avait pas tort. Le souverain du Namarre était plus prompt à condamner à mort quiconque lui déplaisait que la foudre à s'abattre sur un arbre. En outre, en bon Hudresien, Léonte partageait l'antipathie naturelle des siens pour un peuple qui se livrait à des sacrifices humains. Cependant, Nantor n'était pas qu'un simple Namarre : pour le jeune homme, il s'agissait d'un adversaire aussi craint que respecté. Qu'il soit malmené comme un vulgaire chien s'avérait inacceptable. « Cadavre ou pas, un prisonnier de son rang constitue un butin précieux qui doit être traité comme tel. Donnez-moi vos noms et sortez. À l'aube, chacun d'entre vous aura droit à cinq coups de bâton », ordonna-t-il d'un ton froid.

Ces derniers obtempérèrent docilement et filèrent hors de la tente sans demander leur reste.

Enfin seul avec le prisonnier, Léonte s'accroupit et dit :

« Tu parles hudresien, homme du Rishan ? »

L'autre hocha la tête, mais ne fit pas mine de se déplier.

« Si tu me comprends, alors regarde-moi. Je veux voir le visage de mon ennemi. »

Lentement, chaque geste étant apparemment cause d'une vive souffrance, le géant namarre s'exécuta, révélant un visage rougi par le sang qui s'échappait de son nez enflé et un large torse couvert d'une tache foncée et humide.

En jurant, Léonte se pencha promptement sur le prisonnier. Un moribond ne serait d'aucune utilité ! Il acheva de déchirer la chemise pour découvrir une peau dorée et humide, couverte d'hématomes, d'entailles et de vieilles cicatrices, mais dépourvue de plaie profonde. Soulagé, l'Hudresien s'empara d'un lambeau de vêtement du Namarre et le posa contre les narines de celui-ci pour endiguer l'hémorragie.

À peine avait-il appliqué le tissu que le géant dit, d'une voix nasillarde :

« Tes hommes m'auraient tué si tu n'étais pas intervenu. Tu m'as sauvé la vie. Shir dit qu'une dette de vie doit être payée par la dévotion. Désormais, je serai ton ombre fidèle, ton protecteur dévoué. C'est là mon devoir, tel que le dieu unique l'affirme. »

Méfiant, Léonte fronça les sourcils. Les Namarres n'étaient pas réputés pour leur subtilité, mais pour leur dévotion fanatique : jamais l'un d'eux n'aurait invoqué Shir en vain, de sorte que le général était vraisemblablement sincère. Cette impression était confirmée par la large face ronde et dorée de Nantor, qui lui donnait un étrange air bon enfant, à la lumière de sa réputation d'ennemi cruel et sanguinaire. Dans ce visage, derrière les paupières tuméfiées, brillaient deux prunelles noires comme le charbon, denses comme une nuit sans lune, sous des arcades sourcilières dépourvues de tout poil et fendues par des heurts violents. Il fallait beaucoup d'aplomb, ou beaucoup de couardise, pour promettre à son geôlier de le servir fidèlement jusqu'à la mort et pour renier par le fait même son souverain.

Léonte le dévisagea longuement. Il se voyait mal emmener pareil chien fidèle en Hudres, d'où il serait assurément chassé à coups de pied. Toutefois, ce n'était pas le premier Namarre venu qu'il avait devant lui. Nantor pourrait certainement aider Magne à écraser le Rishan et à établir son emprise sur les terres du sud, si Léonte le convainquait d'employer sa cervelle à servir l'Hudres. De plus, Nantor avait su toucher la corde sensible du grand maître en évoquant le devoir : un sens des responsabilités similaire n'enchaînait-il pas Léonte à Magne et à l'Hudres ?

Plus le jeune homme réfléchissait et plus son envie d'accepter la sujétion de Nantor l'emportait sur ses scrupules.

« Tu es conscient, Nantor, qu'en devenant mon serviteur, tu deviendras celui de l'Hudres ? »

Nantor ne manifesta aucune indignation, ne protesta pas que sa loyauté allait au Rishan, ce que le grand maître jugea de bon augure. De son épée, il trancha les liens retenant les chevilles du géant, l'aida à se lever. Quand les gardes postés à l'extérieur virent Léonte émerger de la tente, ils reculèrent, apeurés, avant de s'immobiliser, éberlués que leur prisonnier, libre de toute entrave et la tête inclinée en signe de soumission, sorte derrière le grand maître. Il suffit néanmoins d'un regard de Léonte pour que les trois gardes déguerpissent, emportant avec eux l'image incongrue d'un Hudresien suivi d'un Namarre aussi docile qu'un mouton.

◆

L'association entre Léonte et Nantor, pendant la courte période qu'elle dura, s'avéra des plus profitables. Comme prévu, le Rishan avait condamné à mort son chef déchu, de sorte que Nantor ne pouvait rentrer chez lui. Il n'eut donc d'autre solution que d'aider son nouveau souverain à vaincre l'ancien et, grâce à lui, la campagne du Lonjois fut couronnée de succès : les dernières troupes du Rishan battirent en retraite et retraversèrent bredouilles le détroit d'Horn. Toutefois, ce fut l'unique campagne hudresienne que connut Nantor et la dernière que dirigea Magne. De retour en Hudres, ce dernier trouva son royaume en proie à la pire épidémie de peste jamais connue. Avant la fin de l'année, la maladie avait emporté les deux tiers de sa population. Ne se souciant ni de l'âge ni du rang, la peste terrassa Magne et Regde, son fils aux langes. La reine Lyntas, vêtue du noir de son double deuil, monta sur le trône… et mit un terme au règne doré de son époux.

Pendant les onze années qui suivirent, les Hudresiens subirent non seulement la famine et la pauvreté, mais se virent interdire le culte de la Dualité divine au profit de la stricte adoration de Shir, le dieu mâle. Pendant ces onze ans, les traditions, le rêve de Magne et l'identité du peuple hudresien dépérirent sous le joug de l'étrangère. Alors les Hudresiens crurent que la déesse Shirana les avait définitivement abandonnés et, résignés à ce que l'Hudres glorieux, l'Hudres de Shir et de Shirana ne soit plus, ils implorèrent le dieu mâle de leur faire connaître des jours meilleurs.

Cette foi, cet espoir, ils les entretinrent jusqu'à ce que, au bout de onze années de catastrophes, les Osjes descendent de leurs montagnes.

CHAPITRE 1

La reine Lyntas se tenait, droite et fière, devant son époux, le roi Magne. Elle sentait tous les regards de la noblesse rivés sur son échine, telle une bande de charognards se repaissant de son humiliation, elle qui était durement remise à sa place par son mari. N'avait-elle pas osé, pendant l'absence de ce dernier, prendre parti au nom de la couronne de l'Hudres dans une querelle entre deux seigneurs? Magne, le visage rouge, agitant un doigt menaçant sous le nez de la reine, crachait au visage de celle-ci:

« Ne confonds jamais les rôles d'épouse de roi et de reine! Une reine peut régner conjointement avec le roi, peut aspirer à le remplacer. Toi, tu n'es que mon épouse damasienne! Tes seules fonctions sont de me donner un héritier et de me garder les pieds au chaud! »

Sur ce, le roi asséna à sa femme une gifle solide, dont les échos se perdirent sous les voûtes de la salle d'audience. Lyntas accusa le choc sans broncher. Jamais elle ne manifesterait de faiblesse devant une assemblée qu'elle méprisait, aussi douloureux soit le coup.

Lorsqu'il estimait la paix de son royaume menacée, Magne ne connaissait aucun pardon; la hargne qui animait son bras était telle que les oreilles de Lyntas entendaient encore le bruit du soufflet, toujours plus fort, toujours plus sec… jusqu'à ce qu'elle s'aperçoive que le martèlement provenait non pas de sa tête, mais de la porte de sa chambre.

Lyntas battit des paupières, promena un regard désorienté sur les lieux tout en frottant machinalement sa joue. Douze années séparaient la reine de cette humiliation qu'elle avait subie devant la cour, mais son orgueil gardait encore des cicatrices de l'incident. En fait, la totalité de son mariage avec Magne était une plaie qui refusait de cicatriser. Pourtant, ce n'était pas faute d'avoir essayé de la soigner en effaçant toute trace de l'union malheureuse. Lyntas n'avait-elle pas fait construire une nouvelle aile au palais royal, afin de ne plus être pourchassée par des souvenirs pénibles ? Pourtant, même si elle s'éveillait dans un décor différent, les cauchemars demeuraient identiques.

« Ma reine ! Ma reine ! Venez vite ! »

Lyntas reconnut, à travers le battant de bois, la voix affolée d'une servante. Elle repoussa ses couvertures, descendit du lit et, pieds nus, alla ouvrir.

« Qu'y a-t-il ? »

La servante resta momentanément pétrifiée devant la reine.

Comme tous les Damasiens, Lyntas avait la peau olivâtre et n'était pas grande, mais elle se tenait si droite et avec une telle prestance qu'elle intimidait toutes les femmes – et bien des hommes – du monde occidental par son allure altière et sa froide beauté. Bien que la reine eût trente-huit ans, ses traits possédaient la pureté inaltérable des statues de marbre et sa peau demeurait ferme et tendue sur son ossature robuste. Ses lèvres minces se réduisaient à une fine

ligne droite, que nul sourire ne semblait devoir dé-
former, deux pommettes saillantes flanquaient son
nez pointu, au-dessus desquelles brillaient des yeux
d'un bleu profond, d'une intensité telle que nul ne
parvenait à soutenir longtemps leur regard. Toute la
personne de Lyntas imposait l'autorité, ce qui expli-
quait sans doute que ses ennemis, s'ils complotaient
dès qu'elle leur tournait le dos, n'osaient pas l'affronter
de face.

« Qu'y a-t-il ? » répéta la reine d'une voix où perçait
une note d'agacement.

La servante rougit, esquissa une révérence maladroite et débita :

« Monseigneur Vilsin vous mande de toute urgence
sur les remparts ! »

Il fallait que la situation soit dramatique pour que
Vilsin, le grand prêtre de Shir, tire la reine de son
sommeil. Il réglait généralement ses histoires sans
consulter la couronne, sachant que celle-ci était dans
de bonnes dispositions à son égard. Vilsin et la reine
n'étaient-ils pas les deux seuls Damasiens de l'Hudres,
les seuls capables de ramener ce royaume d'hérétiques dans le droit chemin ?

La servante aida la reine à s'habiller et à se coiffer
rapidement. En dépit de son âge, Lyntas avait conservé
la longue chevelure noire de sa jeunesse, à l'exception
d'une mèche blanche unique, apparue à la suite de la
tragique double perte de Magne, son époux, et de
Regde, son fils.

Lorsqu'elle fut prête, la reine s'engagea dans les
couloirs de l'aile du palais qu'elle avait fait construire
après la mort de Magne, escortée de deux membres
de la garde royale.

Sur les remparts dominant la ville de Dafidec se
tenait une silhouette évoquant un cobra dressé. Vêtu
de la longue robe noire du grand prêtre de Shir, le

grand homme maigre et courbé ne prit même pas la peine de quitter la capitale des yeux lorsque sa souveraine le rejoignit.

«Eh bien, Vilsin ? s'enquit Lyntas.

— Jugez-en par vous-même, ma reine.»

D'un long index osseux, le grand prêtre désigna l'horizon. Son calme contrastait avec l'affolement de la servante, mais la reine savait qu'elle ne pouvait se fier à l'attitude de son grand prêtre. Personnage sévère, ce dernier manifestait rarement ses émotions ; un cataclysme ne lui aurait arraché qu'un froncement de sourcils.

Au loin, un long hurlement retentit, aussitôt repris à l'unisson par des milliers de voix.

Lyntas serra les dents. Pour en avoir entendu des semblables au cours de son enfance, alors que les troupes de l'Hudres ravageaient sa Damasie bien-aimée, la reine savait ce que le cri signifiait. Le coup d'œil qu'elle jeta par-delà les fortifications de Dafidec confirma ses appréhensions : une marée humaine avançait en direction de la ville.

Sans desserrer les mâchoires ni quitter la masse sombre et mouvante des yeux, elle ordonna à son compatriote :

«Convoque immédiatement le conseil.»

◆

Le conseil royal avait diminué depuis la mort du roi Magne ; parmi les neuf qui siégeaient autrefois, deux l'avaient quitté parce qu'ils détestaient la reine, deux autres parce que celle-ci les avait condamnés à l'exil. Et quand Fine, le vieux grand prêtre de Shir, avait à son tour sombré dans le repos éternel, la reine s'était empressée de le remplacer par un Damasien, de manière à avoir un allié au conseil royal. Ainsi, depuis onze ans, six personnes – dont deux Damasiens – tenaient séance à la table massive, dans une des tours du palais de Dafidec : la reine, Vilsin, le trésorier du royaume, le grand chancelier et les ducs de Rasg et de Sargus.

Tous avaient répondu promptement à la convocation et fixaient la reine d'un œil inquiet. Un moment s'était écoulé depuis que Lyntas avait été éveillée d'urgence et les cinq hommes avaient eu largement le temps de constater qu'une armée se pressait contre les fortifications de Dafidec.

« Messieurs, commença la reine, l'heure est grave. Les Osjes sont descendus de leurs montagnes et nous assiègent. J'écoute vos suggestions. »

À la mort de son mari, Lyntas avait tenté d'imposer sa volonté aux hommes du conseil ; les têtes fortes qui y siégeaient encore avaient soulevé la population contre elle. Depuis, elle avait compris la leçon : bien que ses principaux opposants aient quitté Dafidec et, pour autant qu'elle le sache, le royaume, elle laissait ses gens émettre des suggestions, puis elle tranchait en veillant toujours à contenter l'un au détriment des autres. Les conseillers avaient l'impression que la reine écoutait leurs propositions et décidait en conséquence, comme le roi Magne le faisait de son vivant. De la sorte, ils croyaient participer au pouvoir et Lyntas se gardait de les détromper, même si, au bout du compte, elle agissait à sa guise. Sa stratégie était d'une simplicité enfantine : en cédant au désir d'un de ses conseillers, jamais le même, et en mécontentant les autres par la même occasion, elle divisait pour régner, tuant dans l'œuf toute possibilité de coalition contre elle.

« Nous pourrions tenter une sortie et vous mener chez votre père. Vous pourriez rester en Damasie le temps que les choses se calment », débita d'un seul souffle Antore, le trésorier.

Petit, le dos voûté, toujours en train de remuer même lorsqu'il devait rester immobile, Antore ressemblait à un crapaud surexcité. Cette similitude était accentuée par son visage minuscule, son nez crochu et ses gros yeux globuleux, d'un brun terreux. Déjà qu'il n'était pas très beau, il aggravait son état en arrachant machinalement le mince duvet brun qui couvrait son crâne.

Il avait d'ailleurs un motif de s'arracher les cheveux : les nombreuses campagnes du roi Magne avaient endetté l'Hudres. Bien que les conflits se soient soldés par des victoires, celles-ci n'avaient pas suffi à renflouer le trésor royal. Si les soucis causés par l'état de ce dernier ne suffisaient pas, le trésorier avait une autre raison d'être toujours tendu : détesté par un peuple excédé par les lourds impôts et méprisé par l'armée, qui menaçait d'abandonner l'Hudres s'il ne lui versait pas sa solde, il vivait dans la crainte perpétuelle d'être assassiné.

Détesté des uns, méprisé des autres, Antore n'en était pas moins fier de son efficacité à accomplir sa tâche. Sa compétence était telle que la reine n'avait d'autre choix que de le garder, et ce, malgré l'animosité évidente qu'il éprouvait envers elle. De fait, le trésorier, unique descendant d'une des plus vieilles familles de l'Hudres, avait hérité à la fois du tempérament sanguin et de la haine viscérale vouée à la Damasie caractéristiques de la plupart des nobles du royaume.

« Le problème, glissa timidement Sterne, le duc de Rasg, un vieil homme effacé et craintif, c'est qu'il n'y a pas assez de soldats dans la garde royale pour protéger adéquatement la reine. Qu'elle soit prise en otage serait désastreux. Nous ne pouvons pas courir ce risque.

— En outre, ajouta froidement Vilsin, vous seriez trop heureux d'écarter la reine pour usurper son trône, n'est-ce pas, Antore ? La reine chez son père, pas d'héritier pour vous bloquer la route… Ce serait beau ! »

Le trésorier bondit littéralement de son siège, le visage rouge, le souffle court, les yeux exorbités, mais il n'osa pas lever la main sur le grand prêtre.

« Qu'attendez-vous, Antore ? le nargua Vilsin, ses petits yeux noirs de reptile brillant d'un éclat dangereux. Redoutez-vous le courroux de Shir si vous me frappez ?

— Rasseyez-vous, Antore, intervint sèchement Elgire, le duc de Sargus, un vieil homme encore vert, à la longue chevelure blanche et à la courte barbe de neige. Nous n'avons pas de temps à perdre à cause d'enfantillages. Sterne a raison, la garde royale ne compte pas assez d'hommes pour nous défendre. En plus, sortir de la ville est impensable. Les Osjes nous encerclent. Ils nous massacreront dès que nous mettrons le nez dehors.

— Et les Shiraniens ? ânonna Moebes, le grand chancelier. Ils sont toujours cantonnés à leur maison-mère. »

Au sein du conseil, le grand chancelier s'exprimait rarement. Seul plébéien parmi les nobles, Moebes avait hérité du titre précisément parce qu'il était de nature silencieuse et secrète, qualité essentielle pour quiconque avait la garde des sceaux royaux. Or, à force de garder le silence, Moebes avait fini par s'isoler totalement dans un brouillard rêveur dont il émergeait rarement. S'il lui arrivait de sortir du monde de ses pensées, il y retournait aussitôt, de sorte qu'au conseil on avait fini par le tenir pour quantité négligeable.

Comme à l'accoutumée, sitôt qu'il eut émis sa proposition, le regard gris pâle du grand chancelier se perdit dans le vide.

Ce qui ne fut pas habituel, par contre, fut la réaction de ses collègues. Tous lui adressèrent une œillade

stupéfaite, mais en constatant que Moebes s'était re-
plongé dans sa torpeur coutumière, ils débattirent sa
suggestion sans lui.

« Il est hors de question que nous fassions appel à
ces adorateurs de femmes, décréta sèchement Vilsin.
La reine a publiquement condamné l'Ordre pour hérésie. Revenir sur cette décision minerait l'autorité
royale et encouragerait le culte de Shirana à refaire
surface.

— Une situation dramatique requiert de tels re-
virements, déclara Elgire. Pour combattre la menace
osje, la reine doit être prête à tout mettre en œuvre.

— Dites plutôt que vous, vous êtes prêt à tout
pour que l'Ordre soit blanchi, répliqua sournoisement
Vilsin.

— Et si c'était le cas ? » répondit Elgire, une note
provocatrice dans la voix.

L'intervention d'Antore évita que le ton monte
davantage entre le grand prêtre et le duc :

« Les chevaliers peuvent être blanchis par la reine,
mais cela ne veut pas dire qu'ils accepteront pour
autant de la servir. N'oubliez pas qu'ils reconnaissent
seulement Magne comme souverain légitime et que,
sur ce genre de choses, ils sont plus têtus qu'un bœuf
damasien… sauf votre respect, ma reine. »

Lyntas se contenta de hocher gravement la tête,
bien qu'intérieurement elle fulminât. Un jour, tous ces
Hudresiens paieraient pour leurs moqueries cruelles à
l'égard de la principale source de revenus de son
peuple ! Un jour, ce petit trésorier insolent se repen-
tirait de tous les dards venimeux qu'il lui avait lancés !

Un jour, mais pas aujourd'hui. Il fallait arrêter les
barbares. Qui les empêcherait, après avoir rasé Dafidec
et l'Hudres, de se tourner vers la Damasie ? La possibilité que des Osjes casqués de crânes d'animaux et
vêtus de leur fourrure ravagent sa terre natale glaçait

le sang de Lyntas. Elle devait leur barrer la route à tout prix… même si cela impliquait de marcher sur son orgueil et de renouer avec l'Ordre hérétique de Shirana.

« Leur imposer un grand maître qui ne pratique que le culte de Shir n'était pas la décision la plus avisée », insinua Elgire.

Vilsin demeura impassible, bien que la pique lui soit adressée. C'était lui, en effet, qui avait suggéré à la reine de choisir un grand maître pour remplacer Léonte. Il avait même proposé un candidat. Or ce dernier, un dévot qui, s'il ne connaissait pas grand-chose au maniement des armes, n'ignorait rien du culte de Shir et maudissait celui de Shirana, avait disparu mystérieusement peu après son établissement dans la maison-mère de l'Ordre. Depuis, les Shiraniens, faute de grand maître reconnu par la couronne, n'étaient pas représentés au conseil royal.

« Que proposez-vous, Elgire ? persifla Vilsin. Vous êtes le plus âgé, et donc le plus sage. Vous avez forcément le remède à nos problèmes. »

L'interpellé foudroya le grand prêtre de Shir du regard. Le duc de Sargus n'était pas peu fier d'avoir conservé, malgré le passage du temps, une musculature respectable et une échine droite. Dès qu'il en avait l'occasion, il mentionnait d'ailleurs que le feu de la jeunesse coulait encore dans ses veines et faisait jouer ses muscles pour illustrer son propos. Aussi, toute allusion à son âge véritable était-elle fort mal accueillie.

Un bref instant, Elgire caressa le projet de sauter à la gorge de Vilsin et de l'étrangler. Cependant, que cela lui plaise ou non, avec l'âge venait généralement la sagesse et Elgire desserra donc les poings avant de dire d'une voix sourde :

« Les Shiraniens ne sont pas nombreux, mais ils savent encore manier une épée et un arc. Or, si les

Osjes ont l'avantage du nombre, ils sont de piètres combattants. Nous avons donc besoin de l'Ordre. Seulement, ils n'écouteront qu'un chef : leur grand maître légitime. »

Moebes et Antore tressaillirent, tandis qu'un rictus mauvais retroussait les commissures des minces lèvres de Vilsin. Tous avaient compris où le duc de Sargus voulait en venir, et tous savaient comment la reine réagirait : elle rejetterait catégoriquement toute proposition allant dans le sens d'Elgire. Pendant onze longues années, Lyntas avait lutté pour purger l'Hudres de l'hérésie que constituait le culte de Shirana, et des partisans de son défunt époux. Petit à petit, elle avait réussi à écraser tous les soulèvements faits au nom de Magne ou de Shirana. Elle n'allait sûrement pas ruiner ces onze années de labeur en rapatriant le plus loyal serviteur de l'ancien roi et de la déesse !

Cependant, la reine restait coite. Fidèle à sa tactique, elle écoutait, observait.

Et réfléchissait intensément.

Le silence s'éternisa. Mal à l'aise, Sterne toussota et demanda à Elgire, son vieux compagnon :

« Tu proposes que nous ramenions Léonte, c'est cela ? Et peut-être aussi Dansec ? »

Elgire hocha la tête, une lueur espiègle dansant au fond de ses yeux bleus.

« Les Shiraniens obéiront à Léonte, dit-il, mais pour aller au combat, les novices auront besoin de leur précepteur. En outre, tous les membres de l'Ordre voudront une bénédiction avant d'affronter les Osjes. Léane devra également revenir... Sans oublier Nantor, évidemment. Un fin stratège militaire est toujours utile lorsque vient le moment de livrer bataille ! »

Il venait à peine de refermer les lèvres que Vilsin se dressait brutalement, tel un serpent prêt à mordre.

«C'est hors de question!» s'exclama-t-il en regardant tour à tour les conseillers, en quête d'approbation.

Comme son regard ne lisait qu'une vive stupéfaction, le grand prêtre saisit que sa réaction avait été plus vive que nécessaire. Il caressa son crâne rasé de frais et couvert des tatouages rituels et se rassit, en disant d'une voix tremblante d'indignation réprimée:

«Je voulais dire que Dansec et Léonte peuvent revenir, à la rigueur. Mais les deux hérétiques resteront là où ils sont: en exil!

— Et si nous soudoyions les Shiraniens? proposa mollement Moebes. Depuis que la couronne leur a coupé les vivres, ils doivent avoir du mal à subsister.»

Antore roula ses yeux immenses avant de toiser le grand chancelier comme s'il était pris de folie.

«Avec quel argent voudrais-tu les acheter? Nous avons du mal à payer nos fidèles soldats, alors imagine les infidèles!»

Le commentaire vint trop tard: Moebes était déjà retourné à sa torpeur coutumière.

«Laissons la reine trancher», proposa Sterne.

En son for intérieur, Lyntas sourit. Inévitablement, ses conseillers finissaient par se rappeler qui détenait les rênes du pouvoir. Il lui suffisait d'attendre son heure.

Consciente que l'assistance était suspendue à ses lèvres, elle rendit sa décision:

«Une situation désespérée demande des décisions en conséquence. Je convoque donc les anciens conseillers militaires de mon mari, afin d'obtenir l'aide des Shiraniens. Dans l'intérêt du royaume, toutefois, je ne me limiterai pas à une solution. Je ferai également appel à l'armée de mon père. Dès cet après-midi, j'enverrai un pigeon porter un message au roi de Damasie.

— Des Damasiens sur le sol de l'Hudres ? s'indigna Elgire. Jamais !

— C'est pour le bien du royaume, Elgire, reprit la reine d'un ton patient, comme si elle raisonnait un enfant. Si cette idée vous répugne, vous n'avez qu'à vous hâter de ramener vos amis. Car je vous confie la mission de les retrouver, puisque c'est votre idée.

— Dansec et Léonte, c'est cela, ma reine ? insista le duc de Sargus, ses intonations hésitant entre la colère, la joie et la frustration. Ils ne voudront peut-être pas revenir. »

Lyntas riva son regard intense dans les yeux bleu pâle d'Elgire. Ce dernier ne broncha pas.

En proposant de ramener les anciens conseillers militaires du roi Magne, le duc de Sargus pensait qu'il se ferait une ennemie. Après tout, la reine ne l'avait jamais porté dans son cœur : Elgire n'était-il pas un des derniers loyaux serviteurs de Magne à toujours siéger au conseil royal ?

Le regard intense de Lyntas demeura impénétrable. Le duc, comme tous les autres hommes qui s'étaient aventurés à soutenir l'œil de la reine, finit par baisser les yeux.

Les extrémités des lèvres droites et minces de Lyntas se soulevèrent imperceptiblement, mais lorsqu'elle répondit au vieil homme, sa voix n'exprimait aucune émotion :

« À vous de les convaincre. »

Sur ce, la reine se leva, passa devant ses conseillers qui se dressèrent en hâte pour la saluer, et gagna la sortie. Avant de disparaître dans l'escalier, elle marqua une pause, posa un doigt songeur sur ses lèvres, puis ajouta à l'adresse d'Elgire :

« Vous ramènerez également Léane. Je ne veux pas que les Shiraniens utilisent son absence comme prétexte pour refuser d'aider la couronne. Mais le

Namarre reste où il est : le plus loin possible de l'Hudres. »

Cela ayant été dit, elle se retira.

Dès que l'écho de ses pas se fut éteint, Elgire jeta un regard triomphant à Vilsin. Ce dernier bouillait de rage derrière son masque impassible, et comme la violence ne seyait guère à un grand prêtre de Shir, Vilsin préféra se retirer avant de se jeter sur l'impudent duc de Sargus.

Moebes et Antore imitèrent le grand prêtre, le premier toujours perdu dans ses pensées, le second roulant de grands yeux affolés. Bien que tous deux aient également siégé au conseil du roi Magne, ni l'un ni l'autre ne portaient une affection particulière à celui-ci. Peu importait le dirigeant, du moment qu'ils conservaient leur poste.

Diviser pour régner. Telle était la stratégie que Lyntas employait pour arriver à ses fins et, cette fois, elle avait particulièrement bien réussi.

◆

Restés seuls dans la pièce située au sommet de la tour, hors de portée des oreilles indiscrètes, les ducs de Rasg et de Sargus contemplaient le combat qui faisait rage plus bas. Du haut des fortifications de la capitale de l'Hudres, les archers déversaient leurs flèches sur les Osjes rassemblés au pied des murailles, tandis que des soldats vidaient huile chaude et poix bouillante sur les crânes des barbares. Pour le moment, l'armée de la ville parvenait à tenir les envahisseurs à distance respectueuse des murs.

« Heureusement que les Osjes n'ont pas de catapultes, constata Sterne en grattant sa chevelure frisottée d'une blancheur jaunâtre. Sinon, ils seraient déjà parmi nous.

— Sans renforts, les soldats ne tiendront pas longtemps, dit Elgire en désignant de son menton carré un Osje qui avait failli franchir les remparts avant d'être transpercé d'une flèche. Sans compter que, s'ils maintiennent ce rythme, les archers vont bientôt tomber à court de munitions. Nous devons sortir d'ici le plus tôt possible.

— Attendons la nuit tombée, dit Sterne d'un ton implorant.

— Cela ne changera pas grand-chose, répondit Elgire. Les Osjes nous encerclent et il n'y a qu'un moyen de quitter l'enceinte de la ville : par la grande porte. Sinon, nous pouvons toujours nous jeter en bas des fortifications.

— Si seulement nous connaissions un passage secret ! s'exclama Sterne d'un ton désespéré.

— Tu écoutes trop les récits des troubadours, le taquina son interlocuteur. Je te l'ai toujours dit. Et ton fils n'est pas mieux que toi.

— Qu'est-ce que tu as contre ma façon d'élever mon fils ? dit le duc de Rasg de sa voix qui évoquait le bêlement d'un agneau. Toi, tu n'as même pas d'enfant à élever ! Moi, j'ai dû éduquer seul mes jumeaux ! Shir ait l'âme de ma défunte femme, emportée par la peste… La pauvre, je l'aimais tant ! Et mes pauvres enfants, qui n'ont pas eu de mère ! »

Occupé à regarder par les fenêtres qui donnaient sur les quatre points cardinaux, Elgire écoutait les lamentations de Sterne d'une oreille distraite. Devant la fenêtre du sud, il s'immobilisa et esquissa un sourire miséricordieux. Pauvre Sterne ! Il était si ignorant des choses de l'Hudres ! Il avait vécu trop longtemps replié dans son duché à pleurer son épouse, de sorte qu'il ne connaissait pas le plus grand et le plus précieux secret de Dafidec. Ce qui, pour un conseiller du roi ayant la responsabilité de se tenir informé des affaires du royaume, relevait presque d'un crime.

« Tu n'as pas tort, finalement », dit-il.

Son vieux compagnon d'armes interrompit immédiatement ses jérémiades et dévisagea Elgire avec une expression ahurie.

« Que veux-tu dire ?

— Pour sortir, nous emprunterons un passage secret », expliqua le duc de Sargus.

De son doigt tendu, il désignait un quartier fortifié érigé contre les remparts de la ville.

« Ce passage se trouve là-bas. C'est par là que nous sortirons.

— Le quartier namarre ? s'exclama Sterne. Tu es fou ! Au lieu d'être massacrés par des Osjes, nous le serons par ces fanatiques !

— Ils ne sont pas tous assoiffés de sang, objecta Elgire. Souviens-toi de Nantor.

— Nantor ? Il ne parlait pas, alors impossible de savoir ce qu'il pensait ! Je ne lui ai jamais fait confiance.

— Rappelle-toi qu'il était tout dévoué à Léonte et que, sans lui, nos troupes n'auraient pas triomphé aussi aisément du Rishan. Et puis nous avons perdu assez de temps. Pour éviter que les Osjes rasent Dafidec ou que les légions damasiennes pénètrent en Hudres, je suis prêt à m'aventurer dans le quartier namarre. Tu es libre de m'accompagner ou non. »

Sterne tourna ses yeux gris d'épagneul vers le sud de Dafidec, puis exhala un profond soupir.

« Si tu es certain que c'est le seul moyen de quitter la ville… je vais venir avec toi. Mais j'espère pour toi qu'il y a vraiment un passage secret dans le quartier namarre. »

Le duc de Rasg suivrait toujours les plus forts, même si les décisions de ceux-ci allaient à l'encontre de ses propres convictions.

Elgire tapota affectueusement les épaules voûtées de son ami.

« Tu ne le regretteras pas, je te le promets ! »

Les yeux du duc de Sargus brillaient d'un éclat juvénile. Après avoir enduré les airs supérieurs de Lyntas et les piques acides de Vilsin, il concrétiserait enfin son rêve : ramener au conseil ceux qui pouvaient restaurer l'Hudres puissant de Magne. Pendant onze années, Elgire avait puisé dans cette ambition la force et la patience nécessaires pour ployer l'échine, fort de l'espoir qu'un jour ses sacrifices seraient récompensés. Ainsi, pour ne pas être expulsé du conseil et ne pas perdre son duché, il avait dû renier sa foi véritable et prétendre n'adorer que le dieu mâle. Au fond de son cœur, cependant, le duc de Sargus persistait à prier Shir et Shirana, le mâle et la femelle qui formaient le tout divin. Il avait grandi dans la sainte Dualité et ce n'était pas une génisse damasienne du nom de Lyntas, fût-elle une génisse couronnée, qui le ferait changer d'allégeance.

« Repose-toi bien aujourd'hui, conseilla Elgire au duc de Rasg d'un ton affectueux. Une dure nuit nous attend. Ton vieux corps aura besoin de toutes ses forces. »

CHAPITRE 2

Avec le coucher du soleil, la clameur assourdissante des Osjes s'était tue. Les barbares avaient fini par s'endormir, épuisés.

Le moment était venu pour les deux ducs de quitter Dafidec. Ils se retrouvèrent à l'arrière du palais royal, vêtus d'une cape noire, les sabots de leur monture enveloppés dans des draps épais. Aussi silencieusement que des loups en chasse, ils longèrent les murs en direction du sud de la ville.

Devant les hautes murailles qui dérobaient le quartier namarre aux regards indiscrets, les deux vieux ducs s'immobilisèrent. Elgire s'approcha de l'entrée du quartier, frappa trois coups sur le portail de bois qui la celait.

Un petit panneau de bois glissa, révélant un guichet. Une voix demanda sèchement :

« Qui êtes-vous ?

— Des pèlerins, répondit Elgire. Des pèlerins qui désirent quitter la ville.

— Attendez à l'aube et prenez la grande porte. »

Les doigts firent mine de refermer le petit panneau.

« Un instant ! s'exclama le duc de Sargus. Nous ne pouvons attendre l'aube, les Osjes seront réveillés ! Vous n'enverriez pas des croyants à une mort certaine, n'est-ce pas ?

« — Pourquoi vous adresser à nous ? répliqua leur interlocuteur invisible, méfiant.

— Parce que j'ai connu ce quartier avant qu'il soit attribué aux Namarres, répondit Elgire, et que je me souviens qu'une des maisons, construites contre les remparts de la ville, dissimulait un souterrain qui menait hors de Dafidec. »

Sterne se raidit de stupeur, tandis que des murmures furieux provenaient de l'autre côté de la porte.

« Vous avez une mémoire trop fidèle, dit la sentinelle au bout de quelques instants. Je ne peux pas laisser vivre quelqu'un qui détient cette information.

— Et si je jure sur le très saint emblème solaire de ne rien révéler ? »

Une note d'hésitation perça dans la voix de l'homme invisible.

« Le très saint emblème solaire ? »

Elgire fouilla quelques instants dans le col de sa tunique, puis exhiba une médaille sur laquelle était gravé le soleil, symbole de l'infinie puissance de Shir.

« Un tel serment n'est pas à faire à la légère, souligna le Namarre avec une crainte respectueuse. Quiconque le fait confie son âme à Shir. S'il y manque, le dieu la réclamera.

— Je sais, dit le duc de Sargus. C'est pourquoi je ne jurerai que si vous nous aidez à sortir de Dafidec. Sinon, je vais au palais royal révéler l'existence du passage secret. »

De nouveau, des chuchotements furieux s'élevèrent de l'autre côté de la porte de bois.

« Je n'ai pas toute la nuit ! » s'impatienta Elgire.

Le battant pivota aussitôt sur lui-même. Le gardien, enveloppé dans une robe noire, apparut et signala aux deux ducs de le suivre : le duc de Sargus avait gagné son pari.

Dès que les compagnons eurent pénétré dans l'enceinte namarre, la porte se referma derrière eux.

Nerveux, Sterne tressaillit. Être prisonnier des fanatiques Namarres le glaçait de terreur. Qui sait s'ils ne l'offriraient pas en sacrifice à Shir ?

« Il vous mènera au souterrain », dit laconiquement le gardien en désignant un coin d'ombre.

De l'obscurité émergea un colosse drapé d'un tissu noir qui le couvrait des pieds à la tête. Il salua les deux Hudresiens d'un bref hochement du chef, puis s'engagea dans l'artère principale du quartier. Les ducs lui emboîtèrent aussitôt le pas.

Les habitations étaient si hautes et si serrées que le ciel nocturne était réduit à une mince ligne au-dessus de leurs têtes. Un murmure continu s'échappait des fenêtres sans volets, celui des dévotions des habitants du quartier. À cette litanie incessante se mariait le babil de la fontaine approvisionnant le quartier en eau, qui était située au beau milieu de la voie principale. Les ducs et leur guide contournèrent la petite construction de pierre au prix de quelques contorsions.

La fontaine fut l'unique obstacle que les deux vieillards rencontrèrent et ils atteignirent rapidement l'extrémité de l'allée, qui se terminait par une maison construite contre les remparts de la cité. Précédés de leur guide, Sterne et Elgire y pénétrèrent en tirant derrière eux leurs deux chevaux.

L'intérieur de l'habitation était vivement éclairé, ce qui permit aux deux Hudresiens de découvrir une impressionnante réserve d'armes et de munitions ainsi qu'une vingtaine de soldats namarres assis autour d'une table. À leur vue, ils se dressèrent immédiatement et saisirent leur arme.

Sterne fit machinalement un pas en arrière, prêt à s'enfuir, mais la main ferme d'Elgire s'abattit sur son avant-bras. Il ordonna entre ses dents serrées :

« Ne bouge pas. Pas de signe de faiblesse. »

L'immense guide qui les accompagnait esquissa un geste rapide. Les Namarres baissèrent lentement leur arme et se rassirent, sans toutefois quitter les intrus des yeux.

Sterne, terrifié, retint son souffle jusqu'à ce que lui et Elgire soient sortis de la pièce principale à la suite de leur guide et qu'ils aient gagné une chambre située au fond de l'habitation.

Dès qu'ils furent arrivés, le colosse désigna un rideau suspendu à un mur, au fond de la chambre. Elgire se dirigea vers l'étoffe, l'écarta ; elle dissimulait une porte close.

Il se tourna vers leur guide.

« Merci. Je tiendrai ma promesse. Dorénavant, le secret des Namarres est le mien et mon âme appartient à Shir. »

Le colosse hocha gravement la tête, puis il fit demi-tour, fermant la porte de la chambre derrière lui. L'écho d'un verrou glissé se répercuta dans la pièce. Les deux Hudresiens ne pouvaient plus reculer.

D'un geste décidé, Elgire écarta le battant, qui donnait sur un escalier en pierre dont les dernières marches se perdaient dans les ténèbres. Le duc de Sargus s'y engagea sans hésiter, suivi de Sterne et des chevaux. La descente menait à un long tunnel se terminant par d'autres marches. Les deux hommes les gravirent et débouchèrent dans une grotte.

« Où sommes-nous ? s'enquit Sterne d'une voix inquiète.

— Dans un ancien temple des prêtresses de Shirana, dit Elgire. Par le passé, les prêtresses utilisaient le tunnel pour se livrer à leurs cérémonies à l'extérieur de la ville, loin des regards indiscrets.

— Et comment as-tu appris l'existence du passage ? » demanda Sterne, curieux.

Elgire haussa les épaules.

« Il fut un temps où les prêtresses de Shirana et moi étions très proches, éluda-t-il. Quand elles ont fui la ville pour échapper à Lyntas, celle-ci a donné le quartier aux Namarres.

— Qui ont découvert le passage, compléta Sterne, et ils l'utilisent à présent pour amener clandestinement des armes et des soldats dans la ville. Dire que la reine avait accepté que les Namarres s'installent à Dafidec à la condition expresse qu'ils n'emmènent ni armes ni guerriers ! Seulement des civils, et encore : en nombre limité ! Tu imagines la quantité de gens qu'ils peuvent loger dans ces maisons entassées les unes sur les autres ? Ils ont de quoi tenir un véritable siège ou, pire, prendre la cité d'assaut !

— Ce n'est pas moi qui les dénoncerai, répliqua Elgire. J'ai donné ma parole. Et avec la menace osje, qui sait ? Des soldats et des armes supplémentaires peuvent toujours être utiles. Les Namarres détestent les Osjes encore plus que nous. Tu sais comme ils sont intolérants à l'égard de l'hérésie… C'est d'ailleurs pourquoi Lyntas s'est gardée de leur dire qu'ils logeaient dans les anciens appartements des prêtresses de Shirana ! Tu imagines leur réaction ? »

Si une telle éventualité amusait le duc de Sargus, elle arracha à Sterne un frisson. Le duc de Rasg avait entendu des rumeurs concernant les croyants de la Dualité qui s'étaient aventurés au Namarre. Les malheureux avaient été brûlés vifs et leurs cendres avaient été répandues dans le désert.

Elgire s'avança à l'extérieur de la grotte. Après avoir jeté quelques coups d'œil furtifs à gauche et à droite, il signala à son compagnon que la voie était libre.

« Les Osjes ne sont pas venus jusqu'ici, dit-il. Ils n'auraient jamais osé attaquer un sanctuaire de leur déesse. »

Sterne quitta le monticule de pierres en tirant les montures derrière lui.

Dès qu'ils furent en selle, Sterne demanda à Elgire :

« Et maintenant, où allons-nous ?

— Sargus est trop loin, répondit l'autre. Chez toi, nous pourrons nous reposer et trouver les arguments qui convaincront Léonte de revenir parmi nous. La tâche ne sera pas aisée. Il n'a pas quitté le conseil royal dans la meilleure des humeurs, il y a onze ans…»

◆

Le château du duc de Rasg, à l'image de son propriétaire, était insignifiant. À peine plus haute que le petit hameau où logeaient les serfs du duché, l'habitation semblait égarée dans les vastes champs qui l'entouraient.

Homme peu attaché aux choses matérielles, Sterne se satisfaisait de son humble logis, celui-ci étant plus que suffisant pour abriter sa famille. Si le duc de Rasg avait une priorité dans son existence, c'était celle de protéger ses enfants contre tous les périls de ce bas monde. À ce titre, dès qu'il avait appris que les Osjes avaient envahi l'Hudres, ses pensées avaient été pour ses jumeaux, restés seuls dans son duché. Or, ce dernier était près de Dafidec ; ce n'était qu'une question de temps avant que les barbares envahissent ses terres. Sterne avait donc accueilli avec soulagement la décision d'Elgire d'aller chez lui – Elgire semblait si pressé de retrouver Léonte que Sterne n'avait pas osé le demander – et les deux vieillards avaient chevauché à bride abattue en direction des terres de Rasg.

Dès qu'il eut pénétré dans le château, Sterne fit prévenir ses enfants de son arrivée. Pendant qu'un serviteur courait éveiller les jumeaux, le duc demanda un repas pour Elgire et lui. Une fois leurs montures installées dans les écuries, les deux ducs passèrent à la salle à manger, où leur souper avait été servi.

Elgire se jeta sur la nourriture avec un bel appétit, mais Sterne se contenta de jouer avec la sienne. Où ses enfants seraient-ils en sûreté ? Telle était la question qui le tourmentait. Il ne pouvait laisser les jumeaux à Rasg, mais il refusait de les envoyer sur les routes.

Ces dernières n'étaient pas sûres, avec tous les pillards lonjois qui s'attaquaient aux voyageurs.

« Ce vin est revigorant, dit Elgire, reprenant son souffle entre deux bouchées.

— Heureux qu'il te plaise », répondit distraitement Sterne en repoussant son assiette, ses yeux d'épagneul plus tristes que jamais.

Le silence retomba, troublé uniquement par la mastication d'Elgire et les soupirs profonds de Sterne.

« Qu'est-ce qui te tracasse ? » demanda finalement le duc de Sargus.

Il connaissait son compagnon depuis assez longtemps pour savoir que celui-ci brûlait de s'épancher.

« Je m'inquiète pour les enfants, avoua Sterne. Que leur arrivera-t-il si je pars retrouver Léonte et les autres ? Et mes gens ? Les Osjes sont pratiquement sur mes terres. Je suis responsable de la défense de mon duché. »

Elgire haussa les épaules.

« Reste, alors.

— Je suis trop vieux pour avoir autant de responsabilités, répliqua Sterne en soupirant de nouveau.

— Eh bien moi, je suis assez jeune pour me débrouiller seul, rappela Elgire. S'il m'arrive quelque chose, on chantera ma légende pendant des siècles. J'ai déjà vu pire fin. Tu imagines un peu ? Le duc mort pour sauver son royaume des Osjes… Cela se mettrait très bien en musique.

— J'ai suffisamment entendu *La geste du duc de Sargus* ! gémit son compagnon. Je ne voudrais pas qu'une nouvelle vienne tourmenter mes oreilles ! N'empêche que tu as bien de la chance de pouvoir agir ainsi. Si seulement je n'avais pas à m'occuper de mon duché… »

Elgire toisa Sterne. Après des années passées à chevaucher avec lui, le duc de Sargus savait que Sterne avait toujours détesté l'action et qu'aujourd'hui encore, il attendait seulement qu'on lui ordonne de rester dans son duché pour abandonner l'Hudres aux Osjes. Elgire prononça donc les mots que le duc de Rasg était incapable de formuler à haute voix :

« Tu as raison. Tes gens ont besoin de toi. Je ne les priverai pas de ta présence. Reste ici. Shir et Shirana veilleront sur moi. »

Sterne, soulagé qu'Elgire ait tranché à sa place, revint à son premier sujet de tracas : que ferait-il de ses jumeaux ? Le duché de Rasg n'étant protégé par aucune armée, Sterne ne pouvait y laisser ses enfants.

À peine venait-il de penser à eux que ces derniers faisaient leur entrée. Tous deux étaient minces et élancés et possédaient une longue chevelure rousse, un teint crème, d'immenses yeux gris et un doux minois ovale. De loin, on aurait pu les croire identiques, n'eût été un détail majeur : l'un était né garçon, l'autre fille, et cela faisait toute la différence. Ainsi, là où la pâleur et la minceur de la demoiselle lui conféraient un air noble, les mêmes traits, chez le garçon, donnaient à celui-ci une mine lymphatique, presque maladive. La jeune fille se tenait droite et fière ; son frère paraissait écrasé par le fardeau de sa propre grandeur et avait les épaules voûtées, l'échine molle.

« Mes enfants ! s'exclama le duc de Rasg alors que ses jumeaux se précipitaient à ses pieds pour lui faire mille caresses.

— Tu veilles bien tard, père, nota le garçon en bâillant ostensiblement.

— Tu ne devais rentrer que dans une semaine », renchérit la jeune fille.

Ses grands yeux gris se portèrent sur Elgire.

« Et tu es accompagné de notre oncle ? ajouta-t-elle, la voix soudainement empreinte d'inquiétude. Il est arrivé quelque chose de grave ?

— Mes filleuls ! intervint joyeusement le duc de Sargus. Laissez votre pauvre père respirer un peu ! Vous allez l'étouffer avec vos embrassades et vos questions !

« — Vous êtes simplement jaloux de ne pas être le centre d'attention, oncle Elgire, le taquina la jeune fille. Toutefois, il faut bien vous punir ! Vous venez si rarement nous voir ! »

Elle se leva prestement et déposa un baiser léger sur la crinière blanche d'Elgire. Ce dernier la contempla en souriant.

« Adorable Nyam ! Tu es devenue une jeune femme, depuis la dernière fois que je t'ai vue. Tu en briseras, des cœurs, avant que ton père ne trouve chaussure à ton pied ! »

La fille du duc de Rasg esquissa une grimace espiègle.

« Je ne me marierai jamais, mon oncle. Vous ne m'avez pas laissé le choix : vous êtes le meilleur parti du royaume, mais vous ne vous cherchez pas d'épouse ! »

Le duc de Sargus éclata d'un rire sonore.

« Par Shir ! Une proposition de mariage en bonne et due forme ! J'ai bien envie d'accepter, mais sache, jeune fille, que je suis encore trop jeune pour me caser !

— Je ne laisserai jamais ma fille se marier. J'ai besoin d'elle pour tenir ma maison », intervint Sterne d'un ton plaintif.

Un silence embarrassé suivit sa remarque.

Les jumeaux échangèrent une brève œillade, mais ni l'un ni l'autre n'osèrent répliquer à leur père.

Satisfait d'avoir mis un terme à une joie qui ne seyait guère à ces heures tragiques, Sterne reprit de sa voix tremblotante :

« Mes enfants, si Elgire et moi sommes ici, c'est que l'Hudres est en péril : les Osjes ont pris Dafidec d'assaut. »

Après cette brutale entrée en matière, il informa ses enfants des derniers événements. Quand il eut terminé, Nyam demanda :

« Qu'allons-nous faire ? »

Sterne écarta les mains en signe d'impuissance.

« En tant que duc, je dois protéger mes gens. Je vais donc rester ici et les défendre de mon mieux. Quant à toi, tu ne peux rien faire.

— Et oncle Elgire ? enchaîna Nyam en ignorant volontairement la dernière remarque de son père. Il ne peut affronter seul les périls de la route ! Accompagne-le. Fyae et moi défendrons le duché. N'est-ce pas, Fyae ? »

Son frère hocha la tête sans grande conviction.

Elgire considéra Fyae avec une expression découragée. En tant que parrain des jumeaux, il se sentait responsable d'eux, d'autant plus qu'ils étaient orphelins de mère et que lui-même n'avait pas de famille. Mais contrairement à Sterne, Elgire ne se laissait pas aveugler par son affection et il déplorait que Fyae, en grandissant, prenne trop rapidement les plis de son père. Pour rétablir la situation, le duc de Sargus envisageait depuis quelque temps déjà de suggérer à Sterne d'envoyer son fils à l'aventure, celle-ci endurcissant les caractères les plus mollassons. En fait, il se serait chargé de l'éducation des jumeaux depuis longtemps si les affaires du royaume ne l'avaient pas retenu à Dafidec. Toutefois, il devait penser à l'Hudres avant tout et, à cet effet, son devoir premier était de tenir Lyntas et Vilsin à l'œil. Les jumeaux avaient donc grandi sans lui, avec les conséquences que son absence entraînait. Il n'était cependant pas dit qu'Elgire avait renoncé à intervenir. Il entendait même commencer à l'instant à rattraper le temps perdu.

Voyant que Sterne ne réagissait pas, le duc de Sargus modéra les ardeurs de sa filleule :

« Je suis loin d'être sénile, Nyam. Je peux me débrouiller seul. Mais il est hors de question que tu restes ici. Ton père doit veiller sur vos gens et ne doit pas, en conséquence, se faire du tracas à ton sujet. Le duché de Sargus est plus au sud et mes serviteurs savent se battre, et donc, si ton père est d'accord, tu pourras venir t'installer chez moi. »

Les traits de Nyam affichèrent une vive déception, et ce fut du bout des lèvres qu'elle répondit :

« Merci, mon oncle, votre offre est très généreuse.

— Et moi ? s'enquit Fyae. Que m'arrivera-t-il ? »

Elgire ouvrit la bouche pour répondre, mais Sterne le prit de vitesse.

« Tu iras chez Elgire avec ta sœur, évidemment, dit-il. N'est-ce pas, Elgire ? » ajouta-t-il en tournant ses yeux d'épagneul vers son vieux compagnon.

Le regard d'Elgire alla du fils au père puis du père au fils. Une expression implorante identique s'était peinte sur leurs traits, déjà par trop similaires. La situation était plus urgente que le duc de Sargus ne l'avait cru. « Tu oublies, Sterne, rappela-t-il d'un ton irrité, que nous n'aurions pas été trop de deux pour rassembler les anciens conseillers de Magne. Or, puisque tu es dans l'impossibilité de m'accompagner, je ne vois pas pourquoi ton fils ne te remplacerait pas. Qu'en penses-tu, Fyae ? »

Le jeune garçon écarquilla les yeux, ouvrit la bouche et oublia de la refermer tant sa stupeur était grande, tandis que Nyam et Sterne dévisageaient le duc de Sargus d'un air horrifié.

« Elgire, tu ne peux pas me priver de mon seul fils ! protesta Sterne, des larmes dans la voix. S'il se faisait tuer, je n'aurais plus d'héritier pour poursuivre ma lignée !

— Mon oncle, renchérit Nyam, vous ne pouvez pas nous séparer ! Depuis la naissance que nous sommes ensemble ! »

À cette perspective, elle étreignit son frère. Ce dernier, pâle comme la mort, l'enlaça en retour.

Devant l'émoi des de Rasg, Elgire perdit patience. Ses filleuls étaient aux portes de l'âge adulte, les Osjes étaient à celles de Dafidec, il avait déjà perdu trop de temps à discutailler. Du ton qu'il employait autrefois pour mener les armées de Magne au combat, il trancha :

«Allez faire vos bagages, tous les deux. Fyae et moi partirons à l'aube. Quant à toi, Nyam, je te conseille de ne pas tarder à gagner mon duché. Les Osjes se lasseront rapidement des murailles de Dafidec. Alors, ils s'en prendront aux duchés des environs.»

S'il était une chose que Sterne avait apprise à ses enfants, c'était la docilité. Les jumeaux se retirèrent la mine basse en se tenant étroitement par la main, sans un regard pour leur père ou leur parrain.

Sterne les suivit des yeux jusqu'à ce qu'ils aient disparu, puis tourna vers Elgire son visage implorant.

«C'était la meilleure décision à prendre, dit le duc de Sargus d'une voix raisonnable. Il est plus que temps que tu laisses tes enfants devenir des adultes.»

Sterne ne répondit pas. Certes, son vieux compagnon d'armes avait réglé la question qui l'avait préoccupé tout le jour durant, seulement la solution ne lui plaisait guère. Néanmoins, fidèle à son habitude de ne pas contester les décisions, il garda ses pensées pour lui.

Le regard d'Elgire se détourna de Sterne et se perdit dans les flammes de l'âtre à quelques pas de lui. Il n'avait pas d'enfants, mais cela ne l'empêchait pas d'avoir la conviction qu'il savait mieux que leur père ce qui était bon pour ses filleuls. En outre, il fondait de grands espoirs sur eux, en Fyae surtout; l'Hudres, pour redevenir celui de Magne, n'avait pas besoin d'autres Sterne. Par contre, il souffrait d'un manque cruel de Léonte.

◆

Fyae était allongé sur son lit, les bras en croix, et contemplait le plafond d'un air désemparé. Des coups discrets frappés sur la porte de sa chambre troublèrent ses ruminations. Il s'assit sur son lit et dit:

«Entre, Nyam!»

La jeune fille pénétra dans la pièce, referma la porte derrière elle, puis se laissa tomber lourdement sur la couche aux côtés de son frère.

« Tu devrais faire tes bagages et tâcher de dormir un peu.

— Parce que les tiens sont faits, évidemment! répliqua Fyae d'une voix agacée. Tu dois être pressée de gagner la sécurité de la maison de notre parrain, alors que moi… Que vais-je devenir, seul sur les routes, comme un chien abandonné?»

Sa sœur écarquilla les yeux, décontenancée par ces piques injustifiées.

« Ne te crois pas si malheureux! Tu ne seras pas seul: notre parrain sera avec toi! Tandis que moi, je n'aurai personne à qui parler, dans la grande demeure sinistre des de Sargus!»

Les jumeaux se fixèrent un bref instant d'un œil dur, puis leurs lèvres se mirent à trembler et ils tombèrent dans les bras l'un de l'autre.

« Comment allons-nous faire, Nyam, l'un sans l'autre? » demanda Fyae, des sanglots dans la voix, formulant tout haut le plus grand de leurs soucis.

Nyam le serra de toutes ses forces contre son cœur et se dégagea doucement de l'étreinte de son frère. Elle esquissa un sourire hésitant.

«Découvrir que le monde ne se limite pas aux terres et aux livres de père… Je suppose que ce sera bon pour nous de quitter le nid.»

Son regard devint vague à l'évocation de royaumes qu'elle ne connaissait que sur des cartes, de peuples qu'elle n'avait fréquentés que grâce aux livres et qu'elle ne verrait probablement jamais. Son père n'avait-il pas dit que sa place était auprès de lui?

Elle battit des paupières pour chasser sa frustration et dit à son frère :

« Nous lamenter sur notre sort ne sert à rien. Tu as entendu notre parrain. Il faut nous préparer. »

Son jumeau laissa échapper un profond soupir de résignation et renifla bruyamment.

« Tu as raison, comme d'habitude. J'aimerais être comme toi, capable de toujours savoir agir comme il faut. »

Nyam secoua la tête, incrédule. Sous prétexte qu'elle l'avait précédé de quelques instants à la naissance, Fyae lui attribuait une sagesse d'aînée qu'elle ne détenait pas, attitude qui lui évitait d'avoir à prendre seul des décisions. En cela, il était le portrait craché de leur père.

Ils rassemblèrent les effets dont Fyae aurait besoin pour son périple. Quand ils eurent terminé, Nyam contempla les vêtements posés sur le lit, un pli profond creusant son front lisse. « Tu n'as pas d'arme, Fyae ? » lança-t-elle à son frère.

Fyae fronça les sourcils, réfléchit brièvement, puis se pencha et fouilla sous sa couche. Au bout d'un instant, il se releva, un poignard à peine plus gros qu'un couteau à la main.

« Tu crois que ça suffira ? demanda-t-il d'un ton dubitatif. J'ignore comment le manier ! »

À cette pensée, ses traits se crispèrent sous le joug de la panique.

« Nyam, notre parrain me mène tout droit à la mort ! Je ne sais même pas me battre et il va me jeter entre les griffes des monstres qui arpentent les routes ! »

Son teint pâle vira au verdâtre et il parut sur le point de défaillir.

Sa sœur l'attrapa par le bras, l'air à peine moins affolée que lui.

« Fyae, que va-t-il t'arriver ? Tu dois apprendre à te défendre ! Je ne veux pas te perdre ! »

Le garçon ne répondit pas.

Le pli se creusa de nouveau dans le front pâle de Nyam. Pendant qu'elle réfléchissait, son frère s'affala sur sa couche, les jambes coupées net à l'évocation de sa mort prochaine.

« Fyae ? appela tout à coup Nyam d'une voix hésitante.

— Oui ?

— Tu me fais confiance ?

— Je te l'ai dit tout à l'heure, lui rappela-t-il. Toi, tu sais toujours comment agir, peu importe les circonstances. Tu es ma boussole. Je n'arriverais à rien sans toi. »

Nyam inspira profondément.

« Alors voici ce que je te conseille de faire. Tout d'abord, garde toujours ton poignard avec toi. On ne sait jamais ce qui peut se produire. Ensuite, ne quitte pas notre parrain un seul instant. Il a l'expérience du danger. Il saura veiller sur toi.

— Mais il est si vieux ! s'exclama Fyae d'un ton dédaigneux. J'ai plus confiance dans les murs de sa résidence qu'en lui ! Dès que j'en ai l'occasion, je lui fausse compagnie et je file à bride abattue te rejoindre en sûreté. C'est la seule solution pour que je reste en vie.

— Vraiment, Fyae ? »

En guise de réponse, le garçon hocha la tête avec une vigueur et une résolution qu'elle ne lui connaissait pas.

« Pour être en sûreté, je suis prêt à tout. »

Nyam mordit sa lèvre inférieure. Elle avait toujours adoré son parrain, qui lui apportait, à chacune de ses rares visites, des présents superbes de Dafidec. Mais à partir de cinq ans, Fyae n'avait plus eu droit aux mêmes faveurs qu'elle, car Elgire affirmait qu'il voulait forger à la dure le caractère de son filleul et que les cadeaux attendrissaient même les plus coriaces. Toutefois, le traitement n'avait pas eu le résultat escompté : plutôt que de faire apparaître un tempérament de guerrier, il avait éteint toute affection que le garçon éprouvait à l'égard de son parrain. Or, si le salut de Fyae était avec Elgire, comment convaincre son frère de ne pas exécuter son plan ? Seul sur les routes, il serait une proie facile pour le premier malandrin venu.

À cette pensée, Nyam se mit à trembler. Même si son frère prétendait qu'elle savait toujours comment agir, dans le cas présent, elle ignorait quoi lui dire pour qu'il démorde de son projet suicidaire. Pour la première fois de sa vie, le garçon avait pris une décision seul et il fallait que ce soit la moins raisonnable. Coûte que coûte, Nyam devait le faire renoncer à son idée et pour garder son jumeau bien-aimé en vie, elle était prête à tout, comme Fyae l'était pour assurer sa sécurité personnelle.

En cela, tous deux étaient bien les enfants de leur père, qui avait été jusqu'à renier sa loyauté envers l'Hudres pour rester vivant… et étaient loin d'être les filleuls de leur parrain, pour qui l'Hudres passait avant tout, même ses proches, même sa personne.

◆

Les ducs comme les jumeaux connurent une nuit aussi courte qu'agitée. Au moment du départ, la fatigue se lisait donc sur tous les visages et exacerbait les émotions : Sterne, tout en serrant son fils dans ses bras, ne pouvait dissimuler son chagrin.

« Écoute ton oncle, disait le duc de Rasg. Il est de bon conseil et te ramènera auprès de moi. Surtout, garde à l'esprit que ton vieux père a besoin de toi ! Si tu meurs, notre lignée s'éteindra !

— Oui, père », répondit Fyae.

Tout comme Nyam, le garçon avait les yeux rouges et la lèvre tremblante. Elgire pressentit qu'il valait mieux couper les adieux au plus court, sinon ils y seraient encore lorsque les Osjes auraient rasé Dafidec.

Il vérifia ostensiblement la sangle de sa selle, puis demanda à Nyam :

«Tu ne veux pas te joindre à nous? Mes terres sont sur notre route et tu pourrais voir ton frère encore un peu.

— Je vous ralentirais inutilement, mon oncle, dit-elle d'une voix résignée. Je ferai le trajet avec les hommes de mon père.»

Au fond, Elgire préférait ne pas s'encombrer d'une fille, la gent féminine ayant une tendance fâcheuse à ralentir les expéditions; aussi s'abstint-il d'insister.

« À ta guise, répondit-il en dissimulant mal son soulagement. Tu es prêt, Fyae?»

Le garçon hocha la tête, non sans adresser un coup d'œil furtif à sa sœur. Une larme dévala la joue de cette dernière et ses lèvres formulèrent silencieusement :

«Reviens-moi vite!»

Fyae esquissa un hochement de tête discret, avant de grimper sur le dos de sa monture.

Elgire donna une chaleureuse accolade à Sterne, qui en profita pour lui glisser à l'oreille d'un ton suppliant :

«Prends soin de mon héritier!

— Assure-toi que ma filleule arrive saine et sauve dans ma demeure», murmura en retour le duc de Sargus.

Sterne hocha mollement la tête, tout en gardant ses yeux d'épagneul braqués sur Fyae qui, en retour, cherchait à éviter le regard de son père en vérifiant son paquetage.

Elgire libéra son vieux compagnon d'armes, monta en selle, puis talonna sa monture. Il fut rapidement imité par son filleul et les deux chevaux quittèrent la cour intérieure du petit château de Rasg.

Tant que Sterne et Nyam furent en vue, Fyae ne les quitta pas des yeux. Cependant, quand ils eurent disparu, le garçon tâcha de s'intéresser au périple qui l'attendait :

« Où allons-nous, mon oncle ? D'après ce que m'a raconté père, Léonte ne voulait pas qu'on le retrouve, après la mort du roi Magne. »

Elgire lui lança une œillade complice.

« Ce n'est pas parce que Léonte a décidé d'oublier l'Hudres que l'Hudres l'a oublié ! J'ai toujours tâché de savoir où il était, au cas où une situation comme celle-ci se présenterait. Ne perds jamais de vue les hommes de valeur, Fyae. Sinon, tu pourrais bien te retrouver sans allié devant l'ennemi. C'est le roi Magne qui m'a enseigné cela.

— Oui, mon oncle », répondit Fyae du ton des élèves dociles.

Le garçon manquait de vivacité, mais pas d'intérêt ni de bonne volonté. Elgire songea qu'il y avait peut-être quelque espoir de faire de ce garçon un homme.

« Nous allons vers la Darsonie, reprit le duc de Sargus. Léonte possède une terre près de la frontière, dans la baronnie de Palsius. Sur son lit de mort, le baron a tout légué à son héritier direct, son fils Dansec, à l'exception d'un lopin qu'il a donné à Léonte, son fils adoptif. À l'époque, l'héritage semblait totalement dépourvu d'intérêt : qu'aurait à faire d'un tel fief le premier conseiller militaire du roi ? Il semblait voué à passer son existence à cheval, pour conquérir des territoires au nom de l'Hudres. Cependant, la peste a bouleversé la destinée de tous les Hudresiens.

— En effet », dit Fyae d'une voix triste.

Elgire lui jeta un regard à la dérobée, puis se mordit les lèvres en se souvenant que la mère de Fyae figurait au nombre des victimes de l'épidémie. Embarrassé, incapable de trouver les mots appropriés pour réconforter un filleul qu'il connaissait à peine, il conclut abruptement la conversation en imposant un trot rapide à sa monture en direction du sud-ouest, vers le duché de Sargus, vers la Darsonie et, évidemment, vers Léonte.

CHAPITRE 3

Plusieurs heures après avoir quitté le duché de Rasg et traversé de nombreux champs et futaies, Elgire et Fyae arrivèrent en vue d'une forêt beaucoup plus dense. Instinctivement, le garçon flaira le danger : s'il avait été un pillard lonjois, c'est dans un tel endroit qu'il aurait tendu une embuscade aux voyageurs.

Pareille intuition n'était pas pour le rassurer. Il jeta nerveusement un coup d'œil sur les champs environnants. Il n'y avait pas âme qui vive à des lieues à la ronde. En cas d'attaque, Fyae et son parrain seraient complètement seuls.

Complètement, sauf que…

Fyae se tordit le cou. À travers les hautes herbes sur sa droite, à présent derrière lui, il avait cru apercevoir une silhouette à cheval.

Cependant, un examen plus attentif lui révéla qu'il avait eu la berlue : rien ne remuait là, sinon les longs foins bercés par la brise automnale.

Perplexe, le garçon fronça ses minces sourcils roux. Il avait pourtant vu un cavalier !

« Fyae ! l'apostropha Elgire d'une voix agacée. Tu viens ? »

L'interpellé se tourna sur-le-champ vers son parrain, qui chevauchait devant, et répondit d'un ton penaud :

« J'arrive, mon oncle. »

Elgire dévisagea son filleul. Avec ses grands yeux gris inquiets, ce dernier avait l'air d'un oisillon tombé du nid. Le duc de Sargus ne pouvait pas lui tenir rigueur d'être effrayé : les seules occasions où les jumeaux quittaient la résidence familiale étaient pour se rendre à Dafidec, et ce, sous bonne escorte. C'était la première fois que Fyae chevauchait en terrain inconnu et sans hommes armés pour le protéger. Elgire décida de le réconcilier avec sa situation. Il retint sa monture pour permettre à celle de Fyae de le rejoindre, puis dit :

« Tu sais que Léonte a vécu la même chose que toi ? Alors qu'il avait douze ans, son père l'avait envoyé au Namarre pour faire de lui un homme.

— Vraiment ? » répondit le garçon d'un ton distrait.

Il continuait à jeter des regards nerveux à droite et à gauche. Elgire ignora le manque d'attention de son filleul et poursuivit :

« C'est là, raconte-t-on, que Léonte aurait massacré vingt hommes armés. En réalité, ils n'étaient que dix et Dansec de Palsius l'accompagnait. Le père de Dansec l'avait obligé à suivre Léonte, non pas pour que Dansec devienne un homme, mais pour qu'il apprenne à tenir sa langue. Hélas, cela a échoué… Enfin, leurs assaillants étaient armés mais si ivres qu'ils tenaient à peine sur leurs jambes. Léonte et Dansec leur ont fait aisément mordre la poussière. C'est là, du moins, l'histoire telle que Léonte me l'a racontée.

— Je croyais que les Namarres ne buvaient jamais ? »

Elgire avait apparemment réussi à détourner Fyae de ses inquiétudes, car celui-ci le regardait à présent, les traits attentifs. Le vieil homme confirma :

« Tu as raison. Les agresseurs de Léonte et de Dansec étaient des pirates lonjois. Selon les Namarres,

Shir interdit l'alcool. Ce serait Shirana la tentatrice qui inciterait l'homme à se saouler. Enfin, c'est ce qu'ils disent… »

Elgire laissa volontairement sa phrase en suspens, sans perdre une miette de la réaction de Fyae à la mention de Shirana. Le garçon mordit à l'hameçon.

« Qui est Shirana, mon oncle ? demanda-t-il, les sourcils froncés.

— Sterne ne t'a rien dit sur la sainte Dualité, n'est-ce pas ? l'interrogea le duc.

— Non. Il aurait dû ? »

Elgire poussa un soupir de découragement. Sterne avait peur de la reine Lyntas au point de renier la religion de son enfance et de priver ses enfants de tout ce qui fondait l'identité des authentiques Hudresiens. Elgire, qui ne se leurrait pas sur le caractère de son vieux compagnon d'armes, n'était guère surpris que Sterne élève ses enfants en Damasiens. Heureusement que le duc de Sargus avait décidé de prendre l'éducation de son filleul en main !

Elgire hocha vigoureusement la tête en réponse à Fyae et enchaîna :

« Le Tout divin se divise en deux parties : Shir, son incarnation mâle, et Shirana, son incarnation femelle. Shir est le soleil : belliqueux, chaud, passionné, il a soif du sang des hommes. Shirana, elle, est la lune : froide, posée, mystérieuse. En toutes choses, il faut toujours balancer l'influence de l'un et de l'autre. Là résident la tempérance, la raison, les qualités qui distinguent l'homme de la bête. C'est d'ailleurs pour tempérer les combattants que l'Ordre des chevaliers de Shirana a été créé, il y a des siècles de cela. Les hommes ayant tendance, dans le combat, à s'abandonner à la fièvre de Shir, les chevaliers de Shirana ont pour mission de tempérer la folie sanguinaire des combattants.

— Si Shirana est si importante, releva Fyae, pourquoi n'en parle-t-on pas ?

— Parce que la reine Lyntas l'interdit, Fyae. Elle veut effacer des mémoires l'Hudres du roi Magne. Tu es la preuve que la reine est en train de réussir. Mais nous, les anciens conseillers du roi, saurons l'en empêcher.

— Mon père est aussi un ancien conseiller du roi, rappela le garçon, un pli soucieux creusant son front. Pourquoi ne m'a-t-il jamais parlé de Shirana ?

— Je l'ignore, Fyae », mentit Elgire d'un ton sec.

Le duc de Sargus se tut. Bien qu'il désapprouvât au plus haut point les parjures, il ne voulait pas médire d'un père devant son fils. D'un coup de talon, il obligea sa monture à devancer celle de son filleul. Le silence tomba et ni l'un ni l'autre des deux cavaliers ne chercha à le briser.

Pendant leur conversation, Elgire et Fyae avaient pénétré sous le couvert des arbres. Le garçon regarda autour de lui. Les branchages étroitement enlacés empêchaient les rayons du soleil d'atteindre les voyageurs et la fraîcheur humide qui régnait dans le bois le glaça jusqu'à la moelle.

L'atmosphère oppressante réveilla les appréhensions de Fyae. Il crispa les doigts autour de ses rênes avec une force telle que ses jointures blanchirent.

Des picotements désagréables parcoururent tout à coup sa nuque et descendirent le long de son échine. Il sentait qu'il était observé, mais il avait beau fouiller les environs des yeux, il ne voyait personne.

Elgire, dressé sur sa selle, jetait des coups d'œil à droite et à gauche. Sous sa cape, ses doigts étaient posés sur la garde de son épée. Pourtant, ni bruit ni mouvement suspect ne troublaient la forêt, sinon la respiration saccadée des deux voyageurs et de leurs chevaux.

Trois grands gaillards bondirent des arbres devant Fyae et Elgire. Ce dernier contraignit immédiatement son cheval à reculer pour se retrouver aux côtés de son filleul.

« Tout doux, grand-père ! » ordonna une voix derrière les deux voyageurs.

Ces derniers regardèrent par-dessus leur épaule et découvrirent deux autres brigands qui leur barraient la route.

« Vous nous donnez votre or, vos armes et vos chevaux sans faire d'histoire, et nous vous laissons la vie, reprit le brigand.

— Tiens-toi prêt à chercher de l'aide ! siffla Elgire à l'adresse de Fyae.

— Mon oncle ! protesta le garçon, plus pâle que la mort.

— Tiens-toi prêt ! »

Les brigands avancèrent sur leurs proies, un gourdin à la main.

« Vas-y ! » cria Elgire.

L'ordre claqua comme un fouet aux oreilles de Fyae. Il flanqua un coup de talons dans les flancs de son cheval. L'animal bondit en avant, renversa un brigand au passage et fila au galop.

Bête et cavalier sortirent du fourré à une vitesse telle que le garçon, incapable de reprendre le contrôle de sa monture, se contentait de se cramponner à ses rênes pour éviter d'être désarçonné. Apparemment, la monture affolée était insensible aux hurlements de panique de son cavalier. Ils foncèrent dans les champs sans ralentir pour autant. Fyae, convaincu que sa dernière heure était venue, le visage fouetté par les crins de sa monture, préféra fermer les yeux plutôt que de voir la mort en face.

Il devina tout à coup une présence à ses côtés. Il risqua un coup d'œil et aperçut, à travers le rideau de la crinière de sa bête, la croupe d'un cheval blanc. Le cavalier de ce dernier attrapa le harnais de tête de la monture de Fyae et tira dessus de toutes ses forces. Aussitôt, les deux chevaux s'immobilisèrent.

Fyae s'écroula sur sa selle, le souffle court, le visage ruisselant de sueur.

«Ça va?»

La voix masculine, chaude et grave, vibrait du calme harmonieux des gens en pleine possession de leurs moyens.

Tant bien que mal, le garçon secoua la tête, jeta un coup d'œil éploré à son sauveur.

«Mon oncle! ahana-t-il en indiquant la forêt derrière lui. Des brigands!»

Le cavalier s'élança sur-le-champ vers la forêt en faisant une volte-face brutale et le martèlement des sabots décrut en direction de la futaie.

Fyae reprit son souffle, puis promena un regard désorienté sur les alentours. Ces derniers paraissaient déserts… Tout comme les bois, avant que les brigands ne tombent sur son parrain et lui. Qui pouvait dire ce que les herbes hautes dissimulaient? Terrifié, Fyae se remémora les sages propos de Nyam, la nuit ayant précédé son départ: dans le danger, il devait rester coûte que coûte avec son oncle… même si ce dernier était dans le pétrin? Il était fin seul; il avait là l'occasion rêvée de filer ventre à terre jusqu'au duché de Sargus.

Les herbes environnantes frémirent et un souffle frais caressa la nuque du garçon. Instinctivement, il talonna sa monture et la lança à la poursuite de son sauveur.

Fyae arriva sur les lieux de l'embuscade au moment précis où les brigands désarçonnaient son parrain. Le crâne de ce dernier heurta durement le sol. Il demeura inanimé, tandis qu'une tache de sang croissait sous sa tête.

« Seuls des lâches s'en prennent à un homme seul. »

Les malandrins regardèrent dans la direction de la voix. Le sauveur de Fyae apparut entre deux arbres, sans son cheval, une hache à la main. D'une taille plus haute que la moyenne, vêtu d'une tunique et d'un pantalon de paysan, il avait les épaules larges et les bras puissants. Sa chevelure courte, de la couleur du blé séché, dominait un visage émacié, tanné par le soleil, se terminant par une mâchoire carrée. L'homme avait des traits durs, des lèvres minces et un nez petit et droit flanqué de deux petits yeux d'un bleu perçant, de la dureté de la glace.

« Seuls les fous s'en prennent seuls à cinq gaillards », répliqua un des malandrins en s'avançant vers le nouvel arrivant, l'épée d'Elgire à la main.

Le paysan leva sa hache. Aussitôt, le brigand fondit sur lui. Malgré son imposante musculature, le paysan était vif ; il évita lestement le coup et dévia la lame du plat de sa hache. Le brigand, emporté par son élan, perdit pied, reprit rapidement son équilibre et attaqua de nouveau. Cette fois, le paysan ne se contenta pas de parer : il brandit sa hache, offrant son flanc à son ennemi. Ce dernier plongea droit sur le côté vulnérable.

Fyae hurla :

« Non ! »

Le paysan avait prévu l'assaut : il s'écarta et abattit sa hache. L'outil trancha net le poignet du brigand. Ce dernier cria de douleur et enfouit le moignon ensanglanté sous son aisselle. Les traits distendus par la haine et la souffrance, il aboya à ses hommes :

« Abrutis ! Tuez-le ! »

Les autres levèrent leur gourdin et s'approchèrent pour encercler le paysan. Ce dernier recula d'un pas, se retrouva acculé contre un arbre. Un brigand en profita pour sauter sur lui. D'un coup de hache dans les côtes, l'homme terrassa son adversaire. Le bandit s'écroula avec un gémissement de douleur, la hache coincée dans son flanc.

Le paysan tentait de dégager l'arme du corps de sa victime quand un second malandrin abattit son gourdin sur son épaule. L'homme vacilla, mais s'acharna à tirer sur sa hache. Cette dernière se libéra brutalement, pour aller aussitôt se planter dans la cuisse du brigand qui l'avait frappé. Le bandit recula, les mains pressées contre la plaie profonde s'ouvrant sur sa jambe.

Les deux derniers brigands se concertèrent du regard, puis foncèrent ensemble sur le paysan. Au moment où leurs deux gourdins allaient s'abattre, l'homme se baissa et, de deux coups de hache assurés, il entailla le mollet du premier, puis le dos du second avant de se relever prestement. Les deux brigands basculèrent au sol sous le choc, puis se mirent aussitôt à ramper hors de portée de leur assaillant.

Voyant leur avantage réduit à néant, les autres bandits décampèrent à leur tour aussi vite que leurs blessures le leur permettaient.

Le paysan les suivit des yeux, puis se tourna vers Fyae. Ce dernier était à demi dissimulé derrière un arbre et regardait les lieux d'un œil hésitant.

« Tu peux venir », dit froidement l'homme.

Encore tout tremblant, le garçon s'approcha tandis que l'autre se penchait sur Elgire, toujours inanimé. Un instant, Fyae crut distinguer une étincelle de stupéfaction dans le regard de glace de son sauveur, mais comme les traits de celui-ci demeuraient impassibles, le garçon se pensa victime de son imagination. Il demanda au paysan d'une voix inquiète :

« Il est toujours vivant ? »

L'homme acquiesça.

« Il est en mauvais état, mais il devrait s'en tirer. Le duc de Sargus a toujours eu la tête dure… Pire qu'un Damasien !

— Vous le connaissez donc ? s'étonna le garçon.

— Bien entendu, dit l'inconnu. Nous avons combattu et siégé au conseil royal ensemble. Je me nomme Léonte. Vous êtes venus pour me voir, n'est-ce pas ? »

◆

L'un des plus grands héros que l'Hudres ait connu aurait pu posséder la plus luxueuse des résidences. Cependant, Léonte se contentait d'une ferme aussi confortable que modeste, au toit de chaume et aux murs blanchis à la chaux. Bien que l'endroit n'eût qu'une pièce, Léonte n'y vivait pas seul : Fyae découvrit que le héros de l'Hudres était marié et avait un fils d'environ trois ans.

Pendant que Léonte installait Elgire sur un tas de couvertures près de l'âtre, sa femme s'occupait de servir à Fyae un peu de pain et de fromage. Ensuite, elle gagna le chevet du duc.

Selon la rumeur, à l'époque où il était grand maître des Shiraniens, Léonte aurait pu avoir les plus nobles et les plus belles femmes du royaume dans son lit. Néanmoins, il s'était satisfait d'une fille de basse extraction, aux grands yeux aussi noirs que sa chevelure.

Léonte s'installa à l'unique table de l'endroit, face à Fyae, et l'observa en silence. Intimidé par le regard de glace de l'homme, le garçon ne toucha plus la nourriture posée devant lui et fixa la table. Si seulement Elgire avait pu reprendre ses esprits !

« Alors, pourquoi voulez-vous me parler ? » finit par demander Léonte.

Fyae, rougissant jusqu'à la racine des cheveux, expliqua dans un souffle :

« Les Osjes encerclent Dafidec. La reine n'a pratiquement personne pour défendre la capitale, aussi aimerait-elle avoir l'aide des Shiraniens. Seulement, ils ne l'écouteront pas. »

Léonte comprit immédiatement la situation.

« Je ne reviendrai que si les anciens membres du conseil de Magne se joignent à moi. Lyntas le sait.

— La reine a autorisé le retour de tous vos compagnons, exception faite de Nantor », précisa Fyae, la voix réduite à un murmure.

Léonte haussa un sourcil.

« Vraiment ? dit-il d'un ton sceptique. Elle doit être plus désespérée que je ne l'imaginais. »

Il se leva et se mit à arpenter la pièce, jeta un coup d'œil à sa femme, agenouillée près d'Elgire, puis s'arrêta devant son fils qui jouait dans un coin. L'enfant leva ses grands yeux noirs vers son père et tendit les bras. Léonte le souleva et se tourna vers Fyae. Ce dernier constata que le contact avec l'enfant avait adouci les traits durs de l'homme.

« Toutefois, je ne me mêle plus des intrigues de Lyntas et de Vilsin, annonça-t-il. Je suis en paix, ici, avec ma femme et mon fils. Quand je manque d'action, je vais débusquer les brigands lonjois qui rôdent dans les parages. Je n'ai que faire des Osjes et de Dafidec.

— En plus de l'Ordre, Lyntas a mandé les légions de son père, intervint une voix faible. Le temps nous est compté, Léonte. Il faut que l'Ordre chasse les Osjes avant que les légions n'arrivent en Hudres. Tu imagines tout le mal que la Damasienne pourrait commettre si elle avait une armée pour la soutenir ? »

Les regards de Fyae et de Léonte se rivèrent sur la couche où gisait Elgire. Ce dernier s'était dressé sur un coude et fixait le grand maître d'un œil indigné.

« Recouchez-vous, s'exclama la femme de Léonte. Ne vous fatiguez pas ! »

Le blessé l'ignora.

« Je t'ai entendu, Léonte. Tu te crois heureux, mais je te connais. En toi dort toujours le guerrier prêt à tout pour servir les intérêts de l'Hudres. Dis-moi, est-ce là ce que Magne voulait en épousant la Damasienne, que les armées de son père nous envahissent ? Voulait-il que sa capitale soit assiégée par une horde de barbares ? Si tu as la mauvaise foi de répondre par l'affirmative, alors sache que ton petit bonheur, ta ferme et ta famille ne survivront pas longtemps. Que ce soient les Osjes ou les Damasiens, tôt ou tard une armée viendra ici pour tout détruire.

— Je saurai me défendre », répliqua sèchement Léonte en serrant son fils contre sa poitrine.

Les traits du héros de l'Hudres s'étaient durcis et son regard avait retrouvé sa froideur.

« Des Osjes assoiffés de sang et des Damasiens parfaitement entraînés ne sont pas de simples brigands lonjois, Léonte, poursuivait Elgire, peu intimidé par l'attitude menaçante de son ancien compagnon. Tu n'en viendras pas à bout aussi facilement que des gaillards d'aujourd'hui… Il y a longtemps, tu as prêté serment, Léonte. Tu as promis de veiller sur l'Hudres et sur les Shiraniens comme sur tes enfants. L'aurais-tu oublié ? »

Elgire retomba lourdement sur sa couche, terrassé par l'effort fourni.

« Mais qui suis-je, pour te dicter ton devoir ? dit-il en fermant les paupières. Tu n'es plus le petit garçon que j'ai fait sauter sur mes genoux, pas plus que le féroce guerrier aux côtés duquel je me suis battu. Tu es devenu un paisible fermier qui n'a d'autre maître que la nature… »

L'épouse de Léonte s'approcha du blessé. Elle écouta un instant son souffle, puis se tourna vers Fyae et son époux.

« Il s'est évanoui », annonça-t-elle.

Sans un mot, Léonte posa son fils sur le sol et sortit de la ferme. Quelques instants plus tard, Fyae entendait le bruit de sabots qui s'éloignaient. Le garçon interrogea la femme du regard, mais celle-ci l'ignora.

Installée dans l'embrasure de la porte, elle fixait le point blanc qui diminuait dans le lointain.

« Il va revenir, dit-elle lorsque le point disparut, mais ce sera pour mieux repartir. »

Dans sa voix perçait la note fataliste des paysans habitués à voir leurs récoltes ruinées par les caprices de la nature. Sur ce, elle ramassa un seau et sortit nourrir les poules, son fils sur les talons. Fyae demeura avec les mille questions qui se pressaient à ses lèvres et son parrain inconscient pour toute compagnie.

◆

Léonte rentra à la brunante, le corps ruisselant de sueur, le visage fermé. Ses yeux bleus étaient indéchiffrables.

Fyae, installé au chevet de son parrain, retint son souffle et tenta de se faire le plus petit possible. Après l'échange entre Elgire et Léonte, après la réaction de celui-ci, le garçon avait l'impression de ne plus être le bienvenu dans la ferme, que le maître des lieux le jetterait dans la nuit froide. Que deviendrait-il alors ? Que ferait-il sans son parrain blessé, pourtant censé le garder du mal ?

Un long moment, le silence régna, puis Léonte dit à sa femme :

« Tiames, demain, tu iras chez Teges et tu lui emprunteras le chariot. Avec ton père, vous irez au château de Sargus et ramènerez le duc parmi ses gens. Ensuite, je veux que toi et le petit, vous quittiez la ferme et alliez vous installer chez ton père. »

La jeune femme acquiesça gravement. L'homme blond se tourna vers Fyae. Ce dernier sentit l'accélération des battements de son cœur, et ses paumes devinrent moites sous l'œil de glace du héros de l'Hudres.

« Quant à toi, j'espère que tu es plus solide que tu n'en as l'air, dit Léonte, car nous aurons une longue route à parcourir.

— Une longue route ? répéta le garçon, toute timidité momentanément oubliée sous l'effet de la surprise.

— Nous traverserons à l'aube la frontière de la Darsonie. Aux dernières nouvelles, Dansec tentait de se faire moine dans un monastère à proximité de Durey. Mieux vaut aller le sortir de là avant qu'une vie de contemplation n'ait altéré irrémédiablement ses facultés. »

Fyae hocha la tête, partagé entre l'enthousiasme de voir Léonte accepter de sauver l'Hudres et l'inquiétude de voyager en compagnie d'un tel homme. Il serra la main inerte de son parrain dans la sienne pour que le blessé lui communique un peu de sa force. Ce fut dans cette position, avec la main d'Elgire dans la sienne, que le garçon sombra dans le sommeil quelques instants plus tard, terrassé par les événements de la journée.

Léonte considéra gravement le parrain et le filleul pendant un moment, puis chercha sa femme des yeux. Cette dernière se tenait dans l'embrasure de la porte et contemplait le ciel étoilé. Comme elle tournait le dos à Léonte, celui-ci ne pouvait voir le visage de son épouse.

« Tiames ? »

Le regard de l'interpellée se détourna des astres pour l'observer. Ses traits étaient résignés, ses yeux noirs tristes, mais elle ne pleurait pas.

Léonte se leva de son siège, posa la main sur l'épaule de sa femme et dit à voix basse, pour éviter de réveiller les dormeurs :

« Quand j'ai demandé ta main à ton père, j'ai juré de ne jamais te quitter. Pourras-tu me pardonner de manquer à ma parole ? »

Les doigts courts de Tiames, déformés par le rude labeur, caressèrent tendrement les jointures de son mari.

« Tu m'as fait une promesse, comme tu en as fait une au roi Magne. Je savais que les deux finiraient par entrer en conflit. Le monde a besoin de ses héros, Léonte : il faut plus qu'une armée pour repousser les Osjes.

— Je reviendrai dès que toute cette histoire sera terminée, dit Léonte, la voix vibrant de détermination.

— Ce sera un séjour plus long que tu ne le crois, répliqua Tiames, je le sens. Ils auront besoin de toi, là-bas. Tes responsabilités te retiendront. »

Léonte détourna le regard en direction de son fils, étendu sur sa paillasse près de l'âtre, puis reporta son attention sur sa femme.

« Ici aussi, j'ai des responsabilités.

— Léonte le paysan a des responsabilités envers sa femme et son fils, mais là-bas, à Dafidec, Léonte le grand maître a des devoirs à accomplir et des amis à revoir.

— Les devoirs envers ma famille sont plus forts que l'amitié. Je reviendrai, Tiames, je t'en fais le serment. »

Sur cette promesse, il quitta son épouse pour rassembler ses effets.

Tiames le suivit des yeux, puis retourna à la contemplation des étoiles. Elle n'était pas aussi naïve que son époux. Ce dernier n'avait que les mots « responsabilité » et « devoir » aux lèvres, mais elle savait qu'à Dafidec se trouvait également une femme. Elle ne l'avait jamais vue, mais les rumeurs concernant sa beauté étaient parvenues à ses oreilles. Néanmoins, Tiames n'était pas jalouse : elle avait toujours eu la conviction que Shir viendrait réclamer Léonte. Soumise à la volonté du dieu mâle, elle se contentait de remercier celui-ci de lui avoir permis de donner un héritier à Léonte. Son devoir d'épouse était accompli et elle savait que Léonte n'avait plus besoin d'elle. Il ne tiendrait pas sa promesse. Il ne reviendrait pas. Les héros ne finissaient pas leur vie avec des paysannes. Telle était la volonté de Shir.

◆

Léonte n'était pas des plus bavards. Depuis qu'il avait quitté sa ferme, il n'avait pas desserré les dents, abandonnant Fyae à lui-même. Ce dernier ne se plaignait pas du mutisme de son compagnon : il détestait sentir le regard froid du grand maître sur lui. Chaque fois, le garçon avait l'impression qu'il lisait dans son âme comme dans un livre ouvert, ce qui n'était pas pour le rassurer. Fyae n'avait qu'une confidente, sa sœur, et ne tenait pas à ce que d'autres qu'elle connaissent ses pensées les plus intimes.

L'évocation de Nyam éveilla un doute qui tenaillait le garçon depuis qu'il avait quitté le duché : et si la séparation brisait le lien étroit qui l'unissait à sa sœur ? À qui Fyae pourrait-il confier ses joies et ses peines ? À ces pensées douloureuses, il sentit la mélancolie l'envahir et, faute de distractions, celle-ci lui tint compagnie la matinée durant.

Au milieu de l'après-midi, Léonte se décida enfin à parler :

« Comment va ton père ? » demanda-t-il.

Pris de court, Fyae bégaya :

« Pas trop mal.

— Et ton frère ? Car tu avais un frère jumeau, si mes souvenirs sont exacts ?

— Une sœur, rectifia précipitamment Fyae. J'ai une sœur jumelle. »

L'erreur de Léonte troubla le garçon, car elle évoquait une possibilité déplaisante : aurait-il mieux valu que Sterne ait deux garçons ? Peut-être aurait-il été moins protecteur vis-à-vis de son fils, si cela avait été le cas, et lui aurait-il prodigué une éducation convenable… Si cela avait été le cas, Fyae ne serait pas sur les routes aujourd'hui à trembler pour sa vie. Néanmoins, le duc n'avait pas eu deux fils. Son unique héritier réprima la rancœur qui sourdait en lui, de crainte que Léonte ne puisse effectivement sonder ses pensées, et dit :

« Mon père l'a envoyée au château d'oncle Elgire pour la protéger, au cas où les Osjes s'attaqueraient à nos terres. »

Le grand maître approuva d'un hochement de tête.

« Personne ne veut se trouver sur la route des Osjes. Aussi, je comprends mal ce que tu fais ici. N'aurais-tu pas préféré te cacher, toi aussi ? »

L'œil perçant de l'homme se riva sur Fyae. Ce dernier n'eut d'autre choix que de répondre, mais sa voix n'était plus qu'un murmure :

« Mon oncle veut faire de moi un homme, alors il m'a emmené avec lui.

— Vraiment ? » dit Léonte d'un ton indéchiffrable.

Il toisa Fyae un long moment. Le garçon, au supplice, rentra la tête dans les épaules et joua nerveusement avec la bride de sa monture. Au bout d'un instant, il risqua un coup d'œil vers le grand maître. À sa plus grande confusion, Fyae constata que l'autre le regardait toujours. Précipitamment, il baissa les yeux, mais pas assez rapidement pour ignorer le rictus qui était apparu sur les lèvres de Léonte.

« Effectivement, tu as encore beaucoup à apprendre avant de devenir un homme, constata ce dernier. Étant donné que ton oncle n'est plus là pour te former, je prendrai donc la responsabilité de ton apprentissage. »

C'en fut trop pour Fyae, qui sentit sa lèvre inférieure se mettre à trembler. Lui, sous le joug de Léonte ? Il ne pouvait hériter de professeur plus antipathique !

Un instant, le garçon fut pris de l'irrésistible envie de talonner sa monture, de faire volte-face et de filer se terrer chez son parrain en compagnie de Nyam… L'évocation du duc de Sargus l'en empêcha ; Elgire serait si cruellement déçu s'il découvrait que son filleul était une femmelette et entendait le rester ! Fyae ne pouvait lui causer un tel chagrin alors que le vieil homme ne se remettrait peut-être jamais de sa blessure !

Léonte reporta son attention sur la route devant lui. Il ne tenait pas à ce que son nouvel élève voie sa grimace amusée à la pensée que Sterne de Rasg n'était pas au bout de ses peines avec ses enfants…

CHAPITRE 4

Pendant un millier d'années, la Darsonie avait gouverné le monde occidental et Durey, sa capitale, avait été le cœur de la vie commerciale et intellectuelle. Sous l'invasion des peuples du nord, cinq siècles plus tôt, l'empire de Darsonie s'était écroulé. Les arcs de triomphe et les temples érigés par les Darsoniens n'étaient plus que ruines et la ville de Durey avait perdu son prestige culturel. La pensée de ses philosophes et de ses auteurs devait sa survie aux bibliothèques des monastères et aux moines qui recopiaient patiemment les parchemins sur lesquels elle avait été consignée.

Le monastère où s'était retiré Dansec était d'ailleurs renommé pour la richesse de sa bibliothèque. Situé à proximité de Durey, sur un cap dominant la mer d'Horn, l'abbaye était une bâtisse de pierre large et trapue, dont l'austérité tranchait avec l'opulence de la capitale darsonienne, qui paraissait taillée à même un bloc de marbre.

Léonte et Fyae ne prirent cependant pas le temps de contempler les splendeurs de Durey. Pressés, ils contournèrent cette dernière et atteignirent sans encombre le monastère, à la grande surprise de Fyae. À plusieurs reprises au cours du trajet, ce dernier avait en effet cru apercevoir un cavalier qui les suivait à la trace. Toutefois, dès qu'il voulait montrer la silhouette à Léonte, elle disparaissait, de sorte que le garçon, convaincu d'être victime d'hallucinations, avait préféré tenir sa langue.

Le grand maître frappa au portail de bois massif du monastère. Alors que le battant s'écartait pour laisser entrer les voyageurs, une odeur d'encens mêlée au parfum salin de la mer envahit leurs narines et une douce psalmodie parvint à leurs oreilles. Une agréable sérénité gagna les deux hommes, née du mélange apaisant des parfums et des voix.

Épuisé par la longue route, Fyae se serait endormi sur place si un vieux moine n'était apparu devant lui. Le vieillard s'inclina respectueusement devant Léonte, qui lui rendit poliment son salut.

« Nous avons si peu de visiteurs en ces lieux, commença le vieux moine. Soyez les bienvenus. Que pouvons-nous faire pour vous ? Venez-vous nous confier ce jeune homme ? »

Léonte secoua la tête.

« Je viens plutôt pour quérir un de vos membres. Le baron Dansec de Palsius est-il toujours parmi vous ? »

Le masque serein de son interlocuteur se fissura pour laisser apparaître une grimace.

« Oui, soupira le vieux moine, il est toujours ici. Le novice Dansec est à la chapelle pour l'instant, mais je peux vous mener au parloir pour que vous le rencontriez après les prières.

— J'aurais besoin d'intimité, insista Léonte. Pourrions-nous le voir dans sa cellule ?

— C'est contraire à nos habitudes », souligna le vieillard d'une voix douce.

En guise de réplique, Léonte écarta sa cape et exhiba un plastron d'argent frappé aux armes de l'Ordre de Shirana : une lune étoilée sous laquelle l'ourse de la déesse et le taureau de Shir se faisaient face. À la ceinture du grand maître pendait une épée à la poignée d'argent finement ouvragée, ornée de petits saphirs bleus. Il s'agissait du symbole de l'autorité des grands maîtres shiraniens, qu'ils se transmettaient de grand maître en grand maître.

Le vieux moine, à la vue de ces attributs, esquissa une nouvelle révérence.

« Maître Léonte, j'ignorais que c'était vous. Notre monastère est honoré de votre visite. Je vous mène immédiatement à la cellule du novice Dansec. »

D'un hochement de la tête, son interlocuteur le remercia.

Fyae et le grand maître suivirent le vieillard au long des couloirs du lieu saint. Tout en cheminant, le garçon glissa à l'oreille de son compagnon :

« Pourquoi ce moine est-il si impressionné par l'Ordre ? Il n'a d'autorité qu'en Hudres, non ?

— Parce que je suis très impressionnant, répliqua Léonte, pince-sans-rire. En tant que figure d'importance dans la religion de Shirana, j'apparais parmi les autorités de la hiérarchie ecclésiastique, et en Darsonie, tous les cultes sont tolérés, y compris celui de la Dualité. »

La psalmodie qui berçait les voyageurs depuis leur arrivée s'éteignit pendant qu'ils s'enfonçaient dans le monastère. Des moines apparurent dans les couloirs. Nul n'adressa la parole aux visiteurs.

« Le novice Dansec doit être rentré dans sa chambre, à cette heure », commenta le vieil homme qui guidait Fyae et Léonte.

Il s'immobilisa devant une porte close et frappa.

« C'est ouvert ! » annonça une voix.

Le moine s'éloigna discrètement, non sans glisser au passage :

« Loin de moi l'idée de questionner la piété d'un frère, mais si vous parveniez à convaincre le novice que la vie contemplative n'est pas pour lui… Une langue de moine devrait se restreindre à la prière, surtout que nous avons fait vœu de silence !

— Je verrai ce que je peux faire », dit Léonte avec un tel sérieux que Fyae ne parvint pas à déterminer s'il plaisantait ou non.

Le grand maître poussa le battant. Ce dernier s'ouvrit sur une petite chambre encombrée de parchemins, chichement meublée. Sur le lit de fortune était assis un grand homme mince aux cheveux noirs, vêtu de la robe blanche des novices. Cependant, même cette tenue austère ne pouvait desservir l'étrange beauté de l'occupant de la chambre. Tout en lui respirait la no-blesse : son front haut, ses petits yeux noirs et intenses partiellement dissimulés sous ses paupières tom-bantes, son curieux nez aquilin qui déviait légèrement vers la gauche, ses lèvres sensuelles et son menton long et étroit.

Fyae tomba immédiatement sous le charme félin de l'homme, mais celui-ci n'avait d'yeux que pour Léonte.

« Un revenant ! s'exclama-t-il en écarquillant les yeux de surprise. Ne m'approche pas, fermier, tu sens le fumier à cent lieues ! En fait, je t'aurais probablement senti venir si le vacarme de ton arrivée en ces lieux paisibles n'avait pas devancé ton odeur.

— Heureux de te revoir, Dansec, répliqua froidement Léonte.

— Moi de même », répondit Dansec, baron de Palsius, avec une jovialité forcée. Il dévisagea Léonte quelques instants et reprit :

« Bien de l'eau a coulé sous les ponts depuis notre petite querelle à la suite de la bataille d'Alvers. Nous sommes devenus des hommes. Aussi avons-nous appris à pardonner les erreurs d'autrui. Onze ans passent, la rancune s'envole et l'amitié reste ! Tu n'es pas d'accord avec moi ?

— Je suppose. »

La voix de Léonte n'exprimait toujours aucune chaleur.

« Cher vieux camarade, s'émerveilla Dansec, toujours aussi expressif ! »

Léonte restait dans l'embrasure de la porte, les bras croisés, et toisait son compagnon.

Flairant un échange houleux, Fyae tâcha de se blottir dans un coin pour se protéger des coups.

Dansec retomba sur son lit.

« Tu aurais pu te faire annoncer, au moins. J'aurais eu le temps de préparer ce qui constitue notre nourriture à nous, les moines : de l'eau, du pain sec…

— … une arme, un assassin…, poursuivit Léonte. Et tu n'es pas moine mais novice. À cet effet, ton supérieur aimerait bien se débarrasser de toi. Il juge que tu n'es pas fait pour une vie de contemplation. Je serais plus qu'heureux de l'obliger. »

Un éclair de panique traversa le regard de Dansec, mais il fut rapidement dissipé par un battement de paupières.

« Tu m'en veux encore ? s'étonna-t-il en ouvrant de grands yeux candides. Folie de jeunesse, Léonte ! J'étais jeune, j'étais amoureux, j'étais jaloux…

— Une folie de jeunesse qui a failli me coûter la vie, dit son interlocuteur, glacial.

— Allons, tu sais bien que je m'étais efforcé d'engager l'assassin le plus incompétent qui soit ! Ce n'était que pour la forme, je savais que tu n'en ferais qu'une bouchée ! se justifia Dansec d'un ton raisonnable.

— La bouchée a été longue à avaler. »

Léonte releva plastron, surcot et pourpoint pour exhiber la vilaine cicatrice horizontale qui balafrait son ventre. « La lame s'enfonçait un peu plus profondément et c'était moi, la bouchée. »

Les mains du baron de Palsius cessèrent de chiffonner sa robe et s'ouvrirent en signe d'impuissance.

«Léonte, que veux-tu que je te dise? Que je suis un orgueilleux, un égocentrique prêt à poignarder ses amis dans le dos? Cela ne t'apprendrait rien de nouveau sur mon compte! J'étais follement amoureux de Léane. Elle n'avait d'yeux que pour toi. Tu l'as repoussée, elle m'a utilisé par dépit, je m'en rends compte à présent… Mon amour-propre demandait vengeance! J'aurais été le bouffon de la cour pendant des mois si je n'avais pas réagi, si je t'avais pardonné sous prétexte que tu étais mon ami!

— Ton meilleur ami, Dansec, presque ton frère, rappela Léonte. Que tu as fui lâchement en te terrant ici. Lyntas a toujours été sensible à tes charmes légendaires. Tu aurais pu demeurer au conseil. Tu as préféré venger ton pauvre orgueil offensé! Ton tempérament est devenu plus sanguin que celui des nobles de l'Hudres!

— Que veux-tu, j'y ai grandi, je ne peux pas revenir sur mon enfance… ou sur mes erreurs de jeunesse, hélas. Néanmoins, tu te trompes sur mon compte. J'avais besoin de réfléchir à la cruauté des hommes, à leur vanité, à leur irrespect des sentiments d'autrui. J'en avais assez de jouer un rôle secondaire auprès du grand héros, d'être le chien qui ramasse les miettes. J'avais besoin d'être seul, sans l'ombre de Léonte pour me cacher le soleil!

— Comme je le disais, déclara froidement Léonte. Toujours des caprices, des grands mots qui dissimulent un enfant gâté!»

Plus preste qu'une vipère, Dansec s'abattit sur Léonte.

Pris de court, ce dernier ne put qu'agripper les bras de Dansec tandis que les doigts de celui-ci se refermaient autour de sa gorge et se mettaient à serrer. Le teint du grand maître vira rapidement au rouge, puis se colora de bleu.

Fyae n'allait pas laisser un meurtre être accompli devant ses yeux. Il plongea sur Dansec. Ce dernier, entraîné par le poids de son agresseur, lâcha Léonte. Le baron et Fyae roulèrent sur le sol en arrachant des craquements aux parchemins qui avaient chu sous leur corps.

Fyae avait bénéficié de l'effet de surprise, mais ce serait son unique et bref avantage. Dansec maîtrisait parfaitement l'art de la lutte. En quelques instants, il l'avait plaqué contre le plancher et s'était assis sur son estomac. Tandis que, d'une main, il maintenait les poignets du garçon, malgré les efforts vigoureux de celui-ci pour se libérer, de l'autre, il fouilla brièvement l'intérieur du col de sa robe. Il en tira une dague qu'il pointa sur le visage de Fyae. Ce dernier cessa aussitôt de remuer.

« Tu vieillis, Léonte, tu as besoin d'un garde du corps, à présent, constata Dansec. Peu utile, au demeurant. Il n'est bon qu'à abîmer les saintes paroles de Shir que j'ai passé des heures à ruminer.

— Son intervention n'était pas prévue, dit Léonte en se massant le cou. Laisse-le, c'est un des jumeaux de Sterne de Rasg.

— Vraiment ? C'est toujours agréable de flanquer une raclée à des connaissances ! Relevez-vous, jeune de Rasg, dit-il en se remettant sur pied et en tendant la main à Fyae. Vous avez encore beaucoup à apprendre en matière de combat au corps à corps.

— Toi, en revanche, tu n'as rien perdu de tes talents malgré tes années de prière », commenta Léonte.

Dansec haussa les épaules avant de tirer le col de sa robe et de ranger la dague contre son sein.

« Un homme de Dieu qui se promène avec une arme ? releva le grand maître.

— Je suppose qu'on ne se refait pas…, soupira Dansec avec une mauvaise foi évidente. Au moins, je n'ai pas le culot de me promener avec mon épée dans les couloirs du monastère. Les moines en auraient une attaque.

— Tu as toujours été un homme respectueux, répliqua Léonte. Ton épée est cachée sous ton lit, je suppose ? »

En réponse, le baron s'agenouilla et exhiba l'arme.

« Le terme exact est "civilisé", barbare, rectifia-t-il machinalement. L'Hudres doit courir un grave danger pour que tu m'obliges à la dépoussiérer.

— Il est de notre devoir d'intervenir. »

Dansec leva les yeux vers le plafond.

« Ah ! le devoir ! J'avais oublié que Léonte n'a que ce mot à la bouche ! Je suppose que je dois te suivre, c'est ça ?

— Si tu es aussi "civilisé" que tu le prétends, riposta son compagnon, tu respecteras le serment que tu as prêté à Magne lorsqu'il t'a admis au conseil. »

Dansec hocha la tête et dit, très sérieux tout à coup :

« J'ai toujours tenu parole. J'ai peut-être le tempérament de la noblesse hudresienne, mais je respecte le code d'honneur de celle de Darsonie. »

L'homme entreprit de rassembler ses affaires sur son lit. Quelques instants plus tard, il était prêt. Léonte et Fyae sortirent dans le couloir. Avant de quitter définitivement sa cellule, Dansec ne put s'empêcher d'y jeter un dernier coup d'œil et de pousser un soupir.

« De toute façon, grommela-t-il pour lui-même, je ne serais jamais venu à bout de tous ces manuscrits à recopier. »

Puis il tourna le dos à ce qui avait été sa vie pendant onze ans pour suivre celui qui était à la fois son ami le plus cher et l'être qu'il haïssait le plus au monde…

… après la jeune fille qui avait partagé sa couche, une fameuse nuit de solstice.

◆

Une surprise attendait Nyam quand elle pénétra dans le château de son parrain, escortée des hommes de son père : une tornade paraissait souffler dans les couloirs de l'endroit. Les serviteurs, qui couraient d'une pièce à l'autre, se bousculaient pour presser le mouvement.

Alors que la jeune fille roulait de grands yeux effrayés, un des hommes de Rasg attrapa une femme par le bras et demanda :

« Que se passe-t-il ? Les Osjes attaquent ?

— Oh non ! s'exclama la servante. C'est pire encore : une paysanne nous a ramené le duc grièvement blessé. Nous courons pour trouver de la charpie, des baumes, des sels, tout ce qu'il faut pour le soigner. »

Le cœur de Nyam rata un battement. Son parrain, blessé ?

« Est-il revenu seul ? » demanda-t-elle.

La servante hocha la tête.

« Est-il en état de parler ?

— Il respire, mais c'est là le seul signe de vie qu'il donne. La paysanne qui l'a ramené nous a dit qu'il avait été attaqué par des brigands », indiqua la servante.

Nyam se tordit les mains et se tourna vers les hommes qui l'avaient accompagnée.

« Ne pouvez-vous pas me ramener chez moi ? Mon oncle n'est pas en état de veiller sur moi ! »

L'un des membres de son escorte secoua la tête.

« Les ordres de votre père sont formels : nous devons vous amener à Sargus pour que vous y demeuriez. Rasg est trop près de Dafidec pour que vous puissiez rester là.

— Qu'allons-nous devenir ? » gémit-elle à voix haute, plus pâle que jamais.

Cependant, le « nous » de la jeune fille, loin de concerner les habitants des châteaux de Sargus et de Rasg, n'englobait qu'elle-même et son jumeau. Qu'était-il arrivé à Fyae ? Pourquoi n'avait-il pas accompagné son parrain blessé ? Elgire n'était-il pas supposé être le seul à pouvoir protéger son jumeau ? La pensée que ce dernier gisait sur la route, un poignard enfoncé dans la poitrine, lui glaça le sang. « Trouvez-moi de quoi écrire, murmura faiblement Nyam à la servante, avant de s'adresser à son escorte : je dois prévenir mon père de l'état de mon oncle. Vous lui porterez mon message. »

Tandis que la servante s'éloignait et que les hommes de Rasg se préparaient à repartir, Nyam s'écroula sur un banc à proximité, atterrée par les nouvelles. Dans quel pétrin Fyae s'était-il plongé ? Et elle, que deviendrait-elle sans lui ?

Nyam avait perdu sa mère alors qu'elle était toute jeune. Bien qu'elle l'ait à peine connue, sa disparition avait infligé au cœur de Nyam une plaie cuisante que nul baume n'avait pu soigner. En outre, la jeune fille n'avait pas vu son père très souvent, celui-ci étant réclamé pendant de longues périodes au conseil royal. En guise de parent, d'ami et, évidemment, de frère, elle n'avait que Fyae. S'il venait à disparaître lui aussi, Nyam était convaincue qu'elle sombrerait dans la folie.

Partagée entre l'inquiétude et la rancœur à l'endroit de son parrain qui avait abandonné Fyae, Nyam enfouit son visage dans ses mains et se mit à pleurer, indifférente aux regards compatissants des serviteurs, qui croyaient qu'elle se lamentait sur le sort du duc.

◆

Léonte avait attendu que le monastère soit derrière eux pour fournir à Dansec les détails qui lui manquaient. Il conclut :

« Et c'est pour cette raison que nous devons nous hâter de retrouver Léane et de gagner la capitale avant les légions. Tu sais où elle est allée, quand Lyntas l'a bannie ?

— Serais-je mieux placé que toi pour le savoir ? » riposta Dansec.

L'échange de coups dans la cellule du baron de Palsius semblait avoir suffi à régler les vieux comptes. Les deux amis d'enfance paraissaient réconciliés. Cependant, la douleur vibrant dans la voix de Dansec rappelait que certaines blessures ne cicatriseraient jamais malgré toutes les vengeances du monde.

« Quand Léane est partie, il existait un certain… froid entre nous, répondit Léonte. Elle ne m'a pas avisé de sa destination.

— Étrange, entre elle et moi aussi se trouvait quelque malaise… Elle n'a donc pas cru bon de me dire où elle allait. Une rumeur voulait qu'elle se soit enfoncée dans la Grande Noirceur, dit Dansec.

— Si je connais Léane, réfléchit tout haut le grand maître, elle ne s'y est probablement pas installée. Elle cherchait toujours des gens à convertir.

— Dans ce cas, elle a certainement traversé la Noirceur pour chercher refuge au Valdes. Les Valdesiens ont dû accueillir une grande prêtresse de Shirana à bras ouverts, même s'ils n'aiment pas les Hudresiens… En fait, j'ai toujours pensé que les Valdesiens n'aimaient personne, eux-mêmes compris. Vivre dans ce royaume pourri a de quoi tuer tout bon sentiment. Alors, que faisons-nous ? Nous demandons au roi du Valdes s'il a vu Léane ? »

Dansec plaisantait, mais Léonte approuva, le visage sérieux.

« Il doit savoir où se trouve une personne de l'importance de Léane.

— Tu oublies un détail : comme tous les Gharf à s'être succédé sur le trône du Valdes, ce Gharf-ci est un ivrogne. Je doute qu'il sache quoi que ce soit sur quelque sujet que nous abordions.

— Nous en tirerons quelque chose, promit le grand maître d'un ton lourd de sous-entendus. Il y a plusieurs méthodes pour dessaouler un homme. J'en connais une particulièrement efficace. »

Il appuya ses dires en exhibant son poing massif.

Dansec éclata de rire.

« Tu sais que ton absence totale de respect pour le protocole m'a manqué ? Je n'arrive pas à croire que des années de vie rurale ne soient pas parvenues à gommer totalement le barbare en toi. Dire que c'est moi qu'on accuse d'avoir un tempérament sanguin ! »

Léonte haussa les épaules.

« Toi, tu plies l'échine devant l'autorité, mais tu conspires dans l'ombre. Je suis plus direct.

— Ce qui explique sans doute l'état de ma résidence ?

— J'ignorais que tu étais revenu visiter ton fief.

— Il y a cinq ans, l'informa le baron, j'ai eu la nostalgie de l'Hudres. En voyant ma demeure réduite en cendres, j'ai tout de suite compris que tu savais qui t'avait envoyé cet assassin. Lorsque mes gens m'ont prévenu que tu étais installé sur les terres que mon père t'a données, j'ai jugé que je n'avais plus à me soucier de la protection de la baronnie.

— Dis plutôt que tu as eu peur qu'après avoir rasé ton bien, je m'attaque à ta personne », rectifia Léonte.

Dansec secoua la tête en roulant exagérément ses petits yeux noirs.

« Pourquoi te serais-tu installé sur ta terre à cultiver des choux au lieu de courir à l'aventure comme la plupart des héros de ta trempe, si tu ne guettais pas mon retour ? »

Une commissure des lèvres minces de Léonte se souleva.

« Pas mal, complimenta-t-il. La prière n'a pas endommagé tes facultés, pas plus que tes talents pour passer inaperçu : j'étais certain que, si tu revenais chez toi, je te repérerais immédiatement. »

Le baron prit Fyae à témoin :

« Devant toi, jeune Fyae, tu as la quintessence du mâle pur et dur : aucun regret, aucune cervelle, aucun respect, tout dans les muscles. Qu'est-ce que les femmes lui trouvent, d'après toi ? »

L'interpellé jugea plus prudent de ne pas se mêler de la conversation.

Son silence lui valut l'approbation de Dansec.

« C'est un bon petit : il a appris que le silence est d'or.

— Tout le contraire de toi », répliqua Léonte.

Un rugissement lointain envahit la campagne darsonienne.

Fyae s'enquit d'une voix inquiète :

« Qu'est-ce que ce bruit ? »

Le Darsonien jeta un coup d'œil incrédule au garçon, puis à Léonte. Ce dernier expliqua à son ami d'enfance :

« Fyae n'est jamais sorti de chez lui. Elgire l'a emmené pour qu'il voie du pays et devienne un mâle pur et dur, comme tu dis. »

Le baron de Palsius adressa un clin d'œil complice au grand maître.

« Voir du pays pour devenir un homme… Ça me rappelle notre folle jeunesse au Namarre. »

Puis il se tourna vers le garçon et dit :

« Ce bruit, jeune Fyae, c'est le fleuve Sho. Le Valdes est complètement coupé du reste du monde civilisé par deux enfants monstrueux de la nature : à l'est se trouve la Grande Noirceur et au sud, le fleuve Sho. Seuls les plus intrépides se risquent à les traverser.

— Et vous voulez le franchir, n'est-ce pas ? » devina le garçon, plus pâle que la mort.

Il n'était pas nécessaire de connaître les deux compagnons depuis longtemps pour deviner qu'entre deux périls, ils choisissaient toujours le pire.

« Je suppose que nous faisons partie des plus intrépides, confirma Dansec. Et comme nous sommes pressés, nous irons en droite ligne ! »

En voyant le teint du garçon, le baron se fit un devoir de le rassurer :

« Ne t'en fais pas, tu verras aussi la Grande Noirceur ! Au retour, nous la franchirons, car il n'y a pas d'autre chemin qui mène directement en Hudres. Avec un peu de chance, tu rencontreras même ton premier monstre ! »

◆

Les voyageurs firent halte dans une auberge pour se restaurer et attendre la nuit. L'endroit était bondé et puait la viande brûlée, la sueur et l'alcool. Dans un coin, un ménestrel s'égosillait pour couvrir le brouhaha des conversations, des rires gras et des rots sonores.

Léonte, Dansec et Fyae se frayèrent un chemin parmi la foule des buveurs. Cette dernière n'appréciait guère d'être bousculée par les nouveaux arrivants et ceux-ci durent jouer des coudes. Si Léonte et Dansec, grands et musclés, n'avaient aucun mal à avancer, Fyae, lui, peinait à repousser les clients. Plutôt que de s'écarter, ces derniers adressaient au garçon des expressions méprisantes de dérision ou, pire encore, des lèvres tendues. Apparemment, ils étaient attirés par la jeunesse de Fyae.

Dégoûté, ce dernier riva son regard sur le sol et tâcha de rejoindre ses compagnons. Une main de fer l'empoigna tout à coup par le cou, le souleva comme une plume et le plaqua contre un mur. Le souffle coupé par la serre autour de sa gorge, Fyae était incapable d'appeler à l'aide.

Une face immense et éborgnée, mangée par une barbe crasseuse, apparut dans le champ de vision du garçon.

«Je te plais, mon mignon?» s'enquit l'homme.

Une épouvantable haleine d'ail et d'alcool envahit les narines de Fyae et les larmes affluèrent à ses yeux. Il tenta de réprimer ses pleurs de panique, mais l'eau dévala le long de ses joues.

«Tu as peur de moi, mon mignon? s'attendrit son agresseur. Tu ne devrais pas. J'ai une chambre à l'étage. Tu verras à quel point je suis gentil avec les mignons comme toi.»

Le garçon faillit tourner de l'œil, mais une main apparut derrière le borgne et tapota l'épaule de celui-ci. Il se retourna, courroucé, et dévisagea Léonte. L'homme avait une tête de plus que le grand maître, ce qui n'empêcha pas celui-ci de lui asséner un solide coup de poing au menton. Sous le choc, le borgne tituba et lâcha Fyae. Ce dernier s'écroula en toussant violemment.

«Une bagarre!» s'exclama un des buveurs, tout joyeux.

Toute la clientèle abandonna instantanément ses occupations pour assister au combat.

Le borgne reprit son aplomb, fonça sur Léonte. Ce dernier détendit le bras pour frapper l'autre au visage. L'homme évita le coup et empoigna son adversaire à la taille. Avec un rugissement féroce, il plaqua durement Léonte contre un mur, puis le lança sur une table. Le meuble vola en éclats. Sonné, le grand maître tenta péniblement de se relever. Le borgne ne lui en laissa pas le temps: il lui tomba dessus et se mit à lui marteler le corps de ses poings.

Entre-temps, Fyae s'était relevé et cherchait Dansec des yeux dans l'espoir que celui-ci vienne au secours de Léonte. Un mouvement furtif dans un coin sombre, au-delà de la foule des buveurs, attira son attention : une longue silhouette massive, drapée de noir, semblait le regarder avec insistance. Fyae ne put cependant en être sûr, car au moment où il posait les yeux sur la silhouette, une servante passa devant. Lorsqu'elle se fut écartée, la silhouette avait disparu.

Les cris enthousiastes de la foule détournèrent le garçon de l'apparition. Il reporta son attention sur le combat.

Le borgne, lassé de frapper Léonte, le souleva et le projeta contre l'escalier. Sa victime demeura affalée sur les marches, inanimée.

Fyae se serait précipité vers lui, mais le borgne, en passant devant le garçon pour récupérer le grand maître, lui dédia un baiser. Fyae renonça sur-le-champ à porter secours à son compagnon.

Le géant ramassa Léonte par les aisselles. À ce contact, ce dernier ouvrit les yeux. Ses traits tuméfiés affichaient une impassibilité d'un autre monde et son regard était plus dur et plus froid que jamais. Le sang s'écoulait librement d'une de ses narines et d'une fente dans sa lèvre inférieure, mais il ne fit aucun geste pour essuyer son visage. Il enfonça plutôt un doigt dans l'œil valide de son adversaire. Ce dernier le lâcha en criant de douleur.

Léonte retomba sur ses pieds et s'empressa d'asséner un solide coup de genou dans le ventre du borgne, suivi d'un crochet à la mâchoire.

Le public applaudit tandis que le colosse s'affalait pour le compte.

Le protocole aurait voulu que le vainqueur arrose son triomphe de quelques verres d'alcool. Cependant, l'expression inhumaine de Léonte n'avait pas disparu. Il se jeta sur l'homme et se mit à lui marteler la figure.

Le colosse glapit de douleur et demanda grâce, mais Léonte n'arrêta pas de frapper.

Les clients, dégrisés par la bestialité de la scène, n'osèrent pas intervenir.

Une note horriblement fausse émise par un instrument désaccordé s'éleva soudain par-dessus les plaintes du borgne et les chocs sourds produits par les poings du grand maître, et la voix éraillée du ménestrel retentit, entonnant un air que l'assemblée reconnut immédiatement.

« À la bataille d'Alvers, dans le camp du grand
Magne,
Se trouvait le plus grand héros de l'Hudres, le
très jeune Léonte.
Jamais homme n'avait vu telle bravoure, le
courage du lion.
Et son intelligence était digne de mention. »

Le ménestrel entama ensuite le célèbre refrain avec un net manque d'enthousiasme. Une deuxième voix, grave et mélodieuse, se joignit à celle du musicien.

La foule se tourna dans la direction du second chanteur, qui n'était nul autre que Dansec. En voyant qu'il avait l'attention du public, ce dernier lança gaillardement :

« Allons, compagnons, vous connaissez tous le refrain ! »

Les buveurs chantèrent aussitôt en chœur :

« Vive Léonte ! Longue vie aux Shiraniens !
Tant qu'ils veilleront sur nous, nous n'aurons
besoin de rien ! »

Dansec abandonna le ménestrel et les buveurs au deuxième couplet pour rejoindre Léonte, toujours assis sur la panse du borgne. Distrait par l'intervention du ménestrel, le grand maître avait cessé de frapper.

Comme un père relève un enfant tombé, Dansec prit Léonte par le bras et l'obligea à se remettre debout.

Ce dernier suivit docilement son compagnon jusqu'à une table située dans un coin d'ombre.

Fyae jeta un dernier coup d'œil au colosse inconscient et regretta immédiatement sa curiosité : Léonte avait réduit le visage du borgne en une bouillie sanguinolente. Le garçon fut pris d'une nausée et il se hâta de détourner le regard du géant.

« Tu en as mis, du temps, disait Léonte d'une voix blanche lorsque Fyae rejoignit ses deux compagnons de voyage.

— Je ne m'en faisais pas trop pour toi, répondit Dansec. C'était le visage de ton adversaire qui m'inquiétait. Déjà qu'il était vilain, il ne fallait pas trop aggraver son cas. Et toi, Fyae, ça va ? »

Le garçon ne répondit pas. Il était occupé à fixer Léonte d'un regard craintif.

« Fyae ! » insista Dansec.

L'interpellé tressaillit et dévisagea le Darsonien d'un air interrogateur.

« Oublie ma question, dit Dansec avant de s'adrèsser de nouveau à Léonte. Le ménestrel a exigé une petite fortune pour chanter pour moi. Tu me dois donc trois pièces d'or. Il est hors de question que ma fortune serve à sauver tes adversaires. Je la conserve pour des causes plus nobles ! »

Léonte, occupé à endiguer le sang qui s'échappait de sa lèvre et de son nez, se contenta d'émettre un vague grognement.

Le silence tomba sur leur petite troupe tandis que les buveurs continuaient à chanter et que le borgne gisait sur le plancher dans l'indifférence générale.

CHAPITRE 5

Quand la nuit fut avancée, les trois voyageurs quittèrent l'auberge et suivirent la route jusqu'au rivage du fleuve Sho.

Tel un fauve en furie, le cours d'eau rugissait et crachait à la figure des trois hommes qui s'apprêtaient à le franchir.

«Tu veux prendre un bateau ou le gué?» demanda Dansec à Léonte.

Le grand maître des Shiraniens désigna du menton les roches lisses et glissantes qui s'alignaient devant eux et se perdaient dans les ténèbres.

« Trouver un bateau serait trop long. Nous traverserons ici.»

Sur ce, il mit pied à terre et jeta un coup d'œil à Fyae, qui fixait le Sho en tremblant de tous ses membres.

«Fyae! l'apostropha-t-il. Descends de ta monture et confie-la-moi. Je me charge de la faire traverser.»

Fyae tressaillit, tournant vers Léonte un regard terrifié.

«Tu as compris ce que je t'ai dit?» insista le grand maître, agacé.

Fyae descendit promptement de sa monture et remit la bride de celle-ci à l'homme. Ce dernier saisit dans sa main libre les rênes de sa propre monture puis se dirigea vers le gué, les deux chevaux derrière lui.

Dansec commenta d'un ton ironique :

« Je croyais que le petit devait apprendre à devenir un homme, et voilà que tu le couves comme une mère ! »

Léonte dédia à son ami d'enfance un regard de glace, puis entreprit de franchir le gué en guidant la monture de Fyae et la sienne.

Tout en regardant Léonte sauter de pierre en pierre, Dansec grommela :

« J'espère que cette traversée en vaut la peine. Si Léane n'est pas au Valdes, je l'étrangle de mes propres mains dès que nous la retrouvons. »

Le baron se tourna vers Fyae.

« Allez, dit-il. C'est à toi. »

La tête basse, le garçon passa devant son compagnon et posa un pied hésitant sur la première pierre. La surface était glissante et l'eau qui l'entourait, glacée. Fyae adressa une courte prière à Shir, eut une pensée pour son parrain, son père et sa sœur, puis prit son élan, bondit et atterrit sur la deuxième roche.

« Avance plus vite, Fyae ! » l'exhorta Dansec, la voix de celui-ci couvrant le rugissement assourdissant du fleuve.

Fyae inspira une grande bouffée d'air pour se donner du courage. D'un saut, il franchit les flots noirs en direction de la pierre devant lui, mais son pied glissa. Le garçon agita frénétiquement les bras pour retrouver son équilibre, oscilla entre l'eau et le roc pendant un bref instant, s'affala finalement sur la pierre.

Pendant quelques moments, il fut incapable de remuer, les martèlements de son cœur couvrant le grondement du fleuve.

« Fyae ! Ça va ? »

La voix de Dansec jaillit des ténèbres derrière lui.

Au prix d'un grand effort, le garçon dit d'une voix que la panique rendait rauque :

« Ça va !

— Alors avance ! Je ne veux pas passer la nuit ici ! »

La partie émergée des pierres était trop petite pour que deux hommes puissent s'y tenir, de sorte que le baron devait attendre que Fyae se remette à avancer. Bien que ce dernier sache qu'il ralentissait Dansec, il ne pouvait faire mieux. Les jambes tremblantes, il prit son élan pour gagner la pierre suivante.

Le garçon avait fini par parcourir les trois quarts du gué et Dansec la moitié quand un hennissement retentit devant eux.

Instinctivement, Fyae leva les yeux. Son pied glissa aussitôt et il bascula dans l'eau. Les flots le happèrent avidement pour l'entraîner dans leur course folle. Désespéré, il griffa frénétiquement la surface lisse de la pierre. Ses doigts trouvèrent une aspérité et s'y cramponnèrent. Mais le courant était trop fort et au bout de quelques secondes, le garçon lâcha prise. Au même moment, une main ferme, rapide comme l'éclair, saisit son avant-bras et entreprit de le tirer hors de l'eau.

« Ne me lâchez pas ! » supplia le garçon.

La main le hissa sur la pierre voisine. Fyae y tomba à genoux. Grelottant de froid et de terreur, il cracha toute l'eau qui s'était infiltrée dans sa bouche et sa gorge. Quand il eut cessé de tousser, il leva la tête vers son sauveur et découvrit la longue silhouette sombre de Dansec. Ce dernier ordonna :

« Dépêchons-nous ! Il faut que tu te réchauffes avant d'attraper la mort ! »

Fyae acquiesça. Ses membres n'étaient plus que de la guenille, mais personne ne pouvait faire le trajet à sa place. Il se remit debout et, pierre après pierre, il se rapprocha de la berge. Lorsqu'il sentit enfin ses bottes s'enfoncer dans la terre humide, il se laissa tomber lourdement à quatre pattes. Peu après, une couverture de laine atterrissait sur ses épaules. Il s'en enveloppa avidement et se frictionna du mieux qu'il put.

Quand le claquement de ses dents eut diminué, il demanda à Dansec, qui tentait de faire du feu :

« Quel était ce hennissement ?

— Léonte », répondit sombrement Dansec.

Fyae constata soudain que le grand maître n'était pas sur la rive. Il fouilla le gué des yeux, mais celui-ci était désert.

« Où est-il ? s'enquit-il. Qu'est-ce qui est arrivé à Léonte ?

— Ton cheval a paniqué et a entraîné Léonte et l'autre monture dans l'eau », expliqua Dansec d'une voix blanche.

À la lumière de la lune, son long visage avait perdu toute couleur. Pour la première fois depuis que Fyae avait fait sa connaissance, le Darsonien semblait ne pas vouloir parler.

« Mais il faut plonger à son secours ! » protesta le garçon.

Dansec tourna la tête vers Fyae. Derrière le rideau de ses larmes, son regard exprimait une vive incrédulité.

« Un homme en armure, coincé sur son cheval, qui tombe dans le Sho ? Cela ne pardonne pas, jeune Fyae ! »

Le baron essuya ses yeux contre le revers de sa manche humide, puis s'absorba dans la contemplation des flots noirs, les lèvres serrées, les poings crispés, comme si à la résignation avait succédé un regain de détermination : il n'était pas trop tard ! Il pouvait encore nager au secours de Léonte ! Le baron Dansec de Palsius ne laisserait pas un fleuve lui ravir son meilleur ami ! Son jeune compagnon crut qu'il avait changé d'avis mais, finalement, les traits du Darsonien s'affaissèrent. Il dit, plus pour lui-même que pour Fyae :

« Léonte aurait voulu que je sauve l'Hudres, non que je me noie en tentant de le repêcher. Maudit sois-tu, Léonte ! cria-t-il dans la nuit, couvrant momentanément le rugissement de l'eau. Jusque dans la mort, tu auras été contrariant envers tes amis, avec ton sens du devoir ! Jusque dans la mort… »

Les derniers mots s'étranglèrent dans sa gorge et il enfouit son visage dans ses mains. Il n'émettait pas le moindre son, mais des spasmes violents soulevaient ses épaules à chaque sanglot qui quittait son long corps.

Fyae fit un pas vers le baron pour le réconforter, mais une voix inconnue coupa son élan :

« Jolie oraison ! Je crois que je vais chialer à mon tour ! »

Fyae et Dansec tressaillirent et se tournèrent dans la direction de la voix. Non loin des deux intrus se tenait une petite garnison.

« Soyez les bienvenus au Valdes, ajouta le chef des soldats. Il y a longtemps que des espions n'avaient pas tenté de franchir le gué. Notre roi sera ravi de faire la connaissance de tels héros… et de vérifier si vous êtes aussi braves sous la torture qu'en traversant le Sho. »

Fyae coula un regard désespéré vers le baron, mais celui-ci secoua discrètement la tête. Toute fuite serait inutile. Ni Dansec ni Léonte n'avaient prévu rencontrer le roi couverts de chaînes, mais à moins d'être devin, il était impossible de deviner tous les tours que Shir réservait aux hommes…

… et Léonte l'avait découvert à ses dépens.

◆

Les soldats avaient allumé un feu et attaché leurs prisonniers à proximité. Ensuite, les Valdesiens avaient sorti leurs outres d'alcool et entrepris de se raconter les derniers potins de la cour.

« Elle aurait refusé de coucher avec Jhorf, ricanait un des hommes.

— Pour qui se prend-elle ? Elle n'est pas en position de faire la fine bouche. Après tout, Jhorf n'est pas mal, pour un bossu qui ne se lave qu'une fois par année !

— Et qui depuis trois ans est toujours supposé prendre son bain annuel ! compléta un autre, hilare. Tout de même, elle aurait dû être flattée que le roi la désigne comme récompense pour Jhorf.

— Car pour avoir apporté à sa majesté l'ivrogne une barrique pleine de vin darsonien, le bossu Jhorf méritait les honneurs royaux, intervint le chef d'un ton sentencieux.

— Il les méritait, jusqu'à ce que Gharf juge qu'il le regardait de travers et le fasse écarteler ! Vive notre souverain, qui est aussi doux et calme que le Sho !

— À notre souverain », approuvèrent les autres en levant leur outre.

Ils burent longuement, puis l'un d'eux dit :

« De toute façon, ce pauvre vieux Jhorf aurait probablement attrapé du mal en baisant la prêtresse. Tous ces étrangers ne sont bons qu'à nous apporter leurs saletés ! »

Il appuya son affirmation en se tournant vers les prisonniers et en crachant un jet de salive épaisse. Fyae se tortilla de son mieux pour éviter le projectile répugnant, mais Dansec ne broncha pas, se contentant de fixer de son œil noir de mépris les Valdesiens.

Des exclamations d'approbation accompagnèrent le geste du soldat, puis la conversation reprit.

« Il faut quand même admettre que, pour une étrangère, la prêtresse est jolie. Disons que le roi ne se fait pas prier pour accomplir son devoir, les soirs de solstice. Il sait qu'à ce moment-là, elle n'a pas le choix de se donner à lui !

— C'est privilège de roi que de coucher avec la grande prêtresse de Shirana. Deux nuits par année, pour la satisfaire, notre souverain doit se priver d'alcool…

— Il se rattrape bien le reste du temps ! »

À ce commentaire, les hommes éclatèrent d'un rire gras.

« Buvons à la santé de sa Majesté et de sa très sainte catin ! » proposa le chef.

Les autres trinquèrent de bon cœur.

Dégoûté, Fyae tira Dansec de ses pensées en demandant :

« Vous comprenez ce qu'ils racontent ? »

Le baron hocha tristement la tête, la mine lasse.

« Cela fait partie des fonctions de la grande prêtresse de Shirana de coucher avec un homme les soirs de solstice.

— C'est révoltant ! s'indigna le garçon. Et qu'en pense le grand prêtre de Shir ?

— Les Valdesiens n'ont pas de grand prêtre de Shir, car ils ne croient pas au dieu mâle. »

Dansec retourna à ses pensées. Peu à peu, la fatigue engourdit les membres de Fyae. Il commençait à somnoler quand la voix mélancolique du Darsonien s'éleva de nouveau :

« La communion de Shir et de Shirana, les nuits de solstice, cause bien des bouleversements. Léonte a été conçu au cours d'une telle nuit. Il était le fils de la grande prêtresse de Shirana et du grand maître des Shiraniens d'alors. Comme les grandes prêtresses n'ont pas le droit de garder leurs enfants et que le grand maître a trop de responsabilités pour s'occuper d'un nourrisson, Léonte a été confié à ma famille. Nous avons été élevés comme deux frères. Quand

Léonte a entrepris son noviciat, mes parents ont insisté pour que je le suive. Nous étions inséparables au point que nous sommes allés tous les deux au Namarre pour devenir des hommes.

— Je sais, glissa Fyae. Elgire m'a raconté votre séjour. »

Dansec poursuivit, ignorant l'interruption :

« Lorsque notre noviciat a été terminé, le père de Léonte s'est retiré et a laissé la place à son fils. Léonte m'a nommé précepteur des Shiraniens. Normalement, cette tâche fait partie des attributions du grand maître, mais Léonte prétendait qu'il était trop jeune pour avoir autant de responsabilités. Léonte n'a jamais voulu que je me sente oublié, malgré toute l'attention que les gens lui portaient… Mais c'était lui, le héros, l'élu né une nuit de solstice, pas moi… »

Le baron ne manifestait nulle jalousie, seulement une tristesse sincère.

« En fait, conclut-il, tout a commencé par un solstice, celui de la conception de Léonte, et tout ne pouvait donc que se terminer par un solstice ; ainsi le veut la loi naturelle des cycles. »

Brusquement, le baron détourna le visage. Il ne fut toutefois pas assez rapide et Fyae eut le temps d'apercevoir la larme qui quittait son œil. Mais le garçon ne sut si elle était versée pour le frère défunt, le passé enfui ou les remords éternels.

◆

Hars, la capitale du Valdes, n'avait rien d'une ville. Avec ses maisons délabrées et ses rues boueuses, elle ressemblait plutôt à un village de serfs. Néanmoins, il semblait que les Valdesiens ne connaissaient pas mieux en matière de monde urbain, car le chef des soldats annonça fièrement à ses prisonniers :

« Voici Hars, le joyau du Valdes !

— Tu comprends, à présent, pourquoi personne ne veut envahir le Valdes, glissa Dansec à l'oreille de son jeune compagnon. Si ce boui-boui est un joyau, alors imagine le reste ! »

La fatigue et la nervosité aidant, Fyae se mordait l'intérieur des joues pour ne pas pouffer quand un rat surgit devant lui. Il fit un pas en arrière pour éviter le rongeur et son pied dérapa sur la terre vaseuse. Fyae s'affala dans la boue.

Sa chute provoqua l'hilarité de ses geôliers.

Dansec aida le garçon à se relever et lui chuchota :

« Surtout, pas de pleurs ! Les Valdesiens ont horreur des femmelettes ! »

Fyae contint immédiatement les larmes d'humiliation qui lui picotaient les yeux. Du revers de ses bras, il essaya de nettoyer une partie de la crasse qui couvrait ses vêtements, mais ses mains liées ne lui facilitaient pas la tâche.

Un mouvement furtif interrompit ses manœuvres désordonnées. Le garçon aperçut une silhouette, qui disparut rapidement entre deux bicoques.

« Tu as fini de te refaire une beauté, mon mignon ? railla un des soldats. En route ! »

Le soldat joignit le geste à la parole en tirant sur les cordes qui entravaient les poignets des prisonniers. Ces derniers se remirent à avancer derrière les soldats à cheval.

Le trouble de Fyae n'avait pas échappé à Dansec.

« Que se passe-t-il ? demanda le baron à voix basse.

— Je crois qu'on nous suit », murmura Fyae.

Les petits iris noirs de Dansec pétillèrent.

« Ah ? Tu crois cela ? Pas mal, jeune Fyae, tu dissimules un grand sens de l'observation sous tes allures de biche apeurée ! »

Le garçon écarquilla les yeux.

« Vous étiez au courant ? Et c'est tout ce que ça vous fait ? »

Le Darsonien leva ses poignets attachés.

« Que puis-je faire ? Je ne peux pas me battre. Et puis, la silhouette ne doit pas être une si grande menace : elle nous suit depuis que je me suis joint à toi et à Léonte. En fait, vous devez être traqués depuis le premier jour. Si elle avait eu à attaquer l'un de nous, elle l'aurait fait depuis longtemps. »

Sous le choc d'avoir douté de lui-même alors que Léonte et Dansec étaient au courant, Fyae balbutia :

« Et vous ne le disiez pas ?

— Pourquoi t'inquiéter inutilement ? Léonte et moi veillions au grain et maintenant… Eh bien, je suis là, non ? »

Le chef des soldats valdesiens coupa court à l'échange en annonçant :

« Mes jolis, voici le palais royal ! »

Devant eux se dressait une énorme habitation de bois rond, surmontée d'un toit de chaume.

Les soldats descendirent de leur monture et poussèrent leurs prisonniers à l'intérieur de la bâtisse. Fyae et Dansec découvrirent une salle unique enfumée par les lampes à l'huile suspendues au plafond. Avec son aspect crasseux, son odeur de sueur et d'alcool, l'endroit évoquait l'auberge où Dansec et Fyae avaient logé la nuit précédente.

L'analogie ne s'arrêtait pas à l'apparence : à l'instar de l'auberge, le palais royal était plein à craquer. À l'entrée des prisonniers, les Valdesiens assemblés interrompirent leurs conversations bruyantes et dévisagèrent les arrivants.

« Que se passe-t-il ? demanda une voix éraillée. Poussez-vous, je ne vois rien ! »

La foule s'écarta pour révéler le fond de la salle. Un petit homme s'y trouvait, affalé sur un banc couvert de peaux de bêtes, une chope à la main. Laid, crasseux et saoul, le roi Gharf VIII du Valdes n'avait rien d'un roi, mais tout d'un ivrogne.

À la vue du chef des soldats, le roi se redressa sur son trône et s'écria joyeusement :

« Bherf ! Quelles nouvelles m'apportes-tu de mes frontières ?

— Le Sho coule toujours et la Grande Noirceur est toujours aussi noire », répondit automatiquement le dénommé Bherf.

Il aurait été étonnant que Bherf ait quelque fait saillant à rapporter : depuis que l'armée impériale de Darsonie avait disparu en tentant de traverser la Grande Noirceur, plus un souverain n'incluait le Valdes dans ses visées expansionnistes.

« Levons notre verre à nos deux plus fidèles protectrices ! » s'exclama Gharf VIII en levant sa chope.

Après une longue gorgée, l'œil vitreux du roi se posa sur les deux étrangers ligotés.

« Tu as emmené des invités ? s'étonna-t-il.

— Ce sont des espions, expliqua Bherf. Ils ont traversé le Sho par le gué. Ils étaient trois, mais l'un d'eux s'est noyé.

— Nous ferons dire une prière pour son âme ce soir, décréta gravement Gharf VIII avant d'émettre un rot sonore. Quant aux deux autres, qui dit espions dit… torture ! »

Des clameurs enthousiastes s'élevèrent de l'assemblée. Dansec les couvrit en lançant :

« Le mot "procès" n'évoque rien, pour vous ?

— Tu ne te fies pas au seul jugement du roi, espion ? s'emporta le petit souverain.

— Sans offenser votre Majesté, dit le baron avec une expression respectueuse irréprochable, j'aime toujours avoir un second avis avant d'être soumis à la torture. Les grands rois n'hésitent pas à se faire conseiller lorsque vient le temps de prendre des décisions. »

Gharf VIII appela le chef de ses soldats :

« Bherf ?

— Ce sont des espions, votre majesté, confirma le Valdesien.

— Je ne veux pas blesser messire Bherf, argua Dansec, mais j'aimerais un point de vue moins partial que le sien. Puis-je rappeler à sa Majesté que c'est lui qui nous a interceptés sur le gué et qui a conclu, un peu hâtivement, que nous étions des espions ? »

Le roi fronça ses épais sourcils. Avec l'alcool qu'il avait ingurgité, il peinait à garder le fil des propos de son prisonnier.

« Si vous n'êtes pas des espions, finit-il par articuler, alors vous êtes quoi ?

— Des voyageurs, indiqua le baron. Des visiteurs, en fait, qui sont venus voir une amie.

— Une amie ? Au Valdes ? s'exclama Gharf VIII, incrédule.

— C'est la preuve qu'on ne choisit pas ses amis », conclut Dansec d'un ton navré.

Le roi ferma une paupière, plissa l'autre en signe de scepticisme ; de la sorte, il ressemblait à un vieux hibou rongé par les mites.

« Et si je trouvais une deuxième personne, moins partiale, pour affirmer que vous êtes des espions ?

— Alors je me plierais de bon gré au jugement de sa Majesté. »

Gharf croisa les doigts sur sa vaste panse, la mine satisfaite.

« Faites venir la grande prêtresse de Shirana ! La servante de la déesse femelle sur terre détient la clairvoyance divine. Elle saura déterminer si nous sommes en présence d'espions ou non ! »

L'assemblée se mit à discuter vivement. Fyae profita du brouhaha pour s'indigner auprès de son compagnon :

« Vous êtes fou ou quoi ? Vous voulez absolument nous faire tuer ? »

Le baron lui jeta un regard où brillait une étincelle agacée.

« Je sais parfaitement ce que je fais. Tu es ici pour apprendre, alors tais-toi et apprends. »

Fyae n'aimait pas du tout la tournure que prenait la situation, mais il obéit, non sans afficher un air boudeur. Dansec l'ignora.

Les conversations excitées se muèrent tout à coup en un murmure hostile.

Une femme était apparue aux côtés du roi. Il s'agissait d'une petite femme pâle et maigre, vêtue d'une longue robe noire. Sa longue chevelure, aussi sombre que sa mise, encadrait ses joues creuses, ses pommettes saillantes, ses immenses yeux aux iris turquoise qui exprimaient un désespoir sans nom.

À la vue de la femme en noir, Dansec blêmit momentanément et il crispa les poings. D'un battement de cils, il retrouva son masque blasé et se détendit. Toutefois, sous ses paupières tombantes, ses iris noirs continuèrent de dévorer la femme des yeux.

« Ah ! Piesa ! s'exclama Gharf VIII d'un ton supérieur. Nous avons besoin de ton jugement avisé. »

Le roi tendit la main. La grande prêtresse s'approcha, l'échine raide, et saisit du bout des doigts ceux qui lui étaient offerts. Le regard de la femme était devenu vide, comme si, au contact de Gharf VIII, toute vie s'était retirée d'elle. En retour, son souverain la contemplait comme il aurait considéré un chien particulièrement méritant.

« Réponds-nous, et que la déesse s'exprime par ta bouche, ordonna-t-il. Ces hommes sont-ils des espions ? »

De son index boudiné, il désigna Dansec et Fyae.

Docile, Piesa toisa un moment les prisonniers de son œil inexpressif, puis elle se tourna vers Gharf VIII.

«La très sainte Shirana m'a confié la vérité, annonça-t-elle. Ces hommes sont des espions envoyés par Lyntas la Damasienne.»

Son verdict prononcé, elle fit mine de s'éloigner, mais Gharf VIII saisit son bras maigre.

« Ne te retire pas si vite. Notre Majesté a encore besoin de toi.»

Un long frisson parcourut l'échine de Piesa et une étincelle de rage traversa son regard. Toutefois, l'œil qu'elle posa sur son roi était de nouveau dénué d'émotion.

«Ce n'est pas une main mortelle qui doit punir ces menteurs, poursuivait Gharf VIII. Mentir au roi est un péché que seule la déesse peut punir. Ce n'est donc pas le bourreau qui officiera, mais toi.»

Le visage de la jeune femme exprima un désespoir encore plus vif que celui qu'il affichait auparavant. D'un coup sec, elle dégagea son bras de la poigne de Gharf VIII et protesta :

«Mais je ne peux pas torturer ces hommes !
— Pourquoi ?»

Visiblement, le roi ne s'attendait pas à rencontrer une résistance.

Piesa balaya l'assistance du regard, en quête d'une justification. Son œil éploré s'arrêta sur Fyae.

« Jamais je n'ai torturé quelqu'un d'aussi jeune ! argua-t-elle en désignant le garçon.

— Il y a un début à tout. Tu obéis, sinon tu ne trouveras plus de refuge dans notre royaume, la menaça le roi. N'oublie pas, Piesa, sans notre Majesté, tu n'es qu'une chienne errante !»

La femme ne réagit pas à l'humiliation, ne regarda même pas son interlocuteur ; elle rivait un œil implorant sur Dansec qui feignait d'être fasciné par le plancher.

En constatant qu'elle n'aurait pas le soutien du Darsonien, la prêtresse se tourna vers le roi. Les ongles enfoncés dans ses paumes, elle murmura d'une voix blanche :

« Je ne le ferai pas. »

Gharf VIII gifla la prêtresse, qui accusa le coup sans broncher.

« Pour qui te prends-tu pour nous refuser quoi que ce soit ? hurla-t-il. Tu tortureras ces hommes, Piesa, ou tu partageras leurs souffrances puisque, après tout ce temps, tu te considères encore comme une sale Hudresienne !

— Qui est le roi, pour donner des ordres à la représentante sur terre de la déesse ? » s'enquit une voix nouvelle.

Tous les membres de l'assistance cherchèrent du regard celui qui avait la folie de braver la colère du roi. Un homme s'avança, enveloppé dans une cape noire de manière à dissimuler ses traits.

« Seuls les déments s'opposent au roi ! s'exclama Gharf VIII. Tu connaîtras… »

Il ne put terminer : la grande prêtresse tira une lame de sa manche, coinça le roi contre sa poitrine et piqua la pointe de son arme sous son menton royal.

« Que personne ne bouge ou je le tue ! » prévint Piesa.

Civils et soldats se figèrent sur place et un grand silence tomba dans la vaste pièce.

« Dansec, fuis ! » cria la grande prêtresse en se tournant vers les prisonniers.

Le baron demeura pétrifié. Seul son regard bougeait, allant de l'homme en noir à la jeune femme. Fyae empoigna Dansec par le bras et le tira vers la porte. Son compagnon refusa de bouger.

« Venez ! » supplia Fyae.

Piesa se joignit au garçon :

« Partez ! les supplia-t-elle. Hâtez-vous !

— Piesa, bégaya Gharf VIII, qui avait dessaoulé au contact de l'arme, que fais-tu ?

— Je sauve ces hommes, répondit la femme. Ensuite, je vous ferai payer toutes ces années d'humiliation.

— Nos soldats te tueront, dit le roi, la voix tremblant de peur.

— Je m'en moque, affirma Piesa avec une indifférence sincère. Vous serez mort avant.

— Ne fais pas cela ! » hurla Dansec de l'autre extrémité de la salle.

Fyae, qui avait déjà un pied à l'extérieur, dévisagea le baron avec surprise. Le Darsonien tutoyait la prêtresse, à présent ?

« Filez ! » ordonna Piesa en guise de réponse.

Bherf n'attendait qu'une distraction de la part de la grande prêtresse. Saisissant l'occasion, il franchit d'un bond la courte distance le séparant de la femme et tira le bras de celle-ci en arrière. Surprise, elle échappa sa lame et se retrouva emprisonnée contre le torse du chef des soldats.

Quand elle vit la grande prêtresse maîtrisée, l'assistance poussa des cris de joie.

« Je savais, catin, que tu n'étais qu'une traîtresse ! On ne peut faire confiance aux Hudresiens ! Vous changez de religion aussi souvent que de roi ! » s'exclama Bherf d'un ton triomphant.

Tout à leur liesse, la foule et le chef des soldats avaient omis un détail : l'homme drapé de noir. Ce dernier se rua sur Bherf et Piesa, bousculant au passage Gharf VIII et le trône. Le roi et son siège partirent à la renverse et heurtèrent durement le plancher.

Du coin de l'œil, le chef des soldats aperçut l'homme qui fonçait sur lui. Aussitôt, il se débarrassa de la femme en la jetant sur l'inconnu et tira son épée. L'homme drapé de noir ouvrit les bras, attrapa la grande prêtresse, la fit passer derrière lui. Bherf plongea sa lame vers la poitrine à découvert de l'inconnu.

Il faillit choir, emporté par son élan. Sa lame n'avait rencontré que le vide : l'homme s'était écarté prestement.

Bherf reprit son équilibre, se retourna pour attaquer de nouveau. Le poing de l'homme drapé de noir cueillit le chef des soldats au menton. Sonné, le Valdesien tituba et s'affala aux côtés de son roi sous les quolibets de l'assemblée.

Gharf VIII prit ombrage de la réaction de la foule. Il s'exclama :

« Bande d'imbéciles ! Il moleste votre roi et vous vous en amusez ? Tuez-le ! »

Dans un royaume aussi inhospitalier que le Valdes, nul ne se promenait sans épée : l'homme drapé de noir se retrouva face à une horde armée.

Alors que Fyae s'était enfui, Dansec se tenait toujours dans l'embrasure de la porte et ne quittait pas des yeux l'homme drapé de noir.

Dans la salle, un Valdesien se précipita sur l'inconnu. Mal lui en prit : l'homme le repoussa d'un coup de pied, s'empara de son épée et le transperça. Puis il brandit l'arme ruisselante de sang. L'assistance recula.

Le roi ne prisa guère la réaction des siens.

« Il est seul, vous êtes cinquante ! Foncez ! »

Les Valdesiens avancèrent sur l'homme drapé de noir.

« Besoin d'un coup de main, l'ami ? » cria Dansec.

L'assistance, interloquée, se tourna vers le baron.

L'inconnu profita de la diversion : l'épée dans une main, celle de la grande prêtresse dans l'autre, il fonça droit vers une fenêtre, entaillant quiconque se tenait sur sa route, et se précipita à travers l'ouverture, Piesa derrière lui.

L'assistance fixa la fenêtre sans bouger, en proie à la stupéfaction.

« Vite, Dansec ! » appela une voix dans le dos du baron.

Ce dernier fit volte-face. Fyae était de retour avec deux des montures que les soldats avaient laissées à l'entrée du palais. Dansec courut le rejoindre, enfourcha une monture et talonna vigoureusement celle-ci. Fyae fit de même avec son cheval. Les bêtes s'élancèrent au moment où les soldats et les civils sortaient du palais, épée en main.

Hars n'était pas vaste ; Fyae et Dansec la laissèrent rapidement derrière eux. Ne sachant où aller, le garçon cria, pour couvrir le bruit des sabots :

« Quelle direction ?

— Droit devant ! hurla Dansec en retour. La Grande Noirceur nous attend ! »

Le visage de Fyae se décomposa, mais entre les monstres de la Grande Noirceur et ceux de Hars, ce n'était pas comme si Dansec et lui avaient vraiment le choix.

CHAPITRE 6

Fyae et Dansec cavalaient à bride abattue. La robe de leurs montures était trempée et leur souffle haletant emplissait les oreilles des cavaliers. Ces derniers sentaient que, bientôt, leurs bêtes s'écrouleraient de fatigue, mais ils n'en continuaient pas moins à leur imposer une cadence rapide.

Au bout d'un moment, un fin trait sombre apparut à l'horizon, gagna en épaisseur au fur et à mesure que Fyae et Dansec s'en approchaient. Ils distinguèrent bientôt la silhouette imposante de conifères rassemblés en une masse dense, impénétrable.

Un cheval blanc se tenait devant le rideau noir des arbres. Dès que Fyae et Dansec furent en vue, l'animal trotta à leur rencontre, suivi d'une monture baie sur laquelle était juchée Piesa. Quant au cavalier du destrier blanc…

Dansec s'exclama :

« Ce n'est donc pas aujourd'hui que je serai débarrassé de toi ? »

En guise de réponse, Léonte haussa les épaules et retira sa cape noire, dévoilant ses yeux de glace.

« J'ai failli rester dans le Sho, mais ce fidèle ami m'a tiré jusqu'à la rive, expliqua-t-il en caressant affectueusement l'encolure de son cheval. Je vous ai suivis de loin et j'ai attendu le moment opportun pour voler à votre rescousse. Apparemment, je ne peux vous laisser seuls : dès que j'ai le dos tourné, vous vous jetez dans le pétrin !

— Tes amis peuvent se le permettre, Léonte, puisqu'ils savent que tu te feras un devoir de les sauver, commenta Piesa d'une voix amère. Seulement, dans le cas de certains, tu mets plus de temps à arriver…

— J'étais dans la salle, prêt à intervenir, se justifia le grand maître. Je voulais agir discrètement, mais les événements en ont décidé autrement.

— Je ne parlais pas d'aujourd'hui. Je parlais des onze années que je viens de vivre. »

La prêtresse riva son regard douloureux sur le visage de son interlocuteur. Qui se troubla et détourna le sien en direction de ses bottes. Un spasme imperceptible agitait sa paupière gauche.

Un silence accablant tomba : Dansec fixait Léonte et la prêtresse avec une expression mêlée de haine, de souffrance et d'amour, la prêtresse n'avait d'yeux que pour Léonte, et ce dernier admirait toujours ses bottes.

Mal à l'aise, Fyae chercha à dissiper l'atmosphère lourde en demandant à Piesa :

« Vous êtes Léane, n'est-ce pas ? »

La femme hocha la tête avec l'air d'un condamné qui confesse son crime.

« On m'appelait comme cela, autrefois. Cette époque est si lointaine que j'ai l'impression que Léane est morte.

— La Léane que j'ai connue n'avait pas une tête pareille, dit Dansec. Tu ressembles à un épouvantail. »

La prêtresse lui lança un regard noir.

« Je n'étais pas au Valdes pour conquérir des cœurs.

— Les Valdesiens l'ont échappé belle. Pourquoi cette clémence à leur endroit ? »

Léane l'ignora et dit d'une voix triste aux deux autres :

« La Léane que l'Hudres a connue n'est plus. Je suis venue au Valdes pour me cacher. Or, ma chevelure "touchée par Shirana" était trop voyante, et ma personne trop connue. Je me suis donc débarrassée de Léane la blanche et j'ai revêtu l'identité de Piesa la noire. Toutefois, comme vous êtes là, je suppose que Léane doit revenir, n'est-ce pas ?

— Léane est déjà revenue, intervint Léonte. Piesa aurait accepté d'exécuter Dansec et Fyae pour continuer sa vie auprès de Gharf VIII, je me trompe ?

— C'est vrai, ça, renchérit Dansec. Pourquoi ces soudains scrupules à me torturer ? Après tout, tu l'as déjà fait une fois ! »

La femme baissa les paupières pour dissimuler ses yeux secs. Elle avait tant pleuré pendant ses onze années au Valdes que la source de ses larmes s'était tarie.

« Tu as des devoirs envers l'Hudres, Léane, et non envers le Valdes, insista Léonte. Reviendras-tu avec nous ? »

La prêtresse de Shirana secoua tristement la tête en signe de découragement.

« Le devoir, murmura-t-elle d'une voix blanche. J'avais oublié qu'il y avait autre chose que la culpabilité pour donner un sens à l'existence… Vous avez raison : les enfants hudresiens de Shirana ont besoin de Léane. »

La femme arracha ses cheveux noirs, les jeta à terre et obligea sa monture à les piétiner.

Lorsque la perruque fut réduite à un tas de poils méconnaissable, Léane se tourna vers les trois hommes qui l'observaient en silence. « Touchée par Shirana », avait-elle dit pour décrire sa chevelure. Sans doute n'y avait-il pas d'autre explication à la présence de ces cheveux de la blancheur de la neige chez une femme qui avait franchi depuis si peu de temps le cap de la vingtaine.

« À présent, ordonna-t-elle d'une voix vibrant d'une détermination nouvelle, dites-moi ce qui arrive à l'Hudres. »

◆

Pour la treizième journée consécutive, les Osjes, en quête d'une ouverture, tournaient autour de Dafidec tels des fauves frustrés. Non seulement chaque journée qui passait amenait-elle une nouvelle tribu dans leurs rangs, mais en outre, sur l'horizon, des volutes de fumée noire s'élevaient. Lassés de ne pouvoir pénétrer dans la capitale de l'Hudres, ils rasaient une à une les fermes environnantes.

La reine Lyntas, qui contemplait le sinistre paysage, secoua rageusement sa chevelure striée de blanc et se détourna de la fenêtre. Hélas, ce qui s'offrait à la vue dans la pièce réservée au conseil royal n'était guère plus réjouissant que la scène à l'extérieur : déjà que les conseillers étaient peu nombreux depuis la mort du roi Magne, les ducs de Sargus et de Rasg manquaient à l'appel.

Malgré ces absences, la reine avait tenu à réunir son conseil. Elle brûlait de lui apprendre la première bonne nouvelle depuis que les Osjes avaient assailli la ville.

« Messieurs, débuta-t-elle, j'ai reçu une missive ce matin. Les légions de mon père sont en route. Nous n'aurons donc pas besoin des hérétiques shiraniens.

— Des Damasiens, sur nos terres ! » s'indigna Antore.

À cette pensée troublante, le petit trésorier s'arracha une mèche de cheveux. Mais il apparut qu'il était le seul conseiller à redouter l'arrivée des légions.

Les lèvres minces de Vilsin étaient soulevées et le regard de la reine brillait de satisfaction. Quant à Moebes… Perdu dans ses pensées, le grand chancelier paraissait ignorer ce qui se disait dans la pièce.

« Il s'agit d'une armée damasienne venue pour écraser le péril osje, rectifia Lyntas, non pour occuper l'Hudres. Puisque nous avons désormais le remède à ce péril, il nous faut maintenant en découvrir les causes. Isolés dans leurs montagnes, les Osjes ignorent tout des autres royaumes. Comment expliquer qu'ils aient décidé de nous attaquer au moment précis où nous sommes vulnérables ? Quelqu'un les a certainement prévenus de notre situation. Sinon, ces barbares croiraient encore que Magne est sur le trône, et Shir sait qu'ils redoutaient mon royal époux. »

Vilsin intervint :

« Chaque fois que les Osjes ont envahi les terres voisines, ils étaient poussés par la faim et le froid. Ils pillaient les fermes et les villages. Lorsqu'ils avaient assez de provisions, ils regagnaient leurs montagnes.

— Justement, souligna la reine. Les Osjes ont toujours évité les villes, car ils savent que les armées y sont cantonnées. De plus, leurs attaques étaient totalement désorganisées. Or, cette fois-ci, ils s'en prennent à la capitale de l'Hudres et tout spécialement à ses fortifications plutôt que de courir dans tous les sens. Plus étrange encore, tous les clans osjes semblent s'entendre à la perfection, alors qu'en général ils se vouent une haine féroce.

— Peut-être qu'ils ont enfin trouvé quelqu'un pour les réunir et les organiser, suggéra le grand prêtre.

— Même s'ils avaient un chef, réfléchit Lyntas à haute voix, ils n'auraient pu connaître le moment opportun pour frapper. Je ne crois pas au hasard. Quelqu'un les a forcément prévenus.

— Vous insinuez qu'il y aurait un traître parmi nous ? s'indigna Antore. Si c'est le cas, alors il s'agit d'un de vous deux ! Jamais un Hudresien ne trahirait son royaume ! Sans compter que l'attaque des Osjes vous permet de faire venir les légions de votre père ! »

Lyntas lui fit un sourire glacial, mais avant qu'elle ait pu remettre le trésorier à sa place, Vilsin riposta :

« Pourquoi ce ne serait pas vous le traître, Antore ? Vous tenez les cordons de la bourse, vous auriez pu détourner les fonds nécessaires pour payer les Osjes. Personne n'ignore que vous détestez la reine !

— Et avec quel or, Vilsin ? Tous les emprunts que vous avez faits au nom des œuvres de Shir, ne les avez-vous pas mis dans votre coffre personnel ? Vous avez largement de quoi payer les Osjes ! »

La joute verbale acrimonieuse se poursuivit pendant de longues minutes quand, lassée par la discussion qui ne menait à rien, la reine se leva pour marquer la fin de la réunion. Si Vilsin et Moebes esquissèrent leur courbette habituelle, Antore la salua avec une mauvaise grâce évidente. Lyntas l'ignora.

Dès qu'elle eut refermé la porte de la salle du conseil, elle laissa un sourire de satisfaction apparaître sur ses lèvres. En évoquant la possibilité d'une traîtrise, elle divisait définitivement son conseil. Désormais, elle n'aurait plus à redouter qu'il y ait collusion entre ses conseillers. Il lui suffisait d'être patiente : tôt ou tard, un malheur quelconque frapperait l'Hudres et servirait ses propres fins. Ainsi, l'épidémie de peste lui avait-elle permis de monter sur le trône, et l'invasion osje, de faire venir les légions de son père. Soutenue par ces dernières, la reine pourrait éradiquer à tout jamais l'hérésie shiranienne de l'Hudres et faire du royaume une province de la Damasie. Ensuite, elle pourrait mener ses légions à la conquête des terres d'Occident et constituer le premier empire damasien de l'histoire.

Les Hudresiens se plaisaient à comparer Lyntas aux vaches qui faisaient la réputation de son royaume. Cependant, ils oubliaient que, sous la ruminante patiente, se dissimulait une tigresse qui affûtait ses griffes.

◆

La Grande Noirceur méritait son nom : dans leur lutte pour atteindre la lumière, les arbres poussaient les uns sur les autres. Leurs branches étroitement enlacées constituaient un plafond dense et bas qui empêchait le soleil de chauffer le sol. Nul chant d'oiseau n'égayait l'endroit et il n'y avait aucune trace de quelque petit animal que ce soit. La végétation régnait en maîtresse absolue et veillait à ce que les voyageurs ne se sentent pas les bienvenus : les arbres fouettaient le visage des intrus de leurs branches épineuses et glissaient des racines sous les sabots de leurs chevaux.

Léonte cheminait en tête de la troupe silencieuse et tâchait de lui frayer un passage en coupant des branches avec son épée quand une puissante respiration parvint à ses oreilles. Il la reconnut tout de suite comme celle d'un prédateur qui approchait.

Le grand maître immobilisa immédiatement sa monture. Léane, Fyae et Dansec l'imitèrent et promenèrent un œil inquiet sur la forêt qui les encerclait.

La respiration profonde s'accrut et les chevaux, naseaux dilatés, yeux affolés, piaffèrent. Le son, qui se réverbérait sur les milliers d'arbres, semblait provenir de partout à la fois. Fyae posa une main tremblante sur l'encolure de sa monture. Soudain, à sa gauche, les branches d'un sapin s'agitèrent frénétiquement.

Le garçon sursauta et lança d'une voix terrifiée :
« Qu'est-ce que c'est ? »

Un ours énorme jaillit des fourrés et les chevaux se cabrèrent en hennissant de terreur. Fyae, brutalement éjecté de sa selle, heurta durement le sol. Tandis que sa monture affolée fuyait, une immense panse brune et velue envahit son champ de vision et l'ours se jeta sur sa cuisse. Le garçon hurla de douleur quand les dents pointues de l'animal s'enfoncèrent profondément dans sa chair.

«Arrière!» criait au même moment Dansec en assénant un coup d'épée dans le flanc de l'ours.

Ce dernier releva violemment son énorme tête et adressa un grognement furieux au baron. Ses babines étaient rougies par le sang de Fyae.

Devant la menace, le cheval de Dansec se cabra et son cavalier, en tentant d'en reprendre le contrôle, échappa son épée. L'ours revint à son premier désir et mordit la cuisse de Fyae de plus belle.

« Dansec!» hurla Fyae, le visage ruisselant de larmes.

L'ours s'apprêtait à récidiver quand il poussa un hurlement de douleur. Léonte avait mis pied à terre, couru vers la bête et frappé celle-ci de son épée. Quand le prédateur furieux se tourna vers lui, le grand maître voulut porter un second coup, mais de ses grosses pattes étonnamment agiles, l'ours se saisit de Léonte et l'emprisonna dans une terrible étreinte.

«Léonte!» s'écria Léane avec effroi.

La prêtresse courut jusqu'à la bête et ordonna:

«Laisse-le! Prends-moi à sa place!»

Dansec, lui, profita du moment pour bondir du dos de sa monture et se précipiter vers Fyae. Il traîna le garçon blessé loin des pattes de l'ours, puis courut récupérer son épée. Arme en main, il fonça sur le carnivore, flanquant au passage un solide coup d'épaule à Léane pour l'écarter de son chemin. Mais Dansec arrivait trop tard: déjà, l'ours levait sa truffe vers le ciel et criait de douleur avant de s'écrouler comme une masse, l'épée de Léonte enfoncée dans le cœur.

Prudemment, le Darsonien s'approcha et poussa la patte inanimée du bout de sa botte. La bête ne réagit pas. Rengainant son épée, il se tourna vers Léonte. Couvert de sang, le souffle court, ce dernier fixait le vide, l'air épuisé. Sans un mot, Dansec dégagea d'un coup sec la lame plantée dans la poitrine de l'ours, essuya l'arme sur la fourrure de l'animal puis la tendit au grand maître, qui la rengaina tout en suivant Dansec des yeux pendant que celui-ci se dirigeait vers Léane.

La grande prêtresse, occupée à se relever, adressa un regard glacial au baron, mais celui-ci ne lui laissa pas le temps de l'apostropher.

« Tu es folle ! lui lança-t-il, furieux. Tu tiens absolument à mourir ?

— Cela ne te regarde pas ! feula Léane en retour. Ne te mêle pas de mes affaires !

— C'est toi qui m'y as mêlé la première, ne l'oublie pas ! »

La jeune femme l'ignora. Dès qu'elle fut sur pied, elle se dirigea vers Fyae, qui gisait à proximité du cadavre de l'ours.

« Ça va aller, Fyae ? » demanda-t-elle d'une voix douce.

L'intéressé souffrait le martyre, sa jambe l'élançait. Il voulut hocher la tête de crainte de passer pour une femmelette, mais l'effort fut de trop. Il sombra dans l'inconscience en emportant le faciès de l'ours et le visage de Léane avec lui.

◆

Pendant que Léonte et Dansec étaient allés rattraper la monture de Fyae, Léane avait pansé la blessure du garçon. Comme la nuit tombait, les voyageurs avaient décidé d'établir leur campement sur place.

Assis de part et d'autre des flammes, Léonte et Dansec regardaient pour l'heure Léane soulever une patte de l'ours, puis ouvrir une paupière pour scruter l'œil révulsé.

« Tu veux savoir combien tu toucheras pour la peau ? » plaisanta le baron.

La grande prêtresse ne daigna pas lui accorder un coup d'œil.

« Tu perds de ton mordant avec le temps, reprit le Darsonien. Avant, tu m'aurais envoyé paître. »

La jeune femme le foudroya du regard, mais ne desserra pas les lèvres.

« Décidément, elle a changé, commenta Dansec à l'adresse de Léonte, tandis que Léane reprenait son examen macabre.

— Laisse-la tranquille, conseilla le grand maître.

— Parce que tu trouves qu'elle n'a pas changé, toi ? insista son compagnon.

— Nous avons tous changé », répondit Léonte, laconique.

Dansec, comprenant que l'entretien était clos, se remit à observer Léane, mais s'abstint de tout commentaire.

L'attention de Léonte dériva vers les branchages épais au-dessus de sa tête. Il ne pouvait voir le ciel nocturne, mais il savait que celui-ci veillait sur Tiames et leur fils. À cette heure, ce dernier devait dormir et son épouse prier Shir de protéger les siens.

D'imaginer sa femme à genoux à côté de leur lit, paupières closes et chevelure dénouée, arracha une grimace douloureuse à Léonte. Malheureuse Tiames, à qui il avait fait la promesse de revenir, après avoir renié son serment de ne jamais partir ! Douce Tiames, qui ne lui en gardait pas rancune et se contentait de l'attendre, confiante !

« Je reviendrai, Tiames, je t'en fais le serment. »

Telles avaient été les paroles qu'il avait prononcées d'une voix résolue devant son épouse.

Toutefois, depuis qu'il avait retrouvé Léane, qu'il l'avait serrée contre lui et qu'il avait humé son parfum de sapin, un trouble étrange avait envahi Léonte. En dépit de sa volonté, l'image de sa femme s'estompait, tout comme la force de son serment.

«Alors, tu vas pouvoir en tirer un bon prix?»

La voix moqueuse de Dansec arracha Léonte à ses pensées.

Il regarda autour de lui, vit que Léane s'était ré-installée près du feu, mais à distance prudente du Darsonien.

Elle annonça, son œil turquoise rivé sur Léonte:

«Cet ours était un émissaire de la déesse.

— Quel était son message?»

Parce qu'elle avait été touchée par Shirana, Léane pouvait déchiffrer les envois de la déesse presque aussi facilement qu'une missive humaine. Ce don lui avait valu, autrefois, d'occuper le poste de grande prêtresse. Elle était ainsi passée à l'histoire de l'Hudres en devenant la plus jeune dirigeante du culte de Shirana.

« Shirana a envoyé l'ours avec une cible parti-culière en tête, poursuivit Léane. J'ai cru que c'était moi et que la déesse avait pris le visage de son passeur des morts pour m'emmener dans l'au-delà. Toutefois, je me suis trompée.»

Du menton, Léonte désigna Fyae endormi. La grande prêtresse confirma d'un hochement de tête.

« L'ours était l'initiateur. Fyae devait être touché par Shirana. S'il survit à son contact, il sera promis à un grand destin… à condition de la servir fidèlement.

— Quelle importance peut avoir le fils du duc de Rasg aux yeux de la déesse? s'enquit Dansec, incrédule. C'est sûr qu'il est efféminé et que la déesse prise tout ce qui est féminin, mais il me semble que Shirana aurait mieux à faire que de s'occuper de lui! Elle aurait plutôt intérêt à envoyer un ours éliminer Lyntas!»

Un pâle sourire éclaira le visage émacié de Léane.

« Les motifs de la déesse sont parfois impénétrables, dit-elle d'un ton rêveur. Qui aurait pu dire, il y a onze ans, qu'elle nous réunirait ? »

Les deux autres la dévisagèrent un instant, puis Dansec rectifia :

« En fait, il manque Nantor pour que nous soyons tous réunis. Vous savez où il se trouve ? »

Léane secoua la tête, imitée par Léonte.

« À l'époque, dit ce dernier, je suis disparu trop vite pour qu'il ait le temps de me suivre. Je voulais qu'il oublie sa dette absurde.

— Il a été banni en même temps que moi, ajouta Léane. Il a dû rentrer au Namarre.

— Il y était accusé de traîtrise. Rentrer chez lui aurait été signer son arrêt de mort, rappela Dansec. Il n'a pas dû aller là-bas, pas plus qu'au Lonjois.

— Pourquoi ? s'enquit la grande prêtresse. Magne n'avait-il pas libéré le Lonjois ?

— Où étais-tu, ces dernières années ? s'étonna le baron. Même dans mon monastère, j'ai eu vent que le roi du Lonjois n'était plus qu'un pantin entre les mains du Rishan. Officiellement, le Lonjois est autonome. Officieusement, sans Magne pour veiller au grain, le royaume est redevenu une province namarre. Les Lonjois fuient vers les royaumes voisins et se font brigands pour subsister. Les Namarres s'emparent tranquillement des terres désertées et capturent les habitants qui n'ont pas eu la sagesse de fuir pour les sacrifier sur l'autel de Shir. »

Léane grimaça.

« C'est quand j'entends de pareils récits que je saisis à quel point le Valdes est coupé du reste du monde. Un tel isolement n'est pas sain. Le monde serait détruit que les Valdesiens l'ignoreraient.

— Rasons tout cela et leur problème sera réglé, plaisanta Dansec en embrassant la Grande Noirceur d'un large geste du bras.

— Gharf VIII n'aimerait pas se retrouver brutalement exposé aux visées expansionnistes de Lyntas, commenta la grande prêtresse. Décidément, cette idée me plaît. Où sont les haches, que nous ouvrions la voie aux armées de la Damasienne ? »

Léonte dévisagea la jeune femme d'un œil grave.

« Il t'a fait mal au point que tu veuilles raser la forêt de la déesse pour te venger de lui ? s'étonna-t-il, incrédule. Au point que tu aies été prête à mourir pour le tuer ? »

Léane fixa sur le grand maître ses yeux secs, soulignés par de vilains cernes mauves.

« Il m'a fait mal au-delà des mots, Léonte, dit-elle d'une voix amère, mais la source de cette douleur, ce n'est pas lui. Il n'est qu'une conséquence. »

Sur ce, elle se leva et s'éloigna du cercle de lumière.

Dansec la suivit du regard jusqu'à ce que la forêt l'ait avalée, puis commenta, la voix vibrante d'amertume :

« Bravo, Léonte ! Tu l'as encore chassée alors qu'elle cause du mal chaque fois que tu la mets en fuite ! Qui sait à présent dans les bras de qui elle ira se jeter ? Dans ceux de l'ours, peut-être ? »

Le grand maître se leva. Son visage se perdit dans les ténèbres, de sorte que son compagnon ne pouvait voir sa paupière qui tressautait.

« Je prends le premier tour de garde, dit-il abruptement. Je te réveillerai pour me remplacer. »

Sur ce, il se dirigea vers les chevaux.

Le baron s'allongea et s'enveloppa dans sa cape en maugréant :

« C'est ça, Léonte, refuse de voir la réalité… Tu as beau repousser Léane, elle revient toujours. Et elle continue à ignorer qu'il n'y a pas que toi qui serais digne d'affection… Ce n'est pas nouveau, d'ailleurs. Depuis que nous sommes petits qu'il en est ainsi avec quiconque nous rencontre… »

Mais Léonte était hors de portée d'oreille… ou faisait semblant de l'être.

Dansec poussa un soupir furieux, puis tâcha de trouver le sommeil.

Alors que la nuit plongeait la Grande Noirceur dans un silence encore plus profond que celui qui y régnait en maître le jour, des sanglots étouffés s'élevèrent. Nul ne chercha à les apaiser.

CHAPITRE 7

Une brume matinale baignait la Grande Noirceur et, en ouvrant les yeux, Fyae crut avoir pénétré dans l'univers magique des fées. Mais la vague de douleur qui irradia de sa cuisse dissipa l'illusion : il était dans la réalité, et la souffrance ne s'envolerait pas par magie.

« Bienvenue parmi les vivants ! » le salua gaiement Dansec.

Assis à quelques pas du garçon, il mâchonnait des champignons fraîchement cueillis.

Léane apparut entre deux arbres et s'approcha d'eux.

« Comment va la jambe ? » s'enquit-elle avec un entrain forcé, ignorant ostensiblement Dansec.

Avant que Fyae ait pu répondre, Léonte passa près de ses trois compagnons et commenta :

« Avec encore une ou deux attaques comme celle-ci, peut-être finira-t-on par t'endurcir ! »

Ceci dit, il s'en fut s'occuper des chevaux.

Le garçon esquissa une grimace de douleur et de terreur mêlées à l'idée de subir de nouveau les assauts d'un ours.

Léane le rassura :

« Ne te fie pas aux paroles de Léonte. Sous son masque de pierre se dissimule un cœur d'or. Il t'a veillé toute la nuit, tu sais ? »

Dans son regard turquoise se lisait un amour empreint de mélancolie et elle se perdit dans une douce rêverie.

Fyae l'en tira d'un ton plaintif:

« Ma jambe me fait mal! »

Léane battit des paupières pour revenir à la réalité, puis se pencha sur la jambe du garçon et entreprit de défaire le bandage qui enveloppait sa cuisse.

Fyae risqua un coup d'œil en direction de la blessure à nu, puis détourna précipitamment le regard, les dents serrées pour réprimer une nausée. Les morsures de l'ours avaient tracé sur sa peau blanche deux lignes verticales, au centre desquelles manquait un morceau de chair dont la forme évoquait vaguement un rond.

« Jolie! commenta Dansec. Pas la blessure, j'entends, précisa-t-il avec un coup d'œil égrillard en direction de la jambe. Si tu étais une jeune fille, je te panserais bien à la place de Léane.

— Hâte-toi de remonter ton pantalon, prévint cette dernière, sinon le baron risque de perdre tous ses principes en ce qui concerne les amours entre membres du même sexe. Et sois rassuré: il n'y a que moi qui t'ai dévêtu et pansé. Dansec n'a pas porté atteinte à ta vertu.

— Mieux vaut avoir des principes à perdre que plus de principes du tout en ce qui concerne le sexe », répliqua le baron d'un ton offensé.

Ses paroles produisirent leur effet: Léane blêmit et Fyae, tout en remontant son pantalon, rougit comme une vierge effarouchée.

Dansec se remit à mâcher ses champignons, un sourire triomphant flottant sur ses lèvres.

◆

Au milieu de l'après-midi, la brume n'avait toujours pas disparu. Faute de points de repère, les voyageurs redoutaient de s'égarer à jamais dans la Grande Noirceur.

Soudain, Léane talonna sa monture et s'enfonça dans les taillis plutôt que de suivre la piste tracée par Léonte.

« Quelle mouche la pique encore ? » s'exclama Dansec, agacé.

Sur ce, il se lança à la poursuite de la jeune femme, Fyae et Léonte sur les talons.

La grande prêtresse s'était arrêtée quelques pas plus loin, avait quitté le dos de son cheval et était tombée à genoux devant une statue. La mousse couvrait cette dernière, mais les observateurs pouvaient distinguer son corps de pierre nu, sa poitrine proéminente et son visage avenant.

« Qui est-ce ? » demanda Fyae.

Léonte et Dansec mirent pied à terre et s'agenouillèrent derrière Léane. Ils tirèrent leur épée et la posèrent devant eux, puis inclinèrent la tête en signe de respect.

« C'est Shirana, dit Léane sans quitter la statue de ses yeux emplis d'adoration. Il s'agit d'une des premières statues érigées en son honneur... Et de l'une des dernières à ne pas avoir été réduite en poussière par les adorateurs de Shir que sont Lyntas et Vilsin. »

Machinalement, elle porta la main à sa chevelure blanche. Shirana l'avait touchée alors que Léane avait six ans. Cette dernière s'était égarée dans la Grande Noirceur, à proximité de la ferme de ses parents, dans le duché de Tulirs, et s'était retrouvée au pied de la statue de la déesse. Une brise avait balayé la forêt et le monument s'était soudain animé. La main de pierre avait caressé la tête de la fillette et une voix douce et apaisante, pareille à un souffle de vent printanier, s'était élevée :

« Tu es mon élue, Léane, tu seras ma plus fidèle servante. Désormais, ma volonté sera la tienne, et mes enfants, les tiens. Je te les confie. En retour, tu renonceras à avoir tes propres enfants, ta volonté propre. Je suis Shirana, la partie femelle du Tout divin, et par cette bénédiction je te fais mienne. »

Au son de ces paroles, chaque fibre du corps de Léane avait vibré d'adoration. La petite fille avait répondu : « Louée sois-tu, sainte déesse ! » et Shirana lui avait souri tendrement, puis lui avait indiqué la route pour regagner sa maison. Léane avait suivi le chemin jusque chez elle et avait passé sa dernière nuit parmi les siens. Le lendemain, une prêtresse était venue pour l'emmener à Dafidec. Dans la capitale, elle avait été initiée aux mystères du Tout divin et, quand la grande prêtresse était morte de vieillesse, Léane, âgée de huit ans, avait hérité du poste.

Elle était alors trop jeune pour cette tâche, elle s'en rendait compte à présent. Le titre de grande prêtresse lui était monté à la tête et elle s'était montrée vaniteuse et capricieuse. Elle avait fait de tous les croyants de Shirana ses choses… à l'exception de Léonte. Dès qu'elle avait posé les yeux sur le grand maître, elle avait senti la force du combat que la Dualité livrait en lui. Puis elle avait découvert la vulnérabilité enfouie sous son masque dur et froid. Cette faiblesse l'avait séduite, mais elle n'avait aucune expérience des choses de l'amour. Elle avait donc commis l'erreur fatale de se comporter avec Léonte comme avec tous les hommes. Or, il n'était pas un homme ordinaire : il était un enfant des dieux, il avait été conçu une nuit de solstice.

Après la nuit sur la plaine d'Alvers, Léane avait constaté l'ampleur du mal qu'elle avait fait : elle avait aimé un homme plus que la déesse elle-même et avait gâché l'amitié entre ses deux compagnons les plus chers. Elle avait consacré les onze années suivantes à expier son crime : elle s'était traînée dans la fange, elle avait abdiqué toute fierté et elle était devenue l'esclave de Gharf VIII.

À présent, la déesse lui donnait une chance de se racheter : l'Hudres avait de nouveau besoin d'elle. De plus, Léane devait veiller sur le nouvel élu de Shirana et l'initier aux mystères de la déesse, comme elle-même l'avait été autrefois.

« Viens ici, Fyae », ordonna-t-elle.

Le garçon s'approcha d'un pas hésitant. Léane se leva, alla vers la statue et retira la mousse qui couvrait la poitrine de pierre.

« Regarde », dit-elle.

Fyae obéit et découvrit qu'à la naissance des seins de la déesse, le sculpteur avait gravé un cercle entre deux traits verticaux.

« Qu'est-ce que… ? »

La question du garçon mourut dans sa gorge et il rougit jusqu'aux oreilles. À ses côtés, Léane avait défait le haut de sa robe. Fyae pouvait voir les os saillants de son torse ainsi que, juste à la naissance des seins, un tatouage identique au symbole ornant la poitrine de la statue.

« Montre-lui le tien, Léonte », ordonna Léane.

Le grand maître se leva et rejoignit la jeune femme et le garçon. Devant les yeux écarquillés de ce dernier, il découvrit son torse. La même marque que celles de Léane et de la statue était gravée dans sa chair.

Fyae se tourna vers la grande prêtresse.

« Je ne comprends pas », balbutia-t-il.

Léane lui expliqua :

« La déesse, sous la forme de l'ours initiateur, t'a touché. Tous ceux qui portent cette marque sont promis à un destin extraordinaire. Ainsi la grande prêtresse est-elle marquée, ainsi le grand maître des Shiraniens l'est-il également. Ainsi viens-tu de l'être. Tu es des nôtres, à présent.

— Mais pourquoi ? Je ne crois même pas en Shirana ! J'ai été élevé dans la foi de Shir ! »

La confusion que la déclaration de Léane avait fait naître en Fyae se mua en tourment à l'idée qu'il allait devoir expliquer toute cette histoire à son père et à sa sœur. Comment réagirait Sterne en apprenant que son enfant s'était converti à la religion interdite ? Que ressentirait Nyam lorsqu'elle saurait qu'une autre femme était entrée dans la vie de son frère ?

« La déesse ne marque personne sans le plein accord de Shir, dit Léane. Ils sont la sainte Dualité, ne l'oublie pas. Si Shir te gardait pour ses desseins, il ne laisserait pas Shirana t'enlever à lui.

— Je dois devenir comme les Osjes et les Valdesiens et croire exclusivement à Shirana ? » demanda Fyae d'une voix inquiète.

La grande prêtresse esquissa un signe de déni.

« Ce n'est pas ce que souhaite la Dualité. Les peuples du monde occidental sont les descendants de deux tribus. L'une est native des montagnes du nord. Les Valdesiens, les Hudresiens, les Darsoniens et les Osjes en sont issus. L'autre vient des déserts du sud. Ses descendants sont les Lonjois, les Namarres et les Damasiens. Autrefois, la tribu du sud vénérait Shir et celle du nord, Shirana. Avec le temps, les deux tribus principales se sont subdivisées et ont peuplé toutes les terres de l'ouest. Puis, la Darsonie établit son empire et souhaita que la paix règne en Occident. Pour empêcher toute querelle de nature religieuse, le premier empereur darsonien décréta que la pratique des deux religions serait obligatoire. Pour ce faire, il concilia les deux en la sainte Dualité. Pendant tous les siècles que dura l'empire, les peuples s'accommodèrent de ce compromis. Néanmoins, les disparités religieuses ressurgirent avec la chute de l'empire. Les Namarres et les Damasiens revinrent au culte monothéiste de Shir, tandis que dans le nord, certains peuples se remirent à n'adorer que Shirana. Seules la Darsonie et l'Hudres gardèrent le culte de la Dualité.

— Quelle est ma place, dans toute cette histoire ? interrogea Fyae.

— Aie foi en la Dualité, affirma Léane, et tu la trouveras. »

Une main se posa sur l'épaule du garçon. Ce dernier tourna la tête et vit que Léonte se tenait derrière lui. Le grand maître commenta :

« Touché par Shirana et appelé à un destin extra-ordinaire… Peut-être deviendras-tu un homme, tout compte fait. »

Venant de Léonte, pareil commentaire équivalait à un compliment. Le teint pâle de Fyae s'embrasa de plaisir et toute inquiétude à l'égard de la réaction de son père et de sa jumelle se dissipa. Désormais, les héros de l'Hudres le considéraient, lui, Fyae de Rasg, comme un des leurs ! La déesse Shirana elle-même l'avait élu ! Elgire de Sargus serait si fier de son filleul ! Or, son parrain parvenait toujours à raisonner Sterne ; il convaincrait son vieux compagnon d'armes qu'avoir un enfant élu de Shirana était une bonne chose. Quant à Nyam, Fyae songea qu'il parviendrait à la convaincre que son adhésion au culte de la Dualité ne changerait rien entre eux. Qui sait ? Peut-être même réussirait-il à convertir sa jumelle à l'authentique religion de l'Hudres quand, comme lui, elle apprendrait la vérité sur le royaume ?

Rassuré, il esquissa un large sourire à l'adresse de la statue de la déesse et lui fit le serment qu'il se montrerait digne de l'honneur qu'elle lui avait fait.

« Loin de moi l'idée de jouer les rabat-joie, inter-vint Dansec, mais l'Hudres est en péril ! Il est certain que la prière a du bon, mais comme le dit l'adage…

— "Shir te donne la force, Shirana les outils, mais au bout du compte, c'est l'homme qui construit sa maison" », complétèrent Léonte et Léane à l'unisson.

Le grand maître et la grande prêtresse se dévisagèrent, stupéfaits, puis éclatèrent de rire. Dansec les fixa d'un œil amusé, tandis que Fyae les toisait d'une expression ahurie. Léonte qui riait ! Jamais le garçon n'avait imaginé que l'homme pouvait manifester une émotion joyeuse !

Les rires décrurent. Léonte et Léane reprirent leur souffle, puis échangèrent un regard hésitant. Pouvaient-ils se réconcilier malgré les vieilles blessures toujours ouvertes ?

Ils détournèrent les yeux d'un air coupable et s'en furent en direction des montures. Dansec et Fyae les suivirent.

Les voyageurs montèrent en selle. Léane adressa une dernière prière à la statue : elle supplia Shirana de lui pardonner et la remercia pour la deuxième chance qu'elle lui offrait. Devant la statue qui l'avait touchée, la grande prêtresse fit le serment de se montrer digne, cette fois, de la confiance que Shirana plaçait en elle. Puis, elle se tourna vers Léonte, qui attendait qu'elle ait fini de se recueillir, et lui adressa un petit signe de tête. Le grand maître fit claquer la bride de son cheval. Ayant trouvé la statue de la déesse, il savait maintenant comment sortir de la forêt.

Alors que les voyageurs se dirigeaient vers l'Hudres, la brume baignant la Grande Noirceur se dissipa.

◆

« Ma reine ! Venez vite ! »

L'aiguille qui courait sur l'étoffe s'immobilisa.

Pour tromper la colère profonde que lui causait son confinement, la reine Lyntas avait décidé de confectionner une tapisserie en l'honneur de Shir. À l'appel de sa suivante, elle posa son ouvrage et ouvrit la porte de ses appartements.

Un garde échevelé, avec une plaie sanglante au bras, apparut. L'homme exécuta une révérence maladroite avant de balbutier :

« Ma reine ! Des Osjes ont réussi à gravir le mur ouest pendant que nous étions occupés à repousser ceux du mur nord ! À présent, ils massacrent les citadins !

— Qu'attendez-vous pour les arrêter ? » demanda froidement Lyntas.

Son interlocuteur exhiba ses paumes en signe d'impuissance.

« Nous n'avons pas assez d'hommes, ma reine. L'armée doit d'abord repousser les milliers de barbares qui tentent de défoncer les portes au nord de la ville ! Il faut tenir jusqu'à ce qu'ils se lassent. Ensuite nous pourrons nous charger des intrus !

— Il suffit parfois qu'une petite troupe pénètre dans la ville et se faufile jusqu'aux portes pour ouvrir celles-ci à ses pairs ! dit froidement la reine. Restez ici. »

Elle referma la porte de ses appartements et inspira profondément, le temps de calmer les battements frénétiques de son cœur.

Soudain, elle prit conscience que les regards de ses dames de compagnie étaient rivés sur elle, lourds d'inquiétude. Elle avait oublié de fermer la porte derrière elle lorsqu'elle était sortie dans le couloir, de sorte que les femmes avaient entendu son échange avec le soldat. Or, plusieurs d'entre elles avaient de la famille dans le quartier ouest, celui des riches marchands de la ville.

La reine se ressaisit et ordonna à l'une des dames de compagnie :

« Trouve-moi Moebes au plus vite ! »

La femme s'exécuta.

Quelques instants plus tard, elle revenait en compagnie d'Antore.

« Moebes était introuvable, ma reine, s'excusa-t-elle, mais j'ai croisé messire Antore. »

Le visage du trésorier révélait une extrême tension et il tirait machinalement sur une des rares mèches de cheveux encore sur son crâne.

« Combien d'hommes armés avons-nous dans le palais pour assurer ma défense ? demanda Lyntas.

— Une soixantaine, ma reine, répondit Antore sans hésitation.

— Rassemble-les et envoie-les de toute urgence dans le quartier ouest. Qu'ils tuent tous les Osjes qu'ils rencontrent, sauf un. Je tiens à ce qu'ils m'en ramènent un vivant. Je veux l'interroger. »

L'ordre prit le trésorier au dépourvu.

« Mais votre sécurité, ma reine, qui l'assurera ?

— Antore, ce n'est pas le palais qui est assailli, répliqua impatiemment Lyntas. Obéis sans discuter et n'affecte pas de te soucier de ma personne. L'hypocrisie te sied mal. »

Le trésorier arracha sa mèche d'un coup sec et la jeta négligemment sur le sol avant de quitter les lieux. La touffe de cheveux atterrit aux pieds de la reine. Cette dernière, dégoûtée, secoua vigoureusement le bas de son vêtement pour s'assurer qu'aucun cheveu n'adhère à l'étoffe.

Elle promena ensuite ses yeux d'un bleu intense sur ses dames de compagnie. Ces dernières feignaient d'être absorbées dans leur ouvrage, mais la Damasienne savait qu'elles avaient écouté l'échange attentivement. Agacée par leur mauvaise foi, elle dit à l'une des femmes :

« Va chercher le grand prêtre. La prière repoussera les Osjes. »

La dame de compagnie obéit.

En attendant l'arrivée de Vilsin, la reine tâcha de se consacrer à son ouvrage, mais échoua. Son oreille demeurait tendue en direction de la fenêtre unique de ses appartements, dans l'espoir de saisir, à travers la clameur des assauts des Osjes contre les murs de Dafidec, les bruits du combat qui se déroulait dans le quartier ouest.

◆

À Rasg, Nyam n'avait à s'occuper de rien, car l'intendant désigné par son père gérait le duché en l'absence du duc. Or, à Sargus, elle ignorait qui occupait ce poste, voire si celui-ci existait, et Elgire était alité. Personne ne pouvait donc s'occuper du duché de son parrain sinon elle-même, sa filleule, et les serviteurs prirent l'habitude de s'adresser à elle. Nyam se vit donc contrainte d'organiser la demeure du duc de Sargus : dès l'apparition des premiers rayons du soleil, elle se levait, s'habillait et commandait les repas de la journée aux cuisines. Ensuite, elle veillait à ce que le château soit nettoyé, que les menues réparations soient effectuées et que des paysans venus du nord, qui fuyaient la menace osje, soient logés et nourris…

Il affluait toujours plus de ces malheureux. Si Nyam avait été à Rasg, loger les réfugiés aurait été une source de nombreux maux de tête, étant donné la petitesse de la demeure paternelle. Heureusement, la famille de Sargus avait eu la piqûre de la construction et chaque génération avait fait agrandir le château familial : les couloirs semblaient s'étendre à l'infini et les chambres d'invités se dénombraient par dizaines. Toutefois, les Sargus n'avaient jamais eu d'intérêt pour les plans, de sorte qu'un escalier dérobé pouvait mener droit à un mur, qu'une pièce pouvait avoir été complètement murée au fil des ans et que, depuis qu'Elgire était devenu duc, le château ne comptait aucune chambre d'enfant mais d'innombrables salles à manger.

Un après-midi, alors que Nyam, accompagnée d'une servante, était en quête d'une chambre pour loger une nouvelle famille de paysans, la jeune fille aperçut, dans le renfoncement d'un des longs corridors, une porte qui n'avait jusqu'alors jamais attiré son attention. Elle saisit la poignée, qui tourna, et ouvrit. À sa grande surprise, elle découvrit enfin une chambre d'enfant. Cette dernière avait été apparemment habitée par un petit garçon des années auparavant : une épaisse couche de poussière couvrait les meubles, une épée et des soldats de bois traînaient sur le plancher. Le lit, jonché de petits vêtements, était défait, et une table ainsi que des chaises avaient été renversées sur le sol. Dans un coin, un gros coffre de bois était resté ouvert après avoir été vidé à la hâte de son contenu : une petite chausse oubliée gisait sur le rebord.

Nyam jugea que l'endroit était assez vaste pour loger la famille arrivée le matin même. Elle s'approcha du lit, grimaça à la vue de la poussière qui couvrait celui-ci et se tourna vers la servante.

« Il faudra tout nettoyer », dit-elle en désignant le lit, mais déjà la servante avait entrepris le travail. Elle secouait la couverture, soulevant ainsi un épais nuage gris, quand un objet tomba sur le sol de pierre avec un tintement métallique.

Nyam se pencha et le ramassa : il s'agissait d'une clef d'argent sur laquelle les armes de l'Hudres étaient gravées. Elle se tourna vers la servante, qui s'était attaquée aux oreillers.

« Vous savez à quoi elle peut servir ? »

La femme secoua la tête en continuant sa besogne.

« Vous savez, demoiselle, il y a tellement de pièces dans cette demeure que nous trouvons des clefs partout sans savoir ce qu'elles ouvrent au juste ! » crut-elle bon de préciser.

Nyam enfouit la clef dans ses jupes.

« Je ne tiens pas à ce que les paysans la prennent et se mettent à essayer de déverrouiller toutes les portes du château ! » se justifia-t-elle.

La servante détourna les yeux pour dissimuler son expression outragée : la gamine avait de la chance d'être la filleule du duc, sinon elle ne se serait pas gênée pour lui dire ce qu'elle, en tant que paysanne, pensait des fillettes de la noblesse.

« Demoiselle Nyam ? »

L'interpellée fit volte-face.

Une seconde servante se tenait à l'entrée de la chambre, un pigeon entre les mains.

« Cet oiseau a un message autour de la patte, expliqua la femme. Devrais-je réveiller messire le duc et l'en aviser ? »

Le regard de Nyam alla de l'oiseau à la chambre poussiéreuse ; la décision ne fut pas difficile à prendre.

« Non, je m'en occupe, dit-elle. Donnez plutôt un coup de main à votre amie. Cette chambre doit être nettoyée d'ici ce soir. »

La servante acquiesça et remit le pigeon à la jeune fille, avant de se joindre à sa consœur.

Nyam détacha le petit parchemin enroulé autour de la patte du volatile. En prenant connaissance de son contenu, elle blêmit et s'en fut en direction de la chambre de son parrain. Qu'il dorme ou pas, Elgire devait être mis au courant des dernières nouvelles de Dafidec !

◆

Allongé sur son lit, Elgire laissait ses pensées vagabonder par la fenêtre ouverte. Où pouvaient se trouver Fyae et Léonte, à cette heure ? Tant d'espoirs reposaient entre les mains du grand maître !

Léonte…

Le duc de Sargus se souvenait d'un temps où ses hommes devaient arracher le grand maître aux cadavres de l'ennemi, pour éviter qu'il ne s'acharne sur leurs dépouilles. Où était passée la soif de sang insatiable du grand maître ? Si Elgire se fiait à ce qu'il avait vu quelques semaines plus tôt, le guerrier d'autrefois avait été effacé par le bon père de famille.

Cela était difficile à croire : d'aussi loin que le duc le connaissait, Léonte avait toujours eu cette rage inassouvie en lui. Il avait cinq ans quand elle s'était manifestée dans toute sa terrible force pour la première fois. Elgire, qui se trouvait avec lui à l'époque, se souvenait de l'incident comme s'il s'était produit la journée précédente : Léonte avait supplié le jeune duc de Sargus, en visite dans la baronnie de Palsius, de l'emmener voir sa mère. Elgire s'était laissé attendrir par la tristesse de l'enfant qui, bien que ses deux parents fussent en vie, était traité comme un orphelin.

Il avait donc mené Léonte dans le quartier de Dafidec réservé aux prêtresses de Shirana. La grande prêtresse avait été stupéfaite de rencontrer ce garçonnet qui l'appelait « mère » ; n'avait-elle pas renoncé à tout droit sur l'enfant à la naissance de celui-ci, conformément au commandement de Shirana ? Elle avait repoussé Léonte en lui expliquant qu'il n'était pas son fils, mais celui de Shirana et de Shir, et que la Dualité l'avait conçu pour qu'il accomplisse un devoir précis, devoir que le petit garçon connaîtrait quand il serait plus vieux.

Ensuite, elle avait raccompagné ses visiteurs à la sortie du quartier. Un mendiant lonjois qui rôdait à proximité l'avait alors insultée. Léonte avait bondi entre le gueux et sa mère et avait ramassé une grosse pierre, qu'il avait lancée à la tempe du Lonjois. Ce dernier s'était affalé, du sang s'échappant du côté de sa tête.

Avant qu'Elgire ou la grande prêtresse aient pu l'arrêter, le petit garçon avait couru vers l'homme et s'était mis à le rouer de coups. Sans doute l'aurait-il tué si le duc ne l'avait empoigné et arraché au corps du gueux inconscient. Léonte s'était débattu furieusement et, lorsque Elgire avait croisé son regard, il avait été terrifié : en dépit de la colère de Léonte, l'œil de celui-ci était resté d'une froideur inhumaine.

Il avait fallu quelques jours avant que le duc de Sargus ose demander au petit garçon quelle folie avait animé son bras. Chaque fois qu'il posait son regard sur Léonte, Elgire redoutait d'y voir réapparaître la froideur inhumaine.

« C'était Shir et Shirana, avait répondu l'enfant comme s'il s'agissait d'une évidence. Shirana m'a dit que mon devoir était de protéger l'honneur de la grande prêtresse, et Shir a échauffé mes sangs. »

La Dualité s'était emparée de Léonte et l'avait investi du devoir de protéger. Depuis, il n'avait eu que le mot « devoir » aux lèvres. Elgire n'avait d'ailleurs pas hésité à utiliser ce mot pour convaincre Léonte de sauver Dafidec des Osjes. Quand il servait les fins de l'Hudres, le duc de Sargus n'éprouvait aucun remords à manipuler ses compagnons.

Rêveusement, sa main se posa sur sa poitrine et caressa machinalement l'objet qu'il gardait en permanence contre son cœur.

« Mon oncle ? Vous dormez ? »

Elgire quitta le monde des souvenirs et découvrit sa filleule qui se tenait à son chevet. Elle lui tendait un petit parchemin.

« De la part de la reine », précisa la jeune fille.

Enfin ! Des nouvelles de l'extérieur.

Elgire se hissa sur ses coudes, non sans réprimer une grimace de douleur, afin de prendre connaissance du message.

« Ainsi, il y aurait un traître parmi les membres du conseil, conclut-il après sa lecture.

— Qu'allons-nous devenir ? dit Nyam, des larmes dans la voix.

— Je n'en ai pas la moindre idée, répliqua le duc d'un ton agacé. Et je suis si fatigué… »

Sa filleule battit en retraite.

Dès qu'elle eut disparu, Elgire maudit le sort qui le gardait à son lit. Un traître dans le conseil ! Il fallait absolument découvrir son identité avant qu'il n'ouvre les portes de la ville aux Osjes ! Or, Elgire savait qu'aucun des conseillers encore en place n'était assez futé pour repérer le renégat, sans compter que l'un d'eux était forcément le félon en question. Tant que Léonte et les anciens conseillers de Magne ne seraient pas de retour, l'Hudres n'avait que le duc de Sargus pour le protéger.

Le vieil homme s'assit péniblement sur le côté de son lit. Sa tête l'élançait et semblait peser une tonne et le simple effort de se dresser lui donna le tournis. Elgire serra les dents et réprima la vague de nausée qui montait en lui. Dans sa jeunesse, il avait affronté des armées entières à lui seul, bravé des intempéries, souffert mille maux, et il restait au lit pour un vulgaire coup sur le crâne ? Il avait honte de sa faiblesse, d'autant plus que le royaume avait besoin de lui. Il posa prudemment le pied à terre. La pièce autour de lui se mit à tourner de plus en plus vite et ses jambes ankylosées vacillèrent. Pour ne pas s'affaler sur le plancher de pierre, Elgire dut se laisser retomber sur sa couche. Lorsque le plafond se fut stabilisé, le duc asséna un coup de poing rageur à ses draps. Si seulement son corps avait gardé la même jeunesse que son âme, il serait déjà sur son cheval en train de galoper en direction de Dafidec !

Malheureusement, ce n'était pas le cas. Il n'y avait pas seulement un des conseilleurs royaux qui faisait faux bond à l'Hudres : le corps d'Elgire de Sargus également.

◆

«Loué soit Shir! Qu'il nous pardonne nos péchés, qu'il fortifie notre bras, qu'il nous donne l'énergie pour triompher!»

La reine et ses suivantes répétèrent docilement les mots lus par Vilsin. Elles se tenaient à genoux au centre des appartements royaux, paumes levées vers le ciel et paupières baissées, tandis que le grand prêtre était debout, un livre de prières entre les mains.

La porte de la chambre s'ouvrit à toute volée et un homme immense, vêtu de peaux et armé d'une hache, fit irruption dans la pièce. Son visage était mangé par une barbe plus noire que la nuit et ses yeux brillaient d'une lueur sanguinaire. Lyntas se leva d'un bond, tandis que ses compagnes se réfugiaient peureusement dans un coin. Vilsin échappa son livre et fit un pas en arrière, se servant imperceptiblement de la reine dressée comme d'un bouclier.

«La vache à la mèche blanche!» rugit l'Osje.

Le barbare leva son arme vers la reine. Cette dernière le fixa sans broncher.

L'Osje lâcha sa hache en poussant un cri de douleur et s'écroula aux pieds de la reine. La garde d'un poignard émergeait de son dos. Dans l'embrasure de la porte, un soldat couvert de sang, encore tout haletant de sa course, était apparu.

«Vous n'avez rien, ma reine?»

Lyntas secoua la tête.

«Les Osjes du quartier ouest ont été repoussés, reprit le soldat. Celui-ci était probablement le dernier.»

Son devoir accompli, il s'effondra. La reine cligna des yeux comme si elle s'éveillait d'un songe, puis elle ordonna à ses femmes de s'occuper de son sauveur. Elles obéirent en évitant le cadavre du barbare.

Lyntas se tourna vers Vilsin.

« Trouve-moi quelqu'un pour me débarrasser de ceci », dit-elle froidement.

Le grand prêtre quitta les appartements sans se faire prier.

La reine se pencha sur le cadavre, observa un instant les yeux révulsés, puis saisit à deux mains le poignard enfoncé profondément dans son échine. Il lui suffit d'un essai pour le retirer de la plaie. Elle examina la lame couverte du sang de son ennemi avant de croiser le regard horrifié de ses suivantes.

« Nous ne pouvons nous permettre de gaspiller la moindre arme, dit-elle. Nettoyez-moi tout cela. »

Elle jeta le poignard sur la dépouille et quitta la pièce.

CHAPITRE 8

Quitter la Grande Noirceur fit l'effet d'une délivrance aux voyageurs.

Dansec inspira profondément et s'exclama :

« L'Hudres ! Comme c'est bon de rentrer chez soi !

— Mais vous êtes Darsonien ! rappela Fyae.

— Je suis Darsonien de sang, mais Hudresien d'âme, répliqua de façon sentencieuse le baron de Palsius.

— De caractère surtout, intervint Léonte.

— Dis ce que tu veux, je suis trop heureux de retrouver la lumière pour m'emporter contre qui que ce soit. »

Seule Léane ne paraissait pas soulagée. Elle resserra frileusement le drap de laine qui couvrait ses épaules et promena un regard de biche aux abois sur les champs environnants.

Dansec remarqua immédiatement son attitude.

« Tu ne parais pas contente de rentrer chez toi, Léane.

— Je ne suis plus chez moi là où Shirana n'est plus chez elle, expliqua la grande prêtresse. J'aurais aimé rentrer en Hudres la tête haute, non comme une miséreuse que Lyntas a daigné gracier.

— Tu rêves, ma pauvre, se moqua le baron.

— Qu'arriverait-il si la reine était détrônée ? interrogea Fyae. Elle n'a pas d'héritier, que je sache.

« — Son père ou Vilsin monterait sur le trône, répondit Léonte. Le royaume retomberait en morceaux. Mieux vaut que Lyntas garde le pouvoir, car elle est assez fine politicienne pour maintenir les nobles belliqueux dans sa poigne de fer.

— Tu l'as dit ! approuva Dansec. Les nobles ont un ennemi commun à détester : la reine en personne ! Dire que nous en sommes réduits à prier pour que la Damasienne continue d'exercer son règne… »

La pensée qu'ils avaient besoin de Lyntas n'était pas pour les réjouir et, à la joie première de retrouver l'Hudres, succéda un silence lugubre.

Quelques minutes plus tard, un point noir apparut à l'horizon et se mit à croître rapidement. En plissant les yeux, Léonte distingua une troupe de cavaliers au galop. Ses doigts se portèrent aussitôt sur le pommeau de son arme.

Derrière lui, Dansec tira son épée et Fyae, son poignard. Le garçon tremblait tant et ses paumes étaient si moites qu'il faillit échapper sa courte lame.

Le baron posa une main apaisante sur celle de son jeune compagnon. Ce dernier leva son regard affolé vers celui du Darsonien.

« Du calme, dit Dansec d'une voix douce. Puis, s'adressant à Léonte : Combien sont-ils ?

— Je dirais une dizaine. »

Léonte, qui avait une vue nettement plus perçante que Dansec, ne pouvait cependant en être certain, car un nuage de poussière, soulevé par les sabots des montures, enveloppait les cavaliers.

« Deux contre dix ? J'ai déjà connu pire », ironisa Dansec.

Un bruit de sabots retentit soudain derrière les voyageurs. Ils se retournèrent et découvrirent que dix autres cavaliers avaient surgi des hautes herbes bordant la route.

« Allez ! » s'écria Léonte.

Il asséna une claque à la croupe de son cheval, qui quitta la route et s'enfonça dans le champ. Aussitôt, les bêtes de Fyae, Dansec et Léane s'élancèrent à sa suite.

Les vingt cavaliers, tout d'abord surpris par la manœuvre, lancèrent leurs montures au grand galop, puis les firent à leur tour bifurquer dans le champ à l'endroit où leurs proies avaient quitté la route.

Fyae fonçait droit devant lui. Encore une fois, la crinière de sa monture dansait devant ses yeux et l'aveuglait. Terrifié, il ne sentait plus la présence de ses compagnons ni celle de ses poursuivants, mais il n'en continuait pas moins à presser son cheval.

Soudain, un cri victorieux retentit au loin, suivi d'un second qui eut pour effet de sortir le garçon de sa transe. Il tira violemment sur la bride de sa monture et promena un regard affolé autour de lui. Pareilles exclamations, émises par des voix inconnues, ne pouvaient signifier qu'une chose : l'un de ses compagnons était pris ! Il remarqua alors une douzaine de cavaliers, immobilisés au centre du champ, qui lui tournaient le dos. Fyae se laissa glisser à bas de son cheval, grimaça de douleur lorsque son pied toucha le sol. Sa blessure l'obligeait à boitiller, mais ce handicap ne l'empêcha pas d'avancer à travers les hautes herbes en position accroupie. Comme il n'était pas en état de courir, il ne tenait pas à se faire repérer. Il savait qu'il ne pouvait pas faire grand-chose pour venir en aide à son compagnon en détresse, mais il sentait qu'il était de son devoir d'élu de Shirana de se diriger vers les cavaliers.

Lorsqu'il put apercevoir les sabots des chevaux ennemis entre les herbes hautes, il s'immobilisa et examina les pattes des bêtes. Il reconnut immédiatement le destrier blanc de Léonte.

Une voix railleuse s'éleva alors :

«Ainsi, c'est toi, le fameux Léonte! Il n'est pas si terrible que ça, le héros de douze pieds de haut. Onze années t'auraient-elles rabougri?»

De gros rires accompagnèrent la remarque.

Le grand maître ne répondit pas.

Le sifflement d'une épée quittant son fourreau parvint aux oreilles de Fyae.

«Ici prend fin une légende», reprit la voix du cavalier.

Les entrailles de Fyae se nouèrent. Seul contre douze, Léonte était perdu!

Le garçon saisit son poignard de sa main tremblante et entreprit de se lever. La manœuvre n'était guère aisée, sa cuisse l'élançant terriblement.

Un hurlement de douleur s'éleva dans le lointain.

Surpris, Fyae coupa court à son élan et retomba au sol.

«C'est un des nôtres! s'exclama un des cavaliers.

— Les herbes ont remué, par là!» ajouta un autre.

Fyae retint son souffle et se cramponna à la poignée de son arme.

Les cavaliers s'étant brièvement détournés de Léonte, celui-ci dégaina son épée et trancha la tête d'un de ses assaillants. Tronc et crâne s'abattirent avec un bruit sourd.

Fyae porta une main à ses lèvres pour étouffer un cri d'horreur. Le visage du mort était tourné vers lui et le fixait avec une expression stupéfaite.

Les cavaliers se détournèrent de la cachette du garçon.

«Tuez-le!» s'écria l'un d'eux en indiquant Léonte.

Le grand maître trancha le doigt tendu, puis plongea son épée dans la poitrine du cavalier. Deux autres cavaliers foncèrent sur lui. Il plongea sa main libre dans sa botte et en sortit un poignard. Il lança aussitôt l'arme, qui se planta dans le cou d'un des cavaliers. Léonte libéra ensuite son épée et la leva pour accueillir le second adversaire. La lame de ce dernier heurta la sienne. Le grand maître repoussa son opposant ; désarçonné, celui-ci atterrit lourdement sur le sol. Sonné, il leva la tête et s'apprêtait à pointer son arme vers Léonte quand il aperçut la silhouette de Fyae entre les herbes hautes.

« Il y a un aut… » commença-t-il à crier.

Mais il ne put terminer : le garçon vit une lame s'enfoncer rapidement dans le torse de l'homme et en ressortir aussitôt. Quelques secondes plus tard, le tintement d'épées qui s'entrechoquaient parvint de nouveau à ses oreilles ; Léonte engageait le fer avec un quatrième cavalier.

Le grand maître para les coups de son ennemi, feinta, entailla la croupe de la monture adverse. Cette dernière recula précipitamment. Son cavalier, en équilibre précaire, échappa son épée. Léonte l'attrapa au vol et la plongea dans le ventre de l'inconnu, puis frappa de nouveau la bête blessée. L'animal, fou de douleur, fit volte-face et se rua sur les autres attaquants. Ces derniers voulurent l'éviter, mais ils se tenaient en une masse compacte. Une bousculade s'ensuivit. Le grand maître en profita pour décapiter deux autres cavaliers avant de transpercer l'échine vulnérable d'un troisième.

En moins d'une minute, il ne restait plus que cinq hommes devant Léonte, cinq hommes qui marquèrent une pause et dévisagèrent le grand maître avec une expression ahurie. Ce dernier, le visage et les vêtements couverts de sang, les toisa de son œil d'une froideur inhumaine, puis talonna sa monture et se rua sur eux.

Les cavaliers se figèrent devant cette charge imprévue. Cette hésitation leur coûta encore un des leurs. Puis ils se ressaisirent et deux d'entre eux allèrent à la rencontre de Léonte. Ce dernier brandit ses deux épées et bloqua celles de ses adversaires. Ses flancs se retrouvèrent à découvert. Un troisième cavalier fonça droit sur l'ouverture. Le grand maître baissa précipitamment les bras, mais il ne fut pas assez rapide : la lame du troisième cavalier entailla son flanc tandis que l'épée d'un autre tailladait son épaule. Léonte échappa l'une de ses lames, saisit la bride de son cheval de sa main libre et tira. L'animal se cabra et, de ses sabots, frappa une des montures devant lui. L'autre monture bascula, entraînant son cavalier dans sa chute.

Le destrier blanc se leva de nouveau sur ses pattes de derrière et avança ainsi à pas maladroits vers les trois derniers cavaliers. Ces derniers tentèrent de s'écarter de la trajectoire de la bête, mais Léonte avait prévu leur réaction. Quand les sabots antérieurs de son cheval retombèrent lourdement sur le sol, son épée taillada en deux coups précis et rapides le flanc d'un de ses adversaires et la jugulaire de l'autre. L'homme au flanc blessé porta la main à son côté ; Léonte lui trancha le cou.

Le dernier cavalier se retrouva brutalement seul. Il tenta de s'enfuir, mais le grand maître le poursuivit et lança son épée. L'arme se planta dans le dos de l'ennemi. Sans ralentir l'allure, Léonte cueillit au passage son arme rouge de sang et regagna les lieux du massacre.

L'unique survivant, toujours coincé sous son cheval, gémissait faiblement. Léonte enfonça son épée dans le cou vulnérable du blessé, puis mit pied à terre.

De sa cachette, Fyae ne voyait que deux bottes rouges de sang et quatre pattes blanches rougies qui émergeaient d'un tas de cadavres. Il comprit que tout danger était passé et se releva en grimaçant de douleur. Il s'apprêtait à signaler sa présence au grand maître quand celui-ci se pencha, ramassa une des armes de ses ennemis. Avec deux lames en main, il se dirigea vers un premier cadavre et entreprit de le réduire en morceaux.

Fyae, paralysé par l'horreur, vit son compagnon, ses yeux bleus étincelant au cœur de sa face rougie de sang, se tourner vers une seconde dépouille et lui infliger le même sort qu'à la première. Il s'attaquait à un troisième cadavre quand le garçon parvint à se détourner de la scène.

En boitillant, il s'en fut le plus vite possible retrouver sa monture. À peine l'eut-il rejointe qu'il s'immobilisa et vomit. Lorsque son estomac fut vidé, il s'essuya la bouche en sanglotant et grimpa sur son cheval. Tout son corps tremblait et, devant ses yeux, la scène horrible repassait sans cesse.

Les corps en morceaux, le sang, l'œil de glace de Léonte…

«Fyae!»

L'interpellé battit des paupières et leva les yeux vers l'endroit d'où était venu le cri.

Sur la route, au loin, deux silhouettes lui adressaient de grands signes. Instinctivement, le garçon dirigea sa monture vers eux.

«Fyae! dit Dansec quand le garçon les eut retrouvés. Tu n'as rien?»

Son regard fixa un instant les vêtements de Fyae, souillés de vomi.

Le garçon secoua la tête.

« Je vais bien », répondit-il d'une voix qui affirmait le contraire.

À la vue du sang qui maculait la chemise du baron de Palsius, il eut un nouveau haut-le-cœur.

Dansec jeta un coup d'œil préoccupé à Léane, mais la jeune femme afficha une expression perplexe. Elle demanda à Fyae:

«Où est Léonte?»

Le garçon n'eut pas à répondre: au même moment, le grand maître apparaissait sur la route. Tant l'homme que sa monture étaient rouges de pied en cap.

Léonte s'approcha de Léane et lui remit une de ses deux épées. La jeune femme saisit l'arme du bout des doigts. Faute de mouchoir pour la nettoyer, elle essuya le liquide rouge qui couvrait la lame et la poignée sur sa jupe noire.

«Il y en a à toi, là-dedans?» s'enquit Dansec en désignant du menton le sang qui couvrait son ami d'enfance.

Ce dernier haussa les épaules et reprit la route sans un mot. Fyae s'écarta précipitamment lorsque le grand maître passa devant lui, mais celui-ci ne sembla pas le remarquer.

Dansec et Léane le suivirent du regard, puis échangèrent un coup d'œil rapide. En silence, ils lui emboîtèrent le pas. Fyae, demeuré en arrière, parcourut le champ des yeux.

Il ne subsistait aucune trace des cavaliers et, de la route, le garçon ne pouvait voir le sang qui rougissait les herbes hautes. À vrai dire, à contempler le champ, on aurait pu croire qu'il ne s'était rien passé.

En poussant un profond soupir, Fyae fit avancer sa monture. Sa cuisse l'élançait terriblement et lui rappelait l'existence d'une marque dont il se serait bien débarrassé. Maintenant qu'il avait vu la véritable nature de Léonte, il n'était plus aussi fier de lui être associé.

◆

Le soir venu, les voyageurs n'avaient pas encore atteint la capitale. Ils n'eurent d'autre solution que d'établir leur campement à proximité de la route.

Dansec, Fyae et Léane s'installèrent autour du feu.

Léonte s'en fut dans la nuit en grommelant quelque chose à propos de ses blessures. Nul ne chercha à le retenir.

Le regard perdu dans les flammes, Dansec rompit finalement le silence.

« Il y a un traître en Hudres. Les Osjes n'auraient pas attaqué la capitale de leur propre initiative. De plus, comme la mission d'Elgire pour nous rassembler constitue un des espoirs pour sauver Dafidec, le traître a tout intérêt à ce que nous n'atteignions pas la capitale. D'où cette silhouette qui nous suit partout sur le continent, et d'où ce comité d'accueil composé de mercenaires lonjois. Qui aurait eu intérêt à les payer, sinon le traître ?

— Qui aurait pu vouloir trahir l'Hudres et avoir les fonds nécessaires pour le faire ? demanda Léane.

— Je l'ignore, avoua Dansec. Il faut que ce soit un des conseillers de la reine. Eux seuls pouvaient être au courant de notre retour.

— Ce ne peut être ni mon père ni mon parrain, intervint Fyae d'un ton véhément.

— Dans un complot de la sorte, ton père n'aurait été qu'un simple complice, dit Dansec. Ce n'est pas lui qui tirerait les ficelles. Par contre, je n'écarterais pas tout de suite le nom de ton parrain.

— Elgire est plus loyal à l'Hudres que quiconque ! s'indigna Léane.

— Je n'en doute pas, mais ce serait à l'avantage d'Elgire que Lyntas soit détrônée, s'il veut reconstituer l'Hudres de Magne.

— Elgire aurait tenté de nous faire tuer ? Nous, ses amis, ainsi que son propre filleul ? Sois sérieux ! »

Sur ces mots, la grande prêtresse se leva.

« Où vas-tu ? demanda Dansec d'un ton méfiant. Ce n'est pas prudent de nous séparer !

— Depuis quand te soucies-tu de moi ? répliqua-t-elle en feignant l'étonnement. Je croyais que tu rêvais d'être débarrassé de ma personne ? »

Incapable de soutenir l'œil incrédule de sa compagne, Dansec détourna le regard.

« Et puis, ne t'en fais pas pour moi, ajouta la jeune femme. J'ai une épée !

— Salue Léonte pour moi, dit le baron entre ses dents serrées, sans quitter les flammes des yeux. Un jour, tu comprendras peut-être que tu perds ton temps avec lui. »

La jeune femme foudroya le baron du regard, puis tourna furieusement les talons et s'en fut dans la nuit.

Grâce à la lumière argentée de la lune, elle repéra aisément Léonte. Ce dernier se tenait debout dans le champ et observait les étoiles.

Sans se retourner, l'homme s'enquit sèchement :

« Que veux-tu, Léane ?

— C'est plutôt à toi qu'il faudrait poser la question, Léonte, dit la grande prêtresse d'une voix douce. Que veux-tu, toi ?

— Je veux la paix, répondit-il sans hésiter. Je veux pouvoir dormir la conscience tranquille. Je veux faire mon devoir sans être tourmenté par les remords. »

Léane posa une main apaisante sur l'épaule de son compagnon.

« Nous avons tous des regrets qui nous tourmentent. Seulement, il faut les enfouir au plus profond de nous-même et continuer à vivre. Il ne nous appartient pas de nous juger. Shir et Shirana s'en occuperont, le jour de notre mort.

— C'est ta façon d'apaiser tes remords, toi ? s'étonna Léonte d'un ton sceptique.

— Ce devrait être la tienne. Je sais ce que tu peux faire, Léonte, je sais quelle rage dort en toi. Elle y a été mise par les dieux, pour que tu puisses accomplir ton devoir. Tu ne dois pas avoir de regrets. »

L'homme écarta la main de Léane d'un coup d'épaule rageur. La grande prêtresse eut un mouvement de recul, comme s'il l'avait brûlée.

« Ne pas avoir de regrets ! s'écria Léonte. Balivernes de prêtresse ! Tout ce sang ! Tous ces morts ! Je sens encore l'odeur de leurs entrailles mises à nu, j'aurai toujours leur sang sur mes mains, dans mon âme ! Chaque nuit, ils viendront me tourmenter, comme tous les autres ! Je ne connaîtrai jamais la paix ! Jamais ! »

Il enfouit soudain son visage entre ses mains.

« Onze années, poursuivit-il, j'ai eu droit à onze années de répit ! Je croyais avoir éteint l'incendie qui me consumait et je commençais enfin à pouvoir dormir ! Il a suffi d'une escarmouche contre des pillards lonjois pour que le goût de tuer revienne, plus fort que jamais. Je l'ai repoussé de toutes mes forces, mais j'ai fini par succomber. Je ne suis pas un guerrier, je ne l'ai jamais été ! Un guerrier a un code d'honneur. Moi, je ne suis qu'un boucher ! Comment, après ce que j'ai fait aujourd'hui, pourrai-je regarder de nouveau mon fils et ma femme en face ? »

La grande prêtresse eut un haut-le-corps.

« Un fils ? Une femme ? répéta-t-elle d'une voix blanche. Tu es marié ? Marié, après onze ans… J'aurais dû m'y attendre ! Personne ne reste fidèle onze années, d'autant plus qu'au départ, tu ne m'aimais pas… Naïve que je suis ! »

Elle tourna le dos à Léonte et s'enfuit dans la nuit.

Le grand maître la suivit des yeux, mais ne chercha pas à la retenir.

Il fixait toujours le point où Léane avait disparu quand une poigne de fer le saisit à la gorge et qu'une pointe de lame s'enfonça dans son dos. Il cambra les reins, mais son assaillant ordonna :

« Ne bouge pas, le héros ! Je n'ai que toi à tuer, mais je peux également m'attaquer à tes comparses si tu cries ou si tu tentes quoi que ce soit ! »

Les doigts autour du cou du grand maître accentuèrent leur pression. Léonte suffoqua, voulut se débattre, mais la pression de l'arme contre son échine l'en dissuada.

Un nuage voila la lune.

La serre autour de la gorge de Léonte se relâcha et la lame dans son dos tomba à terre.

« Prudence avec cette épée ! s'écria son agresseur.

— Ne bouge pas ou je te transperce ! fit la voix de Léane. Léonte, tu vas bien ? »

Le grand maître toussa en guise de réponse, puis se pencha pour ramasser l'arme de son assaillant avant de se tourner vers celui-ci. Dans les ténèbres, il ne pouvait voir les traits de l'homme, seulement une silhouette grande et massive, qui portait une longue cape sombre. Il était si grand que Léane, qui le menaçait de son épée, était invisible.

« Qui es-tu ? reprit la grande prêtresse.

— Je suis Falsgaf, répondit l'inconnu avec un accent du nord qui révélait ses origines osjes.

— Tes frères sont en train d'assaillir Dafidec, intervint Léonte. Pourquoi n'es-tu pas à leurs côtés ?

— L'Hudresien m'a payé, expliqua Falsgaf. Je devais suivre le vieux et prévenir l'Hudresien si d'autres se joignaient à lui. Ensuite, quand tu es parti en Darsonie, j'ai eu pour ordre de te tuer si tu remettais les pieds en Hudres.

— L'Hudresien ? répéta Léonte. Quel Hudresien ? À quoi ressemble-t-il ? »

Avant que l'Osje ne réponde, le nuage couvrant la lune s'écarta.

Falsgaf fit aussitôt volte-face et frappa Léane au ventre. Sous le choc, elle échappa son épée et l'Osje en profita pour s'évanouir dans les champs.

Léonte se précipita vers la jeune femme pliée en deux.

« Léane, tu n'as rien ?

— Rattrape-le », cracha-t-elle entre ses dents serrées par la douleur.

Le grand maître scruta les alentours ; Falsgaf avait disparu comme par magie. Mais il sentit une présence derrière lui. Il se tourna aussitôt, l'arme de l'Osje en main, et découvrit Dansec.

« Tout doux ! s'exclama le Darsonien. Ce n'est que moi ! Vous faisiez un tel raffut que j'ai voulu voir de quoi il retournait. Que s'est-il passé ? »

Léonte passa l'arme de l'Osje à sa ceinture et dit laconiquement :

« Le cavalier noir a décidé de se manifester, mais Léane l'a mis en fuite.

— C'est un Osje qui s'est dit à la solde d'un Hudresien, compléta Léane, le tronc penché en avant, les mains sur les hanches. Il avait pour mission de tuer Léonte. Ce qui nous confirme qu'il y a bel et bien un traître au conseil. »

Le baron se tourna vers Léonte et lui tapota affectueusement l'épaule.

Un spasme crispa le visage du grand maître : Dansec avait mis la main sur la blessure infligée par un des mercenaires lonjois.

« Aurais-je touché un point sensible ? demanda le Darsonien d'un ton empreint de sollicitude. Décidément, ce n'est pas ta journée, mon pauvre ami. C'est dans de telles occasions que je me réjouis de ne pas être dans tes bottes ! »

Des bruits de pas lui épargnèrent de connaître le fond de la pensée de son ami d'enfance. Fyae apparut dans la nuit, avançant le plus vite que lui permettait sa jambe blessée.

« Fyae ! le salua le baron. Tu arrives juste à temps pour m'appuyer, mon garçon. Avoue que tu n'aimerais pas être dans les bottes de Léonte. »

Fyae jeta un coup d'œil affolé au grand maître, puis blêmit.

Léonte fronça les sourcils devant sa réaction, mais préféra ne pas relever. Il dit plutôt :

« La journée a été dure, et celle de demain ne sera pas de tout repos, car nous devrions arriver à Dafidec. Allez dormir un peu, je monterai la garde. »

Les autres s'exécutèrent.

Le grand maître se pencha, ramassa l'épée que Léane avait échappée sous le coup de l'Osje, puis appela :

« Léane ? »

La jeune femme s'immobilisa et tourna vers lui un masque impassible.

Léonte lui remit son arme.

« Merci », dit-il.

Léane accepta l'épée d'une main tremblante, puis s'en fut.

Léonte soupira et se dirigea vers le camp.

Une autre nuit sans sommeil commençait.

CHAPITRE 9

Léonte avait passé la nuit à réfléchir aux événements de la journée précédente et, au matin, il avait établi une paix fragile avec lui-même. Il avait fait son devoir en éliminant les mercenaires lonjois. Shir et Shirana seraient seuls juges de ses crimes, si crimes il y avait. Un instant, l'image de sa femme et de son fils qui le fixaient, le regard lourd de reproches, passa devant ses yeux, mais il les fit disparaître d'un battement de paupières.

Il promena un regard sur ses compagnons, qui étaient occupés à lever le camp. Il avait la responsabilité de les protéger, eux qui étaient les fidèles de la Dualité, qui en étaient les élus… Son œil s'arrêta sur Fyae et la réaction de celui-ci, après l'agression de l'Osje, lui revint à la mémoire. En tant que précepteur du garçon, le grand maître sentit qu'il devait tirer au clair quelques détails avec son protégé. S'il pouvait vivre en paix avec ses crimes, il ne voyait pas pourquoi ses compagnons n'y arriveraient pas.

Il s'approcha de Fyae, occupé à seller sa monture. Dès que ce dernier sentit la présence de Léonte, il baissa les yeux et enfonça peureusement son cou entre ses épaules.

« Fyae, commença abruptement Léonte, je sais qu'hier, tu as assisté à mon combat. Je t'ai vu. »

Le garçon rougit et se mit à trembler à l'évocation du souvenir horrible.

« Si tu veux devenir un homme, poursuivit le grand maître, tu dois apprendre à accomplir des actes qui, parfois, vont à l'encontre de tes principes. Mais s'ils te sont dictés par ton devoir, alors ta conscience s'apaisera.

— Et la vôtre, elle est apaisée ? » demanda son interlocuteur sans lever les yeux.

Les traits du grand maître se durcirent et ses poings se crispèrent.

Fyae recula et chercha les autres du regard. Il ne croyait pas que Léonte le frapperait pour sa réplique impudente, mais comme il ne pouvait en être certain, il voulait s'assurer d'avoir de l'aide si besoin était.

La grande prêtresse et le baron étaient à proximité. Rassuré, Fyae s'enhardit.

« Mon parrain m'a dit que l'homme véritable est celui qui a le sens de la modération, qui sait maintenir un équilibre entre l'influence de Shir et celle de Shirana », dit-il.

Léonte le fixa de son regard de glace.

D'un coup d'œil furtif, le garçon remarqua que la paupière gauche du grand maître tressaillait.

« Ton parrain parle juste, admit Léonte du bout des lèvres. Seulement, il a lui aussi plusieurs morts à son actif. »

Une expression étonnée apparut sur le visage de Fyae.

« Mais d'où sors-tu ? s'emporta Léonte. Tu devrais savoir que les héros ne le deviennent pas en parlementant !

— Je… je croyais que le rôle des héros était de protéger la vie, balbutia le garçon.

— Mais pour la protéger, il faut être prêt à verser le sang ! précisa Léonte. Nous ne sauverons pas l'Hudres en demandant gentiment aux Osjes de rentrer chez eux !

— Il doit y avoir une différence entre un massacre et la guerre entre hommes ! Aucune agression ne commande de commettre de tels actes ! s'exclama Fyae, des larmes dans la voix. Et s'il n'y en a pas, alors je ne veux pas devenir un homme ! J'aime mieux rester une femmelette !

— Alors reste-le ! » s'écria Léonte.

Sur ce, il fit volte-face et s'en fut en direction de son destrier blanc. La paix fragile qu'il avait établie avec sa conscience avait volé en éclats et le goût amer des remords avait envahi sa bouche. La Dualité avait toujours guidé sa main et il avait toujours triomphé. Or, agir selon les dieux n'était-il pas censé apporter la paix à l'âme ?

Shir et Shirana étaient les seuls juges des actes des hommes. Léonte ne se laisserait pas troubler par un simple gamin alors qu'il était investi d'un devoir divin !

Le visage fermé, il monta en selle et fut imité par ses comparses silencieux. Tous mirent le cap sur Dafidec, et nul ne desserra les lèvres de toute la durée du trajet.

◆

Nyam, allongée sur un fauteuil, les paupières closes, savourait quelques instants de repos.

« Demoiselle ? appela une servante. Le duc vous demande. »

Nyam poussa un soupir résigné et ouvrit les yeux. Quand aurait-elle droit à un peu de paix ? À Rasg, elle pouvait passer des journées le nez dans un livre sans que personne ne la dérange. Ici, qu'elle parvienne à se délasser un bref moment relevait du miracle. Élevé était le prix qu'elle avait à payer pour être en sûreté !

« J'arrive », dit-elle.

Elle longea les couloirs et pénétra dans la chambre de son parrain.

Les yeux lucides d'Elgire se fixèrent sur Nyam avec une intensité telle qu'elle détourna peureusement le regard.

« Vous m'avez demandée ? interrogea-t-elle d'une voix craintive.

— Oui, répondit sèchement le duc. J'ai un objet de la plus grande valeur à te confier. S'il m'arrive quelque chose, tu auras la responsabilité de le remettre à qui de droit. »

À ces mots, les mains fines et blanches de Nyam se crispèrent imperceptiblement. Encore des responsabilités ! Si c'était cela, devenir adulte, alors elle refusait de grandir ! À moins qu'elle ne parvienne à se débarrasser de cette nouvelle corvée…

« Si c'est un objet de grande valeur, mon oncle, protesta-t-elle, ne vaudrait-il pas mieux que vous le confiiez à Fyae ? C'est un garçon, il pourra le protéger mieux que moi. Les filles sont si étourdies…

— Au contraire, que tu sois une fille est un avantage. Devant une menace, les femmes sont toujours protégées. Te remettre ceci équivaut à le placer dans un endroit sûr. »

Sur ce, Elgire tira de sa chemise un livre fermé par une serrure d'argent.

Nyam le prit, tenta d'écarter la couverture, échoua. Elle avoua :

« Je ne peux pas l'ouvrir ! »

Elgire secoua la tête et dit d'un ton agacé :

« Évidemment que tu ne peux pas ! Ce qu'il contient ne t'est pas destiné ! Si je meurs, tu auras la mission de le remettre à Léonte, à Dansec ou, en dernier recours, à ton père. Ils sauront se débrouiller pour en dénicher la clef. Surtout, ne le perds jamais ! Il en va du salut de l'Hudres ! »

Il écarquillait démesurément les yeux, comme s'il n'avait plus toute sa tête. Effrayée, la jeune fille s'empressa d'acquiescer et de quitter les lieux. Dire qu'elle était censée être en sécurité avec lui ! Il fallait être bien naïve pour se fier à un vieillard, qui avait été frappé à la tête de surcroît !

La porte refermée derrière sa visiteuse, Elgire retomba sur son lit, exténué. Il lui en coûtait de se défaire du petit livre, mais il était convaincu qu'il avait fait le geste le plus sage. Nyam veillerait sur l'objet : plus Elgire cohabitait avec elle, plus il découvrait qu'elle ressemblait à son père. Or, Sterne était de la trempe de ceux qui, devant le danger, savaient instinctivement où se terrer et étaient prêts à tout pour atteindre leur refuge.

Certains traitaient ces gens de lâches. Elgire préférait penser à eux comme à des survivants dont la seule utilité était de veiller à ce que le dessein des héros s'accomplisse en dépit de la mort de ceux-ci.

◆

Les soldats n'avaient pas été tendres avec l'Osje couvert de chaînes. Ses vêtements déchirés et sa barbe blonde étaient couverts de sang et un mince filet rouge s'échappait toujours de son nez cassé.

La reine fit un pas dans la direction du barbare. Ce dernier leva ses yeux tuméfiés vers elle et Lyntas put voir danser, sous les paupières enflées, une lueur haineuse.

« Pas trop près, ma reine, avertit l'un des soldats. Il pourrait vous faire du mal.

— Dans l'état où il est, il ne peut pas causer beaucoup de dégâts », répliqua la Damasienne.

De ses yeux bleus qui ne cillaient pas, elle toisa le captif.

« Qui est ton chef ? » l'interrogea-t-elle sèchement.

L'Osje esquissa un mauvais sourire, mais garda le silence.

« La reine t'a posé une question, chien ! Tu réponds ! » s'écria un des soldats en assénant une solide gifle au barbare.

L'Osje ne se départit pas de son rictus hideux.

« Il aime qu'on le frappe, commenta un second soldat, dégoûté.

— Laissez-moi faire », ordonna la reine.

Lyntas s'approcha de l'Osje et riva son regard intense dans les yeux du barbare. Ce dernier tenta de se soustraire à l'œil de la reine, mais celle-ci l'en empêcha en saisissant son large crâne entre ses paumes.

« Écoute-moi, chien ! Tu sais quel sort nous réservons, en Damasie, à ceux qui ne croient pas à la toute-puissance de Shir ? Nous les clouons sur une croix, puis nous les faisons brûler. Pendant que la victime se consume en hurlant, nous prenons des paris sur ce qui la tuera en premier : le fait de se vider de son sang ou d'être dévorée par les flammes. Personne ne tente d'écourter ses souffrances. En Hudres, le rituel n'est pas très à la mode, mais je compte bien l'instaurer. Tu aimerais être le premier à en faire les frais ? »

Sous son regard, l'Osje perdit ses moyens et un hoquet jaillit de sa poitrine.

« Je te le demande une dernière fois, Osje. Quel est le nom de ton chef ?

— Barsaf.

— C'est Barsaf qui vous a ordonné d'attaquer l'Hudres ? » reprit Lyntas.

L'Osje répondit par l'affirmative.

« C'est lui qui vous a dit de foncer droit sur Dafidec, sans vous préoccuper des fermes ? »

Nouveau hochement de tête.

« C'était son idée ? »

Cette fois, l'Osje secoua négativement la tête.

« Non, balbutia-t-il. Barsaf voulait attaquer… Valdes. Fâché contre son cousin Gharf.

— Alors pourquoi avoir changé d'avis et s'en être pris à l'Hudres ?

— Falsgaf… a apporté de l'or. A parlé en privé avec Barsaf. Ensuite, quand reparti, chef a dit que les Osjes feraient guerre à Hudres et qu'ils tueraient reine.

— Ce Falsgaf… Qui est-il ? »

L'homme se débattit faiblement pour se dégager des mains de la reine, mais celle-ci le maintenait fermement, ses yeux toujours rivés sur ceux du barbare.

« Qui est ce Falsgaf, Osje ? »

Le barbare poussa un nouveau sanglot, puis, d'un doigt tendu, il désigna un ornement sur la robe de la reine.

« Frère de Barsaf… Banni quand Barsaf a été nommé chef. Il portait ça sur sa cape. »

La consternation se peignit sur les traits de l'assistance. La broderie que l'Osje montrait représentait une vache blanche au-dessus d'un soleil et d'un épi de blé, le tout tissé de fils d'or. Il s'agissait de l'emblème de la Damasie.

Lyntas lâcha le barbare, une expression de dégoût sur le visage, et ordonna aux soldats :

« Exécutez-le.

— Ma reine ? dit un des soldats d'un ton stupéfait.

— J'ai dit que je ne le soumettrais pas au supplice de la croix et du bûcher s'il parlait, mais il n'en reste pas moins un ennemi de l'Hudres et un hérétique, rappela-t-elle. Je ne vois pas pourquoi il devrait être épargné.

— Oui, ma reine. »

Les soldats s'inclinèrent.

La reine fit mine de sortir, mais le chef des soldats la retint.

« Ma reine, je dois vous prévenir : cet Osje connaissait la localisation exacte de vos appartements dans le palais. Le soldat qui le poursuivait a affirmé que le barbare n'avait frappé à aucune porte pour vous trouver. Il s'est rendu directement à votre chambre. Il est à craindre que les autres Osjes détiennent également cette information. Nous sommes arrivés à temps cette fois-ci, mais si un Osje avait le malheur de nous échapper… »

Si Lyntas ressentit quelque frayeur, elle se garda bien de le montrer.

« Que suggérez-vous ?

— Que vous quittiez la nouvelle aile du palais pour l'ancienne, le temps que le siège prenne fin. Comme nous ignorons ce que les Osjes savent exactement sur le palais, je recommanderais que vos conseillers fassent de même », ajouta le militaire.

La reine réfléchit brièvement à la proposition. Retourner dans les appartements où elle avait été, nuit après nuit, humiliée en partageant la couche de l'ennemi de son peuple ne lui souriait guère, mais entre l'adversaire défunt et les opposants bien vivants, le choix n'était pas difficile à faire.

« Bien, répondit-elle. Je ferai prévenir mes conseillers pour qu'ils se préparent à déménager. »

Son interlocuteur esquissa une révérence. La reine quitta la pièce et regagna ses appartements pour ordonner à ses servantes de tout emballer. Tandis que ces dernières s'affairaient, Lyntas rumina les propos du prisonnier osje. La seule chose qu'elle avait apprise de son défunt époux était la nécessité de s'entourer d'hommes de valeur. Or, à ses yeux, cette qualité n'avait d'importance que si elle était doublée d'une ambition dévorante. C'était jouer avec le feu, la reine en avait conscience. Aussi savait-elle également quand mettre un terme au jeu.

◆

« Qu'allons-nous faire ? » demanda Fyae.

Du haut d'une colline au nord-ouest de Dafidec, les voyageurs contemplaient la capitale cernée par la marée des Osjes. Après avoir chevauché tout l'avant-midi, les quatre compagnons avaient enfin atteint la ville et se voyaient incapables d'y pénétrer.

« Nous pourrions passer par le souterrain qui mène juste sous la maison-mère des Shiraniens, suggéra Dansec.

— L'entrée est à l'ouest. Il y a beaucoup trop d'Osjes à cet endroit pour que nous puissions l'atteindre, protesta Léane.

— Ce n'est pas un petit combat qui t'effraie, non, toi, la brave grande prêtresse de Shirana ? »

Léane ignora la remarque.

Pendant que ses compagnons discutaient, Léonte étudiait le mur ouest de Dafidec. Il nota que la garde hudresienne qui surveillait les remparts était plus importante qu'au nord, que des traces de sang séché souillaient la pierre pâle du mur et que des restes d'échelles et de cordes jonchaient le sol. Par contre, la quantité d'Osjes postés à distance respectueuse du mur, elle, était nettement moindre que celle massée le long des autres murailles de Dafidec.

« Les Osjes ont réussi à percer une brèche, mais ils ont été repoussés, en déduisit-il. Cela ne nous facilitera pas la tâche. Si nous réussissons à traverser la ligne osje, les archers de la reine nous cribleront de flèches.

— Abandonnons et allons prendre le thé à Palsius en attendant que l'invasion passe, suggéra le baron.

— L'heure n'est pas aux plaisanteries, Dansec. Il faudra ruser. Léane, crois-tu que les Osjes ont entendu parler de la grande prêtresse valdesienne de Shirana ? »

La jeune femme acquiesça, mais prévint :

« Les relations entre les cousins osjes et valdesiens sont plutôt tendues. Les Osjes n'accueilleront pas Piesa à bras ouverts.

— Même si elle est envoyée par Gharf VIII pour parlementer ? » précisa Dansec, les yeux brillants d'excitation devant le plan naissant.

Léonte et le baron échangèrent un regard de connivence : ils avaient la même idée en tête.

« Vous oubliez un détail, dit Léane à l'adresse des deux complices. Les Osjes savent faire la différence entre le blanc et le noir. Ils se moqueront de Piesa, la catin de Gharf, mais ils emprisonneront Léane pour l'utiliser comme monnaie d'échange.

— À la nuit tombée, avec un capuchon, personne ne fera la différence », dit Léonte.

Léane céda de mauvaise grâce.

« Et les archers ? intervint Fyae, qui ne perdait pas une miette de la conversation.

— Nous tâcherons de nous faire discrets », dit Dansec avec un sourire réconfortant.

Le garçon lui jeta un coup d'œil dubitatif et se détourna. Depuis le fleuve Sho, il avait compris que lorsque Dansec et Léonte avaient un projet à l'esprit, rien ne pouvait les faire reculer, pas même le gros bon sens.

◆

« Demoiselle ! Venez vite ! »

L'appel de la servante fit sursauter Nyam, qui somnolait dans un fauteuil. Appréhendant une nouvelle tâche, la jeune fille se leva lentement, replaça sa robe, puis suivit la femme.

Dans la salle d'armes, une surprise l'attendait : son parrain avait revêtu une cotte de mailles et il était en train de ceindre son épée. L'arme était lourde, les mains d'Elgire tremblaient sous l'effort, mais il parvint à boucler sa ceinture.

« Mon oncle ! Que faites-vous là ? s'exclama Nyam, abasourdie.

— J'en ai assez de cette convalescence, répondit le duc de Sargus en tapotant le bandage qui entourait sa crinière blanche. Je retourne à Dafidec, là où je serai vraiment utile !

— Vous êtes fou, mon oncle ! Si vous ne mourez pas avant d'avoir rejoint les Osjes, ils vous massacreront ! Et dans votre état, vous ne pouvez y aller seul ! Qui vous accompagnera ? »

Elgire haussa les épaules et déclara :

« Je ne crains pas la mort. Et tu m'accompagneras. J'ai failli à ton père en quittant ton frère, mais il ne sera pas dit que je ne garderai pas au moins un de ses enfants à l'œil. »

Le teint pâle de Nyam devint cadavérique. Elle, à Dafidec, alors que la ville était assaillie par les Osjes ? C'était hors de question !

« Mais, mon oncle… » commença-t-elle faiblement.

En digne fille de son père, elle était incapable d'opposer la moindre contestation convaincante.

« Il n'y a pas de "mais" qui tienne, la coupa Elgire. Ton père m'a confié ta garde, tu es sous ma protection. À moi de prendre les décisions qui sont pour ton bien. Va préparer tes affaires, nous partons sur l'heure ! »

La jeune fille courut à sa chambre, les joues baignées de larmes. Quelle folie de quitter la sécurité du château pour se jeter dans les griffes des Osjes ! Il fallait à tout prix qu'elle échappe à son parrain qui avait perdu la raison ! Toutefois, tant qu'elle n'aurait pas de protection de rechange, elle était condamnée à demeurer avec Elgire. Même un homme qui n'avait plus toute sa tête était préférable à la perspective de se retrouver seule devant le danger.

CHAPITRE 10

« Qui va là ? » interrogea une voix tendue.

La lance que la sentinelle osje pointait dans la nuit tremblait. Le jeune barbare avait vu quelque chose remuer dans les ténèbres.

Léane s'avança, enveloppée dans une cape qui la couvrait des pieds à la tête.

« Je suis Piesa, déclara-t-elle en osje.

— La grande prêtresse du Valdes ! s'exclama la sentinelle d'un ton révérencieux.

— Je suis porteuse d'une missive de la part de Gharf VIII. J'exige que le chef de la sentinelle se présente à moi immédiatement. »

Le jeune Osje hésita.

« Barsaf se repose. Il ne veut être dérangé sous aucun prétexte.

— J'ai de l'or, susurra la grande prêtresse. Shirana récompense toujours ses fidèles serviteurs. »

Son interlocuteur se gratta vigoureusement le dessus du crâne pendant un moment, puis se décida.

« Je vais chercher le chef. »

Léane eut pitié de l'Osje : il subirait des représailles quand son supérieur aurait découvert la supercherie. Elle prit la main de la sentinelle et y glissa une pièce d'or.

Le jeune homme balbutia :

« Merci.

— "Que la sentinelle adore toujours Shirana comme si elle était sa mère, sa sœur et sa femme" », psalmodia la grande prêtresse en espérant sincèrement que la déesse serait bonne pour celui qui la remerciait ainsi.

L'Osje s'en fut dans la nuit.

La femme se tourna et agita la main. Les silhouettes de Dansec, Léonte et Fyae se dessinèrent dans l'obscurité.

« C'est bien les femmes ! ironisa Dansec à voix basse. Elles nous ruinent avec leur bon cœur.

— Ce pauvre garçon risque de ne pas en profiter, déplora Léane sur le même ton. Il ne sait pas la valeur réelle du service qu'il nous rend. Il mérite sa récompense.

— Tu ne me feras pas croire que tu t'apitoies sur le sort d'un barbare osje ? s'étonna le Darsonien.

— Pourquoi pas ? Tous les enfants de Shirana méritent la miséricorde de la déesse !

— Venez, les interrompit Léonte. Nous n'avons pas toute la nuit. »

Le grand maître se dirigea vers le haut chêne qui poussait au pied du mur ouest de Dafidec. L'arbre plusieurs fois centenaire avait été malmené par l'assaut osje, mais il tenait toujours debout, ses racines profondément enfoncées dans un tumulus de terre couvert d'herbe. Sous lui, selon la légende, dormaient d'un sommeil éternel les premiers Shiraniens de l'histoire tombés sur le champ de bataille. La graine de chêne, prélevée dans la Grande Noirceur à proximité de la statue de la déesse femelle, avait été plantée par une grande prêtresse de Shirana lorsque le tumulus avait été érigé. La légende disait également que l'Ordre des Shiraniens disparaîtrait au même moment que l'arbre qui avait traversé les siècles avec lui.

Léonte se pencha et tira sur quelques racines du chêne. Dans l'obscurité, repérer celles qui déclencheraient le mécanisme d'ouverture du passage secret n'était guère aisé.

« Aurais-tu oublié comment entrer ? » demanda Dansec à voix basse.

D'un geste impatient, Léonte signala à son ami d'enfance de garder le silence. Il ne tenait pas à attirer l'attention des sentinelles hudresiennes postées en haut des remparts.

De ceux-ci, une voix masculine descendit tout de même jusqu'au petit groupe :

« Qui va là ? »

Fyae jeta un coup d'œil inquiet aux trois autres. Ces derniers demeuraient parfaitement immobiles. Léane était cramponnée à la bride de sa monture et Léonte fixait Dansec d'un œil furieux.

« Répondez, insista la sentinelle, ou je vous transperce de ma flèche ! »

Des voix s'élevèrent en provenance du mur nord et des points orangés apparurent. La sentinelle osje ramenait son chef. Si Léonte et ses compagnons n'agissaient pas sur-le-champ, les Osjes les feraient prisonniers. Or, s'ils bougeaient, l'archer hudresien tirerait.

Il fallait faire diversion, et vite.

« C'est moi, Elgire de Sargus ! fit une voix familière en provenance du feuillage du chêne. Poursuis ta ronde, sinon tu trahiras ma présence ! »

◆

Pressé de rattraper le temps qu'il avait perdu à guérir, Elgire imposait une cadence rapide aux chevaux. Nyam, loin d'être une cavalière aguerrie, peinait à soutenir le rythme. Elle aurait tout donné pour que son parrain accepte de ralentir ou de s'arrêter un moment, mais elle n'osait formuler sa demande à voix haute. Elgire la terrifiait, avec sa mine résolue et ses yeux durs comme la pierre.

Nyam ne voyait qu'un avantage au périple jusqu'à Dafidec : dans la capitale, elle pourrait se soustraire à la tyrannie de son parrain et chercher protection auprès de la reine. En tant que fille du duc de Rasg, elle avait le droit d'occuper le poste de suivante. Descendre d'une noble famille avait tout de même certains avantages, bien que l'héritier masculin en soit le principal bénéficiaire ; Nyam entendait bien utiliser son nom pour que les portes du palais royal s'ouvrent devant elle. Au cours d'une invasion, qui était la mieux protégée, sinon la reine ? Pour jouir de cette sûreté, Nyam était prête à servir Lyntas. Être aux ordres de cette dernière ne pouvait être pire que de jouer les intendantes dans la demeure de son parrain ou de se plier aux décisions de celui-ci. En outre, s'il y avait un endroit où la jeune fille était susceptible de retrouver son jumeau, s'il était encore en vie, c'était bien Dafidec. Léonte et Fyae devraient tôt ou tard se présenter dans la capitale assaillie, puisque le grand maître avait pour mission de la sauver.

De la fumée noire sur l'horizon capta l'attention de Nyam.

En se rapprochant du nuage sombre, elle distingua une ferme réduite à un tas de pierres et de bois fumant, devant lequel des corps carbonisés avaient été empilés. L'odeur de la chair brûlée envahit le nez de la jeune fille. Elle pressa sa main contre ses lèvres pour réprimer une vague de nausée.

Elle était sur le point de défaillir quand son parrain la foudroya du regard.

« Reste là », commanda-t-il en mettant pied à terre.

Nyam promena un regard inquiet sur les alentours. Les auteurs du carnage pouvaient encore rôder dans les parages.

Elle protesta :

« Mais, mon oncle…

— Les Osjes ne s'attardent jamais sur les lieux qu'ils ont rasés, déclara Elgire. Il n'y a plus de danger. Je veux voir s'il y a des survivants. »

Il pénétra dans les ruines de l'habitation.

Restée seule, Nyam se mit à trembler. Une branche n'avait-elle pas craqué de manière suspecte ? Les herbes hautes dissimulaient-elles des agresseurs ?

Son parrain sortit de la ferme brûlée et annonça d'un ton dégoûté :

« Personne, ils n'ont épargné personne. Ce sont des bêtes, pas des hommes ! »

Il remonta sur sa monture et se tourna vers sa filleule.

« Il faut arriver à temps à Dafidec pour empêcher que les citadins connaissent le même sort que ces paysans. Je te conseille de te presser, car je ne t'attendrai plus. »

Entre la perspective d'être abandonnée en rase campagne et celle de trouver refuge auprès de la reine – et peut-être même d'avoir des nouvelles de son jumeau –, Nyam n'hésita pas : elle tâcha d'oublier son fessier endolori et son épuisement.

Sa bonne volonté porta fruit, car après quelques heures de chevauchée, Elgire et elle arrivèrent en vue des murs gris pâle de la capitale et des Osjes qui l'encerclaient.

En apercevant les barbares, la jeune fille voulut faire volte-face, mais le duc de Sargus empoigna la bride de sa monture et ordonna :

« Viens. Allons voir où en est la situation du côté ouest. »

Le mur ouest ne semblait pas intéresser les Osjes ; seuls quelques barbares le surveillaient. Perplexe, Elgire examina les alentours, remarqua les morceaux d'échelles et de cordes jonchant le sol autour du tumulus des Shiraniens, les taches sombres sur le mur ainsi que les nombreux soldats hudresiens sur les remparts, et il comprit.

« Le mur ouest a essuyé une attaque, annonça-t-il à sa filleule. Les Osjes ont été repoussés. »

Nyam blêmit tandis qu'il réfléchissait.

Au bout d'un moment, Elgire demanda à la jeune fille :

« Pourrais-tu courir jusqu'au chêne, là-bas ? »

Docilement, Nyam se tourna vers le tumulus et l'arbre qui le surmontait, estima la distance qui l'en séparait et répondit d'une voix dubitative :

« Je crois que oui. Pourquoi ? »

Le duc expliqua :

« Les sentinelles osjes postées devant le mur finiront par être relayées. Si nous courons assez vite pendant le changement de la garde, nous pourrons atteindre le chêne et nous réfugier dans ses branches. À la nuit tombée, je convaincrai les soldats hudresiens de nous jeter une corde pour que nous puissions pénétrer dans la ville. Tu comprends ? »

Nyam ouvrit de grands yeux affolés et bégaya :

« Ou… oui. »

Elgire descendit de son cheval, puis retira la selle et la bride de l'animal. Ensuite, il flanqua une claque sur la croupe de la bête. Cette dernière détala.

« Que faites-vous ? » demanda Nyam d'une voix affolée.

Une expression agacée apparut sur les traits du duc.

« Les chevaux ne grimpent pas aux arbres, Nyam, dit-il. Il faut nous en débarrasser, sinon ils risquent de trahir notre présence. »

Sur ce, il rendit la liberté au cheval de sa filleule.

En voyant sa monture disparaître à l'horizon, Nyam serra les dents pour ne pas éclater en sanglots. Que deviendrait-elle sans cheval ?

« Nyam ! » l'apostropha son parrain d'une voix tendue.

L'interpellée ramena son regard vers la ville et vit les sentinelles osjes tourner le dos au chêne et s'éloigner vers le nord-ouest. Les archers hudresiens sur les remparts suivaient leurs ennemis des yeux.

« Maintenant ! » s'écria le duc de Sargus en s'élançant vers le chêne.

Instinctivement, Nyam fonça, mais elle n'avait pas parcouru la moitié du trajet que son pied écrasa l'ourlet de sa robe. Elle s'affala dans l'herbe avec un petit cri étranglé.

« Nyam ! » s'exclama Elgire qui courait toujours comme un dératé.

Du coin de l'œil, il vit un Osje tourner l'angle du mur nord. Elgire jura, mais il atteignait le tumulus. Il se dépêcha de l'escalader, de grimper au tronc du chêne et de se réfugier dans son épais feuillage. L'effort avait ravivé sa blessure à la tête et le monde environnant se mit à tourner devant ses yeux. Pour ne pas tomber, le duc enserra la branche sur laquelle il était assis jusqu'à en avoir les jointures blanches et ferma les paupières, le temps de se calmer. Dans cet état, il était hors de question qu'il retourne au sol prêter main-forte à Nyam, car au lieu d'un bûcher funéraire, il faudrait en ériger deux. Or, l'Hudres avait besoin du duc de Sargus vivant et, pour le bien du royaume, Elgire était prêt à sacrifier sa filleule, même si ce choix lui brisait le cœur.

À une centaine de pas de là, l'Osje s'approcha lentement de la jeune fille. Elle constituait un appât attirant, mais le barbare ne tenait pas à se faire transpercer d'une flèche. Or, Nyam se trouvait dans la zone à la portée des archers hudresiens. Néanmoins, l'attention de ces derniers était dirigée vers le mur nord.

Sans quitter les remparts des yeux, l'Osje se pencha, empoigna la tignasse rousse de Nyam et la tira en arrière. Terrifiée, la jeune fille devint molle comme une poupée de chiffon et ferma les paupières, dans l'espoir que l'Osje la croie morte et se désintéresse d'elle.

Un des archers hudresiens aperçut soudain l'Osje isolé qui s'amusait avec un cadavre de fille. Il encocha une flèche, visa le barbare et tira.

Nyam sentit la prise de son agresseur se relâcher. Alors que l'Osje basculait en arrière, une flèche plantée dans le cou, la jeune fille bondit en avant et courut à quatre pattes jusqu'au tumulus qu'elle gravit à toute allure. Sans ralentir, elle grimpa jusque dans le feuillage du chêne et s'installa en position fœtale sur une grosse branche à proximité de son parrain, le cœur battant la chamade, le souffle court. Elgire lui fit signe de garder le silence et lui tapota le bras, une expression de soulagement peinte sur son visage ridé. Nyam riva sur lui ses pupilles dilatées par la panique.

Une clameur victorieuse monta des remparts. Tout à son exploit, l'archer hudresien ne remarqua pas que le jouet de l'Osje avait disparu et, lorsqu'il reprit son poste quelques instants plus tard, il avait oublié jusqu'à l'existence de la morte.

Encore tremblante, Nyam se blottit contre l'écorce rugueuse de l'arbre. Le feuillage du chêne la dérobait à l'œil des archers hudresiens comme à celui des sentinelles osjes. Jusqu'à présent, le plan d'Elgire fonctionnait et elle se trouvait, pour l'instant, en sécurité. Il ne restait plus qu'à attendre que la nuit tombe… et amène avec elle de nouveaux périls.

◆

De l'agitation au pied du tumulus troubla le silence nocturne.

« Mon oncle ! Il se passe quelque chose ! chuchota Nyam, affolée.

— Tais-toi, murmura sèchement Elgire. J'essaie d'écouter ! »

Il se pencha en avant et distingua des formes sombres qui s'affairaient sous lui. Bien que la voix soit réduite à un murmure, Elgire la reconnut immédiatement. Il se mordit les lèvres pour ne pas crier de joie et serra le bras de sa filleule. Cette dernière s'indigna :

« Vous me faites mal, mon oncle !

— Ils ont réussi ! se réjouit le duc, indifférent aux plaintes de Nyam. Dansec est sous l'arbre et s'il est là, c'est que les autres avec lui sont Léonte et Léane ! »

« Et mon frère ? » pensa la jeune fille tout en tendant l'oreille, mais personne ne parlait. Les torches au sommet des remparts de la ville fournissaient une lumière lointaine qui permit à Nyam de distinguer les formes au pied du tumulus. Elle en compta quatre. Oui, Fyae était bien là ! Elle aurait reconnu n'importe où la silhouette longiligne de son jumeau ! Elle poussa un soupir de soulagement. Ainsi, il était en vie et semblait en parfaite santé ! Elle avait l'impression qu'un roc venait d'être retiré de sur ses frêles épaules. Maintenant que Fyae était revenu près d'elle, tout irait bien.

« Qui va là ? Répondez, ordonna la sentinelle hudresienne, ou je vous transperce de ma flèche ! »

Au nord-ouest, des points orangés apparurent et avancèrent vers le chêne.

Le moment était venu d'intervenir. Elgire lança à l'archer hudresien :

« C'est moi, Elgire de Sargus ! Poursuis ta ronde, sinon tu trahiras ma présence ! »

Des ténèbres sous lui monta une exclamation de surprise rapidement réprimée.

L'archer hudresien demanda d'un ton incrédule :

« Messire le duc ? C'est bien vous ?

— Va-t'en, répéta Elgire. Tu vas attirer l'attention sur moi ! »

Le bruit de pas qui s'éloignaient descendit jusqu'aux oreilles du duc. La sentinelle avait fini par obtempérer.

« Viens vite ! » chuchota le vieil homme à sa filleule.

Tous deux se laissèrent glisser à terre. Ils se retrouvèrent entourés de quatre silhouettes humaines et de quatre chevaux.

« Léonte, salua Elgire à voix basse. Et Fyae, en vie ! se réjouit-il en apercevant son filleul. Je savais qu'avec Léonte tu ne risquais rien !

— Fyae ! » s'exclama Nyam à son tour.

Elle s'élança pour l'embrasser, mais la poigne de son parrain s'abattit sur son épaule.

« Pas maintenant. Silence ! » la somma-t-il.

La jeune fille le foudroya du regard. Qui était-il pour prolonger sa séparation d'avec son jumeau ? La main de ce dernier, qui s'était approché en silence, enlaça alors la sienne et plus rien ne compta, sinon le fait qu'ils étaient enfin réunis. Nyam voulut parler, mais Léonte la devança.

« Vite ! Par ici », dit-il sèchement.

Les torches s'approchaient et des voix courroucées d'Osjes parvinrent à leurs oreilles.

« Piesa, la grande putain de Gharf, au pied de la capitale hudresienne ! Déranger Barsaf pour pareille niaiserie ! Le jeune Olsdaf a encore abusé de l'alcool ! Il aura droit à cent coups de fouet pour cela !

— Mais, Surdaf, c'est pourtant ce qu'elle m'a dit ! » protesta la voix effrayée de la jeune sentinelle osje.

Le dénommé Surdaf se mit à l'insulter.

Léonte tira sur l'une des racines du chêne. La terre du tumulus remua. Le grand maître appela à voix basse :

« Dansec ! »

Le Darsonien fut aussitôt à ses côtés et, unissant leurs efforts, ils extirpèrent deux grosses racines du tumulus. Le sol devant eux bascula et une ouverture béante apparut. Dansec lâcha la racine et fronça le nez :

« Il y a longtemps que ça n'a pas été aéré, non ? Ça sent le cadavre !

— À quoi t'attendais-tu ? demanda Léane. C'est un tumulus ! Ça ne peut sentir autre chose que la mort ! »

Pendant qu'ils échangeaient ces paroles, Léonte avait saisi Elgire par le bras et l'avait aidé à descendre le long du panneau de bois qui menait au passage. Les jumeaux de Rasg et le cheval de Fyae suivirent, puis Léane avec sa monture. Dansec, avec la sienne et celle de Léonte, leur emboîta le pas, rapidement imité par Léonte, qui traînait avec lui l'extrémité des deux grosses racines que Dansec et lui avaient déterrées. Lorsqu'ils eurent atteint le sol de terre battue du souterrain, Dansec redressa du mieux qu'il put le gazon piétiné par les chevaux qui camouflait le battant de planches scellant l'entrée du passage, puis il entreprit de remonter le panneau léger. Léonte lâcha les racines. Ces dernières se détendirent et allèrent heurter les planches avec un bruit sec. Dansec s'enfonça dans le tunnel, tandis que le grand maître jetait un dernier coup d'œil à l'ouverture au-dessus de lui, dont la porte était maintenue en place par les racines. Certes, leur passage avait dérangé le gazon qui camouflait l'entrée à l'extérieur du tumulus, mais la nuit dissimulerait les traces de leur passage. Quant au lendemain… Cela ne plaisait guère à Léonte de laisser l'entrée du tunnel plus ou moins à découvert, mais pour l'instant, il n'avait d'autre solution que de s'en remettre à la crainte que les tumulus inspiraient aux hommes en général, et aux Osjes superstitieux en particulier. Ces derniers ne voudraient pas attirer la vengeance des esprits des

défunts en souillant leur tombeau. Cette peur de représailles devrait suffire à tenir les barbares à distance du
tumulus jusqu'à ce que Léonte trouve un moyen de
réajuster le camouflage.

Creusé par des chevaliers shiraniens pour des chevaliers shiraniens, le tunnel était suffisamment haut et
large pour laisser passer de front un homme et son cheval.
Des torches étaient accrochées à la paroi et l'endroit
aurait presque paru hospitalier, n'eût été des cavités
creusées sur les côtés, dans lesquelles se trouvaient
des cercueils. À la vue de ces derniers, Nyam poussa
un cri d'effroi et se blottit étroitement contre son frère qui
n'était pas davantage rassuré, mais Léane, derrière
eux, s'empressa de les informer :

« Ces cercueils sont vides. Ce n'est que pour donner
le change, au cas où des intrus découvriraient l'entrée
du tunnel. N'oubliez pas que nous sommes censés être
dans un tumulus. »

Le regard sceptique de Nyam alla de la grande
prêtresse aux tombeaux, puis elle se remit à avancer,
non sans jeter de temps à autre des coups d'œil inquiets
dans les cavités de la paroi.

« L'illusion est parfaite, commenta Elgire qui marchait
en tête. J'ignorais jusqu'à l'existence de ce passage.
Qui l'a creusé ?

— Il a été conçu par le premier grand maître de
l'Ordre pour permettre aux Shiraniens d'échapper aux
Darsoniens, expliqua Dansec. À l'époque, mon peuple
était l'ennemi à abattre. Comme les Hudresiens n'avaient
pas encore opté pour la tradition des fidèles de Shir
en matière de rites funèbres, ils enterraient leurs morts
sous des tumulus, comme les Osjes et les Valdesiens.
Ce n'est que plus tard qu'ils ont commencé à brûler les
défunts, comme les hommes du sud. Si vous voulez
mon avis, une grande opportunité stratégique a été
gâchée avec ce changement de pratiques !

— Tu en parleras à Shir, la prochaine fois que tu le rencontreras, ironisa Léane. Je suis convaincue qu'il va t'écouter attentivement.

— Shir et moi, nous nous sommes toujours bien entendus, dit le baron.

— C'est plutôt avec la déesse et les femmes en général que tu as des problèmes, ajouta la grande prêtresse avec un ricanement sardonique.

— Non, une seule, rectifia Dansec, et tu la connais très bien. »

L'intervention d'Elgire, qui examinait les cercueils tout en avançant, coupa court à l'échange de piques :

« Cette mise en scène me rappelle une histoire qu'on racontait, dans ma jeunesse, à propos des tombeaux des rois de l'Hudres. À ce qu'il paraît, ils ne contiendraient pas les corps des rois défunts, mais des armes pour protéger le royaume en cas d'assaut.

— Nous en aurions bien besoin, dit Dansec. Quelqu'un a déjà pensé à vérifier si la légende était fondée ?

— Qui prêterait foi à des racontars ? Et qui serait assez fou pour risquer de s'attirer les foudres des esprits des rois en violant leur tombeau, si l'histoire était fausse ? répliqua le duc de Sargus. De toute façon, avec votre retour, nous n'avons pas besoin d'armes supplémentaires. Léonte vaut une armée à lui seul ! »

Si l'intéressé entendit le dernier commentaire, il se garda d'y répondre. Une ombre passa sur le visage de Dansec, mais dans la pénombre, personne ne la remarqua.

En fait, Elgire brûlait de révéler à ses compagnons qu'une réserve d'armes bien réelle se trouvait dissimulée à Dafidec, mais la médaille à son cou lui rappela qu'il avait juré de tenir sa langue. Il changea prudemment de sujet avant de succomber à la tentation :

« C'est proprement miraculeux que nous nous retrouvions tous au moment de pénétrer dans Dafidec.

C'est sans doute un signe que la Dualité veille sur nous !

— Cela venant d'un homme qui refuse de croire aux histoires de bonnes femmes ! le taquina Dansec. Je ne te savais pas si pieux, Elgire !

— Moi non plus, ricana l'intéressé. Ma foi en la Dualité est devenue fervente à partir du moment où Lyntas et Vilsin l'ont interdite. Je ferais tout pour les contrarier.

— N'oubliez pas que la déesse récompense ceux qu'elle a marqués et ceux qui croient en elle, rappela Léane. Elle a d'autant plus intérêt à nous aider que les fidèles du culte de la Dualité sont en voie d'extinction. »

Ces paroles troublèrent Fyae, qui cheminait en silence, goûtant au bonheur d'avoir retrouvé sa sœur. Cette dernière, sentant le changement dans l'attitude de son jumeau, s'enquit d'une voix soucieuse :

« Ça ne va pas ? C'est ta jambe qui te fait mal ? Que t'est-il arrivé ? »

Le garçon pressa les longs doigts fins de Nyam entre les siens.

« Ce n'est rien, la rassura-t-il. Je suis bêtement tombé de cheval. En fait, c'est la joie des retrouvailles qui me rend tout drôle.

— Ah bon, dit-elle. Un instant, tu m'as inquiétée. Fyae, je suis si soulagée de te retrouver ! Sans toi, j'étais perdue ! »

En guise de réponse, le garçon lâcha la main de sa sœur et lui enlaça les épaules, tout en remerciant mentalement l'obscurité de dissimuler son émoi. Sa rencontre avec Shirana, dans la forêt, l'avait marqué plus profondément que les crocs de l'ours, d'une façon telle qu'il était incapable de décrire ce qu'il éprouvait. Jamais jusqu'à ce jour il n'avait eu de secrets pour Nyam, mais cette expérience bouleversante était trop précieuse, trop intime pour qu'il la partage. Dans la

Grande Noirceur, il avait cru qu'il pourrait en parler avec Nyam, voire la convaincre d'adhérer au culte de la Dualité. Toutefois, alors que l'occasion se présentait, les mots refusaient de franchir ses lèvres. Shirana avait éloigné les jumeaux de Rasg plus sûrement qu'Elgire de Sargus.

« Sans compter, dit ce dernier en faisant suite aux propos de Léane, que nous avons non seulement des fidèles à la vraie foi, mais surtout un enfant de la Dualité et grand maître des Shiraniens en plus ! Avec le retour de Léonte, notre victoire est assurée !

— Ainsi qu'un moine, et Darsonien de surcroît, rappela Dansec d'un ton agacé.

— Ex-novice, rectifia machinalement Léonte derrière lui.

— Ce qui, susurra Léane, fielleuse, ne pèse pas lourd dans la balance, face à un enfant des dieux doublé d'un grand maître shiranien. »

La réplique réduisit le baron au silence.

Léonte. Tous n'en avaient toujours eu que pour Léonte, même Dansec… jusqu'à ce que Léane fasse son entrée. La beauté de la grande prêtresse avait conquis Dansec au premier regard, mais celle-ci n'avait eu d'yeux que pour Léonte. Même lorsqu'elle avait partagé la couche du baron, sur la plaine d'Alvers, il avait senti que la fougue de sa compagne ne lui était pas destinée, qu'il n'était qu'un exutoire à une rage dont il ignorait alors la cause…

Après leurs ébats, Léane l'avait soulagé de son ignorance : elle avait avoué l'avoir choisi parce que Léonte l'avait repoussée et que le rituel du solstice devait être célébré à tout prix. Puis, elle s'était rhabillée et était partie, sa vengeance à l'endroit de Léonte assouvie. Léane savait qu'à l'époque Dansec était attiré par elle. Cependant, elle n'avait pas soupçonné la force de cette attirance ; le cœur du baron de Palsius avait volé en éclats.

À la suite de cette fameuse nuit, les événements s'étaient précipités : la victoire de Magne sur le Rishan, le retour en Hudres, l'épidémie de peste, la mort du roi et de son héritier, l'accession de Lyntas au trône… À travers la tourmente, l'amour de Dansec s'était mué en rage et il n'avait eu de cesse qu'il n'ait trouvé l'occasion de se venger de celle qui l'avait cruellement blessé. Toutefois, au retour de la campagne lonjoise, Léane était demeurée introuvable. Ses prêtresses avaient affirmé que leur supérieure s'était retirée pour implorer Shirana d'endiguer l'épidémie de peste, mais avaient refusé de révéler l'endroit où elle priait.

Faute de pouvoir s'en prendre directement à Léane, Dansec s'était tourné vers Léonte. N'était-il pas coupable d'avoir encouragé les sentiments de Léane à son égard ? Jamais le grand maître, avant la plaine d'Alvers, ne s'était montré distant envers elle, jamais il ne lui avait fait sentir qu'il ne l'aimait pas.

La reine Lyntas avait deviné la colère que Dansec nourrissait vis-à-vis de Léonte. Un soir, quelques mois après la mort du roi, Lyntas avait invité le baron dans ses appartements et lui avait susurré à l'oreille :

« Léane aime Léonte. Tant que tu suivras le grand maître comme un chien fidèle, tu ne seras qu'un pion à son service. Prends place à mes côtés au conseil et oublie Léonte, oublie Léane. Nous, les deux étrangers, nous remodèlerons l'Hudres à l'image de nos royaumes. Ton empire et ma religion. L'Hudres de Magne paraîtra dérisoire comparé à la nôtre. »

Dansec était si confus à l'époque qu'il avait été tenté d'accepter l'offre, mais avait fini par la refuser, par respect pour la mémoire de Magne. Néanmoins, le venin que Lyntas avait déversé dans son oreille avait empoisonné son esprit. Dansec avait engagé un assassin pour tuer Léonte, puis s'était exilé, tant parce qu'il redoutait la colère de son ami que parce qu'il craignait celle de Lyntas. Sa mésaventure avec Léane avait en effet appris une chose à Dansec : il n'y avait rien de plus dangereux qu'une femme repoussée.

Onze ans plus tard, l'affirmation n'avait rien perdu de sa véracité, le Darsonien en avait la confirmation chaque fois qu'il posait les yeux sur Léane…

Léane qu'il aimait toujours comme un fou et qu'il détestait tout à la fois…

Léane, dont le cœur battait encore aujourd'hui essentiellement pour Léonte.

Onze années s'étaient enfuies, et rien n'avait changé.

Tous n'en avaient encore que pour Léonte.

Et, pour son plus grand malheur, Dansec le premier.

CHAPITRE 11

Des rais de lumière filtraient à travers les planches d'une porte, située au sommet d'une volée de marches.

« Léonte ! annonça Elgire. Nous avons atteint la fin du tunnel ! »

Il s'immobilisa et intima à ceux qui le suivaient de faire de même.

« Qu'y a-t-il ? demanda Léonte qui venait bon dernier.

— Le grand maître des Shiraniens doit passer le premier, répondit le duc. N'est-il pas le maître des lieux ? »

Léonte confia son destrier à Dansec, puis passa devant ses compagnons. Il espéra qu'aucun de ces derniers ne remarque son malaise à l'idée de les précéder. Il avait abandonné ses hommes, onze ans plus tôt, parce qu'il était furieux de voir Lyntas faire du culte de Shir l'unique religion de l'Hudres, puis détruire progressivement le rêve de Magne. À présent, il avait l'impression de réintégrer la maison-mère de son Ordre tel un déserteur ayant été rattrapé.

« Sois le bienvenu chez toi, grand maître de l'Ordre », salua Elgire d'un ton solennel lorsque l'intéressé tira sur la porte bloquant l'accès au passage secret.

Une vive lumière envahit le couloir, tandis qu'une voix stupéfaite s'élevait :

« Maître Léonte ! Vous, ici ?

— Alfre, cours rassembler tous les membres de l'Ordre, répliqua le grand maître. Annonce-leur mon retour.

— Oui, maître, immédiatement ! » dit l'autre, ravi.

Tandis que le dénommé Alfre s'éclipsait, les comparses de Léonte émergèrent à leur tour du passage secret et découvrirent que celui-ci aboutissait dans la cave à vin de l'Ordre.

En quittant le tunnel, Dansec referma la porte, sur laquelle avaient été peintes des pierres identiques à celles des murs. Dans la pénombre ambiante, l'illusion était parfaite : le battant se mariait si bien avec les murs qu'il était impossible pour un observateur non averti de le repérer. Ensuite, Léonte fit promettre à Elgire, Fyae et Nyam qu'ils tairaient l'existence du souterrain, seuls les Shiraniens et la grande prêtresse étant normalement dans le secret. Les trois intéressés prêtèrent serment, puis tous se dirigèrent vers la vaste salle commune des chevaliers, située au rez-de-chaussée. L'endroit était désert.

Elgire rappela :

« Il faut aviser la reine que vous êtes là.

— Je peux m'en charger », proposa aussitôt Fyae.

Tous les regards se portèrent sur lui. Il rosit et s'empressa d'ajouter :

« Si personne n'y voit d'inconvénient majeur…

— Vas-y, dit Léonte, et dis à la Damasienne que nous serons dans la salle du conseil à l'aube. Nous avons à lui parler. »

Il se tourna vers Elgire.

« Qui fait encore partie du conseil, hormis toi, Sterne et Vilsin ?

— Moebes et Antore y siègent toujours. Ils n'ont pas changé. Antore se répand toujours en récriminations et Moebes est plus hermétique que jamais. Il devient de plus en plus difficile de le tirer de sa rêverie.

— Fyae, assure-toi également que tous les conseillers assisteront à la réunion, reprit Léonte. Et comme ton père ne peut pas être là, tu prendras sa place. J'ai l'impression que nous aurons besoin de toutes les voix possibles, aussi discrètes soient-elles. »

Le garçon leva vers le grand maître un œil partagé entre la crainte et la reconnaissance, puis il s'en fut vers la sortie de la maison-mère, sa monture derrière lui.

« Tu viens de lui faire un grand honneur, commenta Dansec.

— Je sais qu'il s'en montrera digne, dit Léonte.

— Et quelle ironie d'introduire la grande prêtresse de Shirana et un élu de la déesse au conseil de Lyntas, ajouta Léane.

— Élu de Shirana ? Et digne de siéger au conseil de surcroît ? releva Elgire. Qu'est-ce que c'est que cette histoire ? Qu'avez-vous fait à mon filleul ?

— Disons qu'il a changé radicalement, mais tu ne peux nous jeter tout le blâme, dit Léonte. Shirana et Fyae lui-même ont contribué à sa transformation. Enfin, Léane t'expliquera. Pendant ce temps, le grand maître des Shiraniens et leur précepteur parleront à leurs troupes. »

De fait, des chevaliers shiraniens faisaient déjà leur entrée dans la salle.

Elgire et Léane quittèrent les lieux en emmenant les chevaux avec eux. Nyam les imita avec un peu de retard, plongée dans la perplexité. Que voulait dire le grand maître, au juste, à propos de Fyae ? Y avait-il quelque chose que son jumeau ne lui avait pas confié, à elle, sa jumelle ? Le souvenir de leur bref échange dans le tunnel lui revint à la mémoire. C'était la première fois que Fyae se montrait évasif avec elle. Il lui cachait quelque chose ! Ce constat glaça le sang de la jeune fille : son jumeau était la seule personne au monde capable de la comprendre. S'il s'éloignait d'elle, elle serait vouée à une vie de solitude ! Elle ne pouvait tolérer cela. Il fallait à tout prix qu'elle le ramène à elle.

Une vive clameur la fit tressaillir : les chevaliers ne gardaient nullement rancune à leur grand maître de son départ, onze ans plus tôt, et se réjouissaient de son retour.

◆

La reine Lyntas dévisageait le garçon devant elle. Après un long silence, elle déclara :

« Dis à tes compagnons que je les attendrai à l'aube. Tous les conseillers seront présents. »

Fyae exécuta une courbette maladroite et boitilla jusqu'à la porte des appartements de la reine. Avant qu'il ne sorte, la Damasienne demanda :

« Mon garçon, que t'est-il arrivé à la jambe ? »

Fyae rougit et balbutia :

« Rien ! Je suis tombé ! »

Sur ce, il quitta précipitamment la pièce, de crainte que la reine ne cherche à en savoir davantage. Il se voyait mal lui expliquer qu'il avait été marqué par une déesse dont elle avait interdit le culte.

Dès que le garçon se fut retiré sous bonne escorte, personne n'approchant la reine sans un groupe imposant de soldats depuis l'attaque de l'Osje, Lyntas oublia tout de sa blessure ; le message dont il était porteur la troublait davantage. Pourtant, elle n'avait aucune raison d'être inquiétée par le retour des conseillers de son défunt mari, car tout se déroulait comme elle l'avait prévu.

D'abord, elle éliminerait la menace osje. Ensuite, elle réduirait en miettes la menace shiranienne, Dansec, Léane et Léonte inclus. Privé de sa grande prêtresse et de son Ordre, le culte de Shirana n'aurait plus aucune raison d'être. Ce serait un coup dont l'hérésie ne se relèverait pas.

Le regard de la reine dériva vers la fenêtre de ses appartements. Les Osjes se pressaient toujours contre les murs de la ville. Ils semblaient inépuisables alors que l'armée hudresienne, elle, commençait à manifester des signes de fatigue. Dafidec n'en avait plus pour très longtemps. Lyntas avait vécu suffisamment de sièges pour le voir. Les réserves de nourriture du palais étaient vides, tout comme celles des citadins. Ces derniers se massaient contre la muraille de pierre qui encerclait la résidence royale pour implorer la reine de leur donner à manger. Bientôt, sous la poussée de la faim, ces demandes se mueraient en soulèvements. Si seulement les légions de son père pouvaient arriver !

Une grande fatigue l'envahit et elle ferma les paupières. S'abandonner à un long sommeil serait si bon !

Cependant, elle n'y avait pas droit, car dès qu'elle s'abandonnait au sommeil, les images de Regde, son petit garçon, la harcelaient. Elle revoyait le corps potelé et les joues roses du nourrisson qui dormait, serein, dans son berceau. Soudainement, il s'agitait, en proie à une poussée de fièvre, jusqu'à ce que ses petits bras retombent sur sa couche. Alors toute chaleur se retirait de son corps, toute couleur quittait son visage…

Lyntas rouvrit brutalement les paupières, un cri muet figé sur ses lèvres. Elle frotta sa figure de ses mains et arpenta furieusement la chambre. Bien qu'initialement elle eût approuvé le projet destiné à assurer sa protection, revenir dans ses anciens appartements dans l'aile désaffectée du palais s'avérait, au bout du compte, une très mauvaise idée. Les rêves l'assaillaient la nuit avec une vigueur renouvelée, celui de la gifle de Magne d'abord, mais également le plus terrible de tous : celui de Regde endormi. Lyntas n'acceptait pas qu'un simple songe la bouleverse autant, surtout lorsqu'elle allait affronter ses ennemis.

Elle s'immobilisa devant son miroir et s'examina minutieusement. La glace lui renvoya l'image d'un menton fièrement relevé et d'yeux si intenses qu'elle-même avait du mal à soutenir le regard de son reflet. Sa personne ne gardait aucune marque de l'émoi suscité par le souvenir, sinon la mèche blanche qui était apparue à la mort de Regde.

Lyntas s'assit devant sa tapisserie et se mit à broder. Elle avait la conviction que ses fantômes cesseraient de la harceler lorsqu'elle aurait éliminé les derniers témoins de son mariage avec Magne. Avec le retour de Léonte, de Léane et de Dansec, le repos tant attendu approchait. Elle devait seulement patienter encore un peu.

◆

Les cris du combat se déchaînant le long des murailles faisaient écho aux plaintes des gens affamés massés devant l'entrée du palais. Léonte, Léane, Dansec, Fyae et Elgire eurent du mal à se frayer un chemin parmi la foule jusqu'à ce que certains habitants reconnaissent la grande prêtresse de Shirana et le grand maître de l'Ordre des chevaliers shiraniens. Alors, les citadins s'écartèrent respectueusement. Plusieurs implorèrent même Léane de les bénir au nom de la déesse femelle. La jeune femme y consentit de bonne grâce, puis elle et ses compagnons pénétrèrent dans la cour intérieure de la résidence royale.

En silence, ils gravirent les marches menant au palais. Dansec jetait des regards nerveux autour de lui, Léonte affichait son masque impassible et Fyae était partagé entre la timidité et les remords d'avoir abandonné sa jumelle à la maison-mère des Shiraniens alors qu'ils venaient à peine d'être réunis.

Nyam était bouleversée de ne pouvoir l'accompagner et avait salué Fyae avec des pleurs et des grincements de dents. Le garçon avait tenté de la raisonner, elle avait fait la sourde oreille. Finalement, leur échange houleux s'était terminé sur une note abrupte : Nyam se répandait encore en larmes dans la cellule que les Shiraniens lui avaient prêtée quand Fyae, le cœur brisé, avait refermé la porte pour aller rejoindre ses compagnons. Nyam ne pouvait-elle pas comprendre qu'il avait d'autres responsabilités que de s'occuper d'elle, à présent ? L'élu de Shirana ne pouvait s'enfermer dans une chambre alors que le sort de l'Hudres était en jeu ! Toutefois, Nyam avait parfois de la difficulté à saisir que le monde ne tournait pas autour d'elle.

À cette pensée mesquine, Fyae se sentit profondément honteux ; il se promit de se réconcilier avec sa jumelle dès qu'il rentrerait à la maison-mère et de lui raconter ce qui lui était arrivé dans la Grande Noirceur. L'expression de remords sincères serait un baume sur la rancœur de sa sœur.

« J'adore ce style dépouillé, ironisa Dansec qui cheminait devant Fyae et promenait autour de lui un regard écœuré. Pas vous ? »

À la mort de Magne, Lyntas avait ordonné qu'on décroche les somptueuses tapisseries relatant les exploits des souverains hudresiens passés, retirant par le fait même toute couleur et toute chaleur à la demeure royale. Personne ne répondit au baron, mais tous approuvaient intérieurement son commentaire. Sans ornements, le palais était aussi dénudé que déprimant, à l'image de l'Hudres sous Lyntas : un royaume sans passé, dont l'identité propre était effacée par la Damasienne et dont l'avenir était menacé. Bien que l'affrontement imminent avec la reine ne s'annonçât pas des plus plaisants, les anciens fidèles de Magne pressèrent tout de même le pas pour atteindre la salle du conseil, avides d'en finir avec un décor et une rencontre désagréables. Arrivés au sommet de la tour, avec une simple porte entre eux et celle qui avait réduit en cendres ce pourquoi ils avaient lutté, ils s'immobilisèrent. Dansec posa une oreille curieuse contre le battant, écouta quelques instants, puis se tourna vers ses compagnons, un sourire railleur aux lèvres.

« Vilsin et Antore sont arrivés, annonça-t-il, et si je me fie aux bribes de conversation que j'ai entendues, Antore se plaint d'avoir été forcé à abandonner ses appartements. Vilsin, qui dit être dans la même situation, ne compatit toutefois pas à sa cause.

— A-t-on déjà vu le Damasien manifester la moindre commisération vis-à-vis de quelqu'un ? demanda Léane.

— Trêve de palabres, dit Léonte derrière eux. Entrons. »

Dansec mit le holà à l'impatience du grand maître.

« Ce n'est pas parce que nous sommes pressés qu'il faut sacrifier le protocole. »

Il s'écarta du battant.

« Messire Elgire, à vous l'honneur, dit-il poliment.

— Jamais avant la grande prêtresse de Shirana », répondit le duc.

Léane inspira profondément, rejeta en arrière sa longue chevelure blanche, passa devant les deux hommes et poussa la porte. Elle n'appréciait guère leur galanterie : pénétrer la première dans l'arène lui donnait l'impression d'être une émissaire envoyée au front pour se faire massacrer.

Des exclamations de surprise de Vilsin, d'Antore et de Moebes qui, plongé dans sa torpeur coutumière, n'avait pas ouvert la bouche pendant que Dansec écoutait la conversation montrèrent qu'ils ignoraient tout de l'arrivée des anciens conseillers de Magne.

« Messires », dit Léane en esquissant une courbette raide.

Moebes inclina mollement la tête sans rien dire, Vilsin ignora froidement la prêtresse. Antore, cependant, ne put retenir sa langue :

«Léane, en vie après toutes ces années. Incroyable!»

Sous l'émotion, le petit trésorier s'arracha une mèche de cheveux.

À leur tour, Léonte, Dansec, Elgire et Fyae firent leur entrée.

Vilsin fut le premier à retrouver sa langue. Son long corps osseux était dressé sur son banc et il évoquait un serpent prêt à mordre.

«Vous devez être satisfait, messire le duc. Les anciens complices de Magne sont de retour! dit-il à Elgire d'un ton glacial.

— Vous devriez vous réjouir également, Vilsin, répliqua le vieil homme. La grande prêtresse de Shirana rejoint le grand prêtre de Shir. Les deux parties du Tout divin siègent de nouveau au conseil pour bénir les décisions prises! Enfin, nous sommes revenus en état de grâce!»

Les poings de son interlocuteur se crispèrent.

«Les hérétiques ne sont pas admis au conseil. La vraie foi est une, la vraie foi est mâle.

— Alors pourquoi vous pliez-vous aux décisions d'une femme, Vilsin? persifla Dansec.

— Seuls les Hudresiens peuvent siéger au conseil», rappela le Damasien.

Léonte s'était glissé silencieusement derrière Vilsin. Il posa une main ferme sur l'épaule du grand prêtre.

«Vous êtes Damasien, n'est-ce pas? J'avais justement besoin d'un siège…»

Vilsin jugea plus prudent d'abandonner la partie et fulmina en silence.

Léonte gagna un autre banc. Ses traits demeuraient impassibles, mais une lueur triomphante dansait dans son regard.

Elgire avait pris son siège. Un instant, son regard croisa celui d'Antore. Les yeux globuleux du petit trésorier se détournèrent précipitamment. Le duc se tourna vers Moebes, mais le regard de celui-ci resta prisonnier du brouillard.

La porte s'écarta de nouveau et la reine apparut. Ses yeux bleus affichaient une détermination implacable.

« Ma reine », la salua Vilsin en se levant puis en inclinant son long corps.

Tous imitèrent le grand prêtre, sauf Léonte, qui se contenta de saluer la femme d'un hochement de tête.

Lyntas s'assit en affectant d'ignorer le salut irrespectueux du grand maître. Les ennemis du passé étaient réunis – du coin de l'œil, elle observa Vilsin – et ceux du présent également.

La reine avait affronté un Osje sans broncher. Elle ne redoutait pas ses opposants et toisa longuement chacun d'eux de son regard qui ne cillait pas. Léonte et Dansec subirent l'examen silencieux sans détourner les yeux, mais Léane baissa immédiatement les paupières, refusant de lire sur le visage de la reine une expression qu'elle connaissait parfaitement : celle de sa condamnation à mort. Puis l'attention de Lyntas tomba sur Fyae qui cherchait, en dépit de son long corps, à disparaître derrière la table. Elle se tourna brusquement vers Léonte.

« Seuls les conseillers du roi peuvent siéger ici, dit-elle d'un ton irrité. Vous faites outrage au conseil en invitant le premier venu à s'y joindre. »

Fyae souhaita se trouver à cent lieues de là.

« C'est le fils du duc de Rasg, l'informa le grand maître, le visage impassible. Il représente son père.

— Vraiment ? répondit Lyntas d'un ton sceptique, tout en dévisageant Fyae de nouveau.

— Ma reine, intervint Elgire, le temps presse. Ne pourrions-nous pas passer à la raison de notre présence ici ? Je me porte garant de mon filleul.

— Vous porterez-vous également garant de vos autres compagnons, messire Elgire ? » s'enquit Vilsin, venimeux.

Le duc de Sargus lui jeta un regard noir, mais la reine prit la parole avant qu'il puisse répliquer :

« Le duc de Sargus a raison. Occupons-nous des choses sérieuses.

— Oui, approuva vigoureusement Antore. Parlons de nos appartements. Quand les récupérerons-nous ? »

Devant l'expression glaciale que lui adressa Lyntas, le trésorier rentra peureusement la tête dans ses épaules et entreprit de tirer sur une poignée de ses cheveux. La reine dit à l'assemblée, non sans quitter Antore du coin de l'œil :

« Je ne reviendrai pas sur une décision destinée à protéger mes conseillers et moi-même. Je faisais plutôt référence à la situation qui nous concerne tous. Pouvons-nous compter sur l'aide des Shiraniens dans notre lutte contre l'envahisseur osje ?

— Les Shiraniens vous appuieront, annonça Léonte, mais ils y mettront quelques conditions.

— Nous ne tolérerons pas une telle attitude ! » s'indigna Vilsin.

Lyntas braqua sur lui son regard insoutenable.

« La reine parlera seule sur ce sujet, dit-elle. Quelles conditions, Léonte ? »

Un silence surpris suivit le rabrouement du grand prêtre, d'autant plus troublant que la reine venait pour la deuxième fois d'ignorer les commentaires de son favori.

Léonte se racla la gorge.

« Les Shiraniens exigent le retour de Nantor. »

Lyntas fronça un sourcil.

« Les Shiraniens ou leur grand maître ?

— Le grand maître de l'Ordre des chevaliers de Shirana est la voix des siens », intervint Dansec.

Les yeux bleus de la reine se rivèrent sur le baron de Palsius. Un rictus ironique souleva la commissure des lèvres de ce dernier et il soutint le regard de Lyntas. La reine déglutit lentement. Dansec était toujours aussi beau, mais l'affront qu'il lui avait infligé onze ans plus tôt avait profondément blessé l'orgueil royal. La Damasienne ne détournerait pas le regard. Sans quitter Dansec des yeux, elle trancha :

« Je n'accepterai pas qu'un Namarre siège au conseil. Les Shiraniens agiront sans Nantor ou n'agiront pas du tout.

— Cependant, nous avons besoin des Namarres, annonça Léonte.

— Quoi ! »

Le cri avait jailli de la bouche d'Antore, mais il n'était manifestement pas le seul à se montrer incrédule : Vilsin, Léane, Dansec, Fyae, Elgire et même Moebes, que le mot « Namarres » avait arraché à sa torpeur, dévisageaient Léonte avec stupéfaction.

« Nous avons besoin des Namarres, reprit ce dernier, ce qui ne veut pas dire que nous avons besoin de toute leur nation. Seulement de ceux qui sont confinés dans le quartier sud.

— J'ai appliqué rigoureusement mon décret, affirma Lyntas. Dans le quartier namarre, il n'y a ni armes ni soldats. Que de paisibles civils.

— Les Namarres naissent une épée à la main et il nous faudra tous les hommes capables de se battre pour repousser les Osjes. Or, Nantor nous sera indispensable pour convaincre ses compatriotes de nous aider, contra Léonte.

— Je refuse, dit la reine. Même si les Namarres savaient se battre, comme vous le prétendez, sans armes, ils ne vous seront d'aucune utilité.

— Sans compter que nous risquons de manquer d'armes, renchérit Antore. Nous avons déjà du mal à fournir à l'armée les épées, flèches, arcs et lances nécessaires. »

Elgire demeurait silencieux, mais les mots lui brûlaient la langue. Il avait fait un serment sur le saint nom de Shir, mais ses compagnons et l'Hudres avaient besoin de son soutien. Or, bien avant de jurer qu'il tairait le secret des Namarres, il avait promis à Magne de veiller sur l'Hudres et de faire passer le salut de celui-ci avant tout, y compris avant lui-même. Entre son âme et le royaume, Elgire n'hésita pas longtemps.

« Il y a des hommes armés dans le quartier namarre, annonça-t-il, et plus d'armes que n'en compte l'armée royale. »

Tous les conseillers fixèrent le duc de Sargus en écarquillant les yeux.

« Vous… vous avez des preuves de ce que vous avancez ? » bafouilla Antore.

Le petit trésorier était si stupéfait qu'il en oubliait de tirer sur ses cheveux.

« Vous avez ma parole, répliqua calmement le duc. Ma parole de gentilhomme et de conseiller. Du temps de Magne, cela suffisait. Je ne vois pas pourquoi cela changerait aujourd'hui, n'est-ce pas ? »

Son regard se fixa sur celui de Lyntas. Le visage de cette dernière ne trahissait aucune émotion.

« Votre affirmation jette un éclairage nouveau sur le plan de Léonte, dit-elle. Néanmoins, Namarres ou pas, je continue à refuser que Nantor se joigne à nous. J'aimerais vous rappeler que même mon défunt époux avait eu quelques réserves à l'admettre au conseil.

— Le roi Magne avait fini par l'accepter malgré tout, répliqua Léonte. Il ne gaspillait jamais les hommes de valeur.

— Nous ne sommes pas ici pour faire le procès du général Nantor, rappela Vilsin, mais pour repousser l'envahisseur osje. Et je ne vois pas en quoi la parole d'un vieillard sénile serait plus solide qu'un simple ragot.

— Quoi ! »

Elgire avait bondi sur ses pieds, le teint cramoisi. Léonte, assis près de lui, le saisit par les épaules.

« Du calme, Elgire. »

Le duc de Sargus se dégagea rageusement et, avant que quiconque ait pu le retenir, il quitta les lieux.

Les conseillers échangèrent un coup d'œil perplexe, puis se tournèrent vers Vilsin, une expression hostile sur leurs traits, mais le grand prêtre les ignora.

« Je tenais seulement à rappeler que la priorité était de repousser l'envahisseur osje, dit-il d'un ton supérieur.

— Envahisseur que vous avez fait venir, susurra Antore, qui ne ratait pas une occasion de l'insulter.

— Je ne tolérerai pas qu'on se livre à des accusations sans fondement, lança sèchement Lyntas. Nous discuterons de la question du traître en temps et lieu. Sauvons Dafidec d'abord. »

L'assemblée approuva d'un hochement de tête.

« Voici ma décision, annonça-t-elle. Messires Léonte et Dansec, je vous charge de discuter avec les Namarres. Convainquez-les si vous le pouvez, mais sans le général Nantor. »

Les deux hommes acquiescèrent avec raideur, tandis que Lyntas se tournait vers Léane.

« Quant à vous, pour l'instant, vous n'êtes d'aucune utilité. Retournez donc à la maison-mère des Shiraniens. Peut-être votre déesse vous trouvera-t-elle une occupation quelconque. Si vous n'avez plus rien à ajouter, ajouta-t-elle à l'adresse de l'assemblée, je vais me retirer. »

Les membres du conseil demeurant cois, elle se leva et sortit. Elle fut aussitôt imitée par Antore, Moebes et Vilsin.

Quand il fut assuré que ces derniers ne se trouvaient plus à portée de voix, Dansec lança à Léonte :

« Je croyais que tu ignorais où se trouvait Nantor. Me dissimulerais-tu des informations ? »

Léonte secoua la tête.

« Je n'en sais pas plus qu'il y a onze ans. Seulement, dans l'éventualité où Nantor ferait son apparition, j'aime mieux prévenir. J'ai parlé du quartier namarre sous le coup d'une inspiration subite. L'intervention d'Elgire a été providentielle.

— Et moi qui pensais être un fin magouilleur ! s'esclaffa Dansec en assénant une claque chaleureuse sur l'épaule de son ami. C'est dans de telles situations que je me réjouis que tu sois dans mon camp, et non dans celui de Lyntas !

— Je pourrais dire la même chose de toi, rappela Léonte. Tu n'as pas déjà oublié un certain assassin, envoyé il y a onze ans de cela ? »

Les traits de Dansec affichèrent une expression penaude et il se hâta de changer de sujet.

« Quelqu'un a une idée de l'endroit où Elgire a pu aller ? »

Léonte secoua la tête.

« Non, je l'ignore. Mieux vaut le laisser se calmer. Tu sais à quel point il est susceptible à propos de son âge.

— Léonte a raison, Dansec : oublie Elgire, approuva vigoureusement Léane. Toi aussi, Fyae. »

Le garçon, qui s'était levé de sa chaise, lui adressa un regard interrogateur, mais se rassit docilement.

« Je croyais que tu appréciais le duc de Sargus », s'étonna Dansec.

Léane se mordit les lèvres, consciente d'avoir révélé des sentiments qu'elle tenait à garder au plus profond d'elle-même, puis se dépêcha d'expliquer :

« C'est que la vache de Damasie m'a mise hors de moi. À quoi bon me faire revenir si c'est pour m'interdire de prendre part à l'action ? La reine savait qu'elle ne pouvait pas me faire plus mal qu'en m'obligeant à demeurer inactive. Je la hais !

— Qui t'a dit que tu étais contrainte d'obéir ? s'enquit Dansec en ouvrant de grands yeux candides.

— Elle guette le moindre de mes faux pas pour me renvoyer en exil. J'incarne le mal qu'elle tente d'éradiquer depuis son accession au trône. Elle tolère à peine ma présence. Si vous voulez bien m'excuser, je ne l'irriterai pas plus longtemps. Je vais rentrer comme une bonne fille à la maison-mère. J'ai promis à tous les Shiraniens de les bénir. Après tout, cela fait si longtemps qu'ils n'ont pas eu une bénédiction digne de ce nom, les pauvres ! »

Léane s'éloigna dans un couloir.

« Elle est plus jeune que nous, mais elle est pire qu'une poule avec ses poussins, commenta Dansec avec un rictus ironique. Avec la plupart de ses poussins, du moins. Il y a toujours un vilain petit qui est rejeté de la couvée.

— Tu parles de toi ou d'Elgire ? »

Dansec haussa les épaules.

« Je parle peut-être des deux, qui sait ? Notre petite prêtresse n'a pas l'air de porter le duc de Sargus dans son cœur. En fait, j'ai l'impression qu'à l'exception de toi et de sa déesse, Léane n'aime pas grand monde. »

Léonte se raidit et se hâta d'écarter la conversation d'un terrain glissant.

« À propos d'affaires de cœur, Lyntas doit te vouer une rancune féroce pour t'obliger à m'accompagner au quartier namarre ! »

Dansec hocha les épaules.

« Rien de plus dangereux qu'une femme bafouée, tu es bien placé pour le savoir ! »

Léonte songea à sa femme et à son fils qui l'attendaient patiemment dans une ferme au sud et au serment qu'il leur avait fait. Pourrait-il le tenir ? Si la réponse se révélait négative, ce ne serait plus une femme qu'il aurait bafouée, mais deux. Sa conscience aurait une raison supplémentaire de le tenir éveillé, la nuit. Ce ne serait pas demain qu'il pourrait dormir sur ses deux oreilles.

La voix de Dansec tira le grand maître de ses réflexions.

« Prêt à te rendre dans l'enclos des taureaux fous de Shir ? » demanda-t-il avec un enthousiasme forcé.

Léonte haussa les épaules.

« Les taureaux fous de Shir ne me dérangent pas, du moment qu'ils ne s'attaquent pas aux poussins de Shirana.

— Je crois que c'est là une partie du problème, dit Dansec. Les sabots des taureaux ont piétiné tant de poussins qu'ils y ont pris goût. Tu crois que deux coqs parviendront à leur tenir tête ?

— Nous verrons, Dansec. Nous verrons. Peut-être ton chant les mettra-t-il en déroute ? »

◆

Elgire fonçait dans les couloirs du palais, le sang en ébullition. Vilsin l'avait insulté une fois de trop ! Lui, un vieillard sénile ? Aux dernières nouvelles, il avait encore toute sa tête ! La migraine qui lui vrillait les tempes en était la preuve ! De fait, il pouvait encore rendre de grands services à l'Hudres !

Pour se calmer, il se dirigea vers l'aile désaffectée du palais. Revoir les appartements de Magne, même laissés à l'abandon, était toujours un baume sur la colère d'Elgire. Combien de fois y avait-il trouvé refuge, les premières années ayant suivi le trépas de son souverain, pour apaiser la rage qui montait en lui pendant les réunions du conseil ? Il avait besoin de ce havre de paix, le dernier vestige d'un temps heureux, surtout lorsqu'il voyait Lyntas et Vilsin détruire l'Hudres morceau par morceau. Alors, Elgire s'asseyait dans un fauteuil couvert de poussière, dans la chambre de son roi, et se remémorait les longues conversations qu'ils avaient le soir, près de l'âtre, en savourant un dernier verre. Magne parlait de son rêve et des combats à venir et Elgire écoutait, suggérait, conseillait. Quand Léonte s'était joint au conseil royal, il avait pu également prendre part à ces entretiens privilégiés avec le roi. Puis la peste avait frappé et les moments de grâce avaient brutalement pris fin. Il ne restait plus que les souvenirs.

Or, aujourd'hui plus que jamais, le cœur emballé d'Elgire réclamait sa dose de réminiscences d'un temps où ni sa raison, ni sa vigueur, ni son utilité n'étaient remises en question. Elgire se dirigeait donc vers les appartements de Magne, dans l'aile désaffectée, quand des pas s'élevèrent derrière lui. Instinctivement, il s'engouffra dans la première pièce venue et referma silencieusement la porte. Que pouvait fabriquer cette personne dans les parages ? D'aussi loin que le duc se souvienne, il était le seul à fréquenter l'endroit depuis que la cour avait déménagé dans la nouvelle aile du palais.

Il s'appuya le dos contre le battant en attendant que l'inconnu passe et retint une exclamation de surprise. Il se trouvait dans un des rares appartements à avoir conservé ses tapisseries, mais plongé dans le désordre : vêtements, parchemins sortaient de coffres à moitié vidés et s'entassaient sur le sol. Visiblement, l'occupant était en pleine installation. Elgire en était à se demander ce qui avait pu motiver la reine à installer des gens dans l'aile désaffectée de sa demeure quand les gonds de la porte grincèrent derrière lui.

D'un bond, il se précipita derrière une grande tapisserie représentant le taureau de Shir et tenta de se faire le plus petit possible entre elle et le mur. Il s'aperçut que la pièce tissée était mangée par les mites et, à travers les trous, il épia le nouvel arrivant. Il s'agissait d'un colosse drapé de noir. Son visage balafré était partiellement dissimulé par une longue barbe blonde soigneusement tressée. La physionomie de l'homme n'était pas hudresienne. Elgire était en présence d'un Osje ! Du regard, l'homme parcourut les lieux. Son œil s'immobilisa sur la tapisserie derrière laquelle se terrait le duc.

Ce dernier déglutit nerveusement. Le barbare avait-il flairé sa présence ?

L'Osje s'avança vers la tapisserie et le vieil homme serra les poings, prêt à tout.

L'Osje souleva l'étoffe voisine de celle d'Elgire. Ce dernier entendit le bruit d'un objet lourd traîné sur le dallage de pierre et l'homme blond réapparut devant la tapisserie. Elgire vit que le barbare avait tiré à lui un coffre de bois. Sans se douter qu'il était étroitement surveillé, il l'ouvrit, y prit un sac de cuir, puis referma le couvercle. La tapisserie fut de nouveau soulevée et le coffre remis en place. Ensuite, l'Osje se releva et se dirigea vers la sortie tout en glissant le sac de cuir sous son pourpoint. Mais avant qu'il l'atteigne, la porte s'ouvrit de nouveau et une voix masculine s'éleva :

« Tu as trouvé l'or pour ton frère ? » Elgire avait beau chercher dans sa mémoire, il ne parvenait pas à associer les intonations, vaguement familières, à un visage quelconque. Était-ce donc son ouïe vieillissante qui lui jouait des tours ? L'Osje émit un grognement affirmatif.

« Parfait. Dis-lui de se tenir prêt. Les portes de la ville s'ouvriront devant lui. »

Sur ce, l'homme blond sortit de la pièce et ferma le battant derrière lui.

Après quelques instants, le duc de Sargus émergea de sa cachette et alla jeter un coup d'œil dans le

couloir. Ce dernier était désert. Aussitôt, Elgire s'empressa de sortir le coffre dissimulé derrière la tapisserie voisine et de l'ouvrir.

Il réprima une exclamation de surprise : le con-
tenant était rempli à ras bord de sacs de cuir identiques
à celui que l'Osje avait emporté avec lui. Et tous
étaient remplis d'or, se rendit-il compte en en ouvrant
quelques-uns. Comment un homme avait-il pu amasser
une telle fortune alors que, dans les rues, le peuple
mourait de faim ? Elgire devina qu'il avait devant lui
le fruit de longues années de détournements de fonds.

L'or n'était pas une preuve de trahison mais, sous
les sacs, Elgire trouva une cape noire aux armes de la
Damasie, une dague osje d'ivoire et d'argent et une fi-
gurine de Shirana finement taillée dans un os. Il avait
combattu assez souvent les barbares pour savoir que ces
deux derniers objets n'étaient remis qu'à des hommes
que les chefs osjes considéraient comme leurs amis.

Soigneusement, il replaça les trésors dans le coffre
et remit celui-ci à sa place. Il devait faire part sans
attendre de sa découverte à Léonte.

Précipitamment, le duc quitta la pièce, sans savoir
que son départ n'était pas passé inaperçu. Falsgaf, qui
avait le flair d'un chasseur, avait senti qu'on l'observait
pendant qu'il fouillait dans le coffre. Lorsqu'il était
sorti des appartements, l'Osje s'était dissimulé dans
l'ombre et avait attendu patiemment que celui qui
l'avait observé sorte à son tour de la pièce. Puis,
Falsgaf prit Elgire en chasse.

◆

Fyae, dès qu'il était parti de la salle du conseil,
s'était mis à la recherche de son parrain, mais celui-ci
paraissait avoir disparu. Après avoir erré quelques
instants dans les corridors du palais, le garçon décida

de regagner la maison-mère de l'Ordre et de se réconcilier avec Nyam.

Le logis des Shiraniens avait été érigé contre les fortifications de la capitale et à l'écart des habitations des citadins. Trapue, large et haute de cinq étages, la maison de pierre était la troisième bâtisse en importance de la ville, derrière le palais et le temple, et ses dimensions étaient plus que suffisantes pour abriter les vivres, les armes, les hommes et les chevaux de l'Ordre de Shirana.

Sitôt à l'intérieur, Fyae alla à la chambre de sa sœur et demanda à celle-ci s'il pouvait entrer. Nyam refusa.

« Il est trop tard pour décider de te soucier de moi, Fyae ! lança-t-elle à travers la porte. Tu m'as brisé le cœur et rien ne pourra rassembler les morceaux ! »

Le garçon se sentit misérable. Heureusement, désormais, il avait une déesse à qui confier ses peines, à la condition de savoir comment s'adresser à elle. Fyae décida qu'il était plus que temps pour lui de se familiariser avec le culte de celle qui l'avait élu, ne fût-ce que pour avoir une confidente moins exigeante que Nyam.

« Tu as vu Léane ? demanda-t-il à Nyam.

— Elle prépare une célébration païenne, répondit sa jumelle du bout des lèvres. Tu la préfères donc à moi ? »

Les paroles de Nyam accrurent le chagrin de son jumeau et lui firent découvrir la profondeur de l'abîme qui s'était creusé entre sa sœur et lui. Tristement, il tourna les talons et se dirigea vers la chambre que les Shiraniens lui avaient réservée.

Un appel discret retentit à ses oreilles.

« Fyae ! »

L'interpellé se tourna vers la voix et aperçut son parrain qui, tapi dans un coin, lui faisait signe d'approcher. Il s'exécuta.

« Sais-tu où est passé Léonte ? s'enquit Elgire d'un ton pressant.

« — Il est parti avec Dansec au quartier namarre, répondit Fyae. Mais vous, mon oncle, où étiez-vous passé ?

— Silence ! ordonna sèchement le vieil homme. Je réfléchis. »

Il se mit à marmonner :

« Pour le confondre, il faudra connaître son identité. Quel vieil imbécile je suis de ne pas être resté là-bas pour fouiller sa chambre !

— Mon oncle, vous allez bien ? demanda Fyae d'un ton inquiet.

— Je dois y retourner ! s'exclama le duc, ignorant son filleul. Dis à Léonte de me retrouver… »

Une expression d'intense concentration creusa ses rides, puis son visage s'éclaira.

« Au palais royal ! Dis à Léonte de me retrouver dans l'aile désaffectée du palais. Il saura où me chercher. Oui, au palais, dans l'aile désaffectée, le plus vite possible. Tu le préviendras, Fyae ?

— Dire à Léonte de vous retrouver dans l'aile désaffectée du palais, le plus vite possible, c'est cela, mon oncle ? » répéta le garçon, le visage soucieux.

Elgire hocha vigoureusement la tête, fit quelques pas, se ravisa et revint vers Fyae, dont il tapota affectueusement la joue.

« Tu es un bon garçon, lui dit-il. J'ai confiance en toi. »

Sur ce, il tourna les talons et disparut, abandonnant derrière lui Fyae, qui était trop abasourdi pour chercher à le rappeler.

À peine le garçon s'était-il ressaisi que Léane apparaissait.

« Viens, ordonna-t-elle. Tu dois assister à la cérémonie de Shirana.

— Mais, protesta-t-il, c'est que…

— Que serait une cérémonie en l'honneur de Shirana sans son plus récent élu ? l'interrompit la grande prêtresse. Il n'y a pas de discussion possible, Fyae. Il est temps que tu apprennes les rites de ta nouvelle religion.»

Elle prit le garçon par la main et l'entraîna à sa suite. Entre ses devoirs envers son parrain et ceux envers Shirana, Fyae donna la priorité aux seconds. Si une déesse semblait moins exigeante qu'une humaine, son courroux, lui, était infiniment plus redoutable que celui de son parrain.

Fyae n'avait qu'à se rappeler l'incident de l'ours pour en être convaincu.

CHAPITRE 12

« Qui va là ? » demanda le portier d'un ton hostile, à travers la porte scellant l'entrée du quartier namarre.

Léonte se tourna vers Dansec, qui hocha la tête. Les deux hommes bandèrent leurs muscles et se jetèrent contre le battant massif.

Le panneau de bois s'ouvrit en coup de vent et frappa violemment le portier. Sous le choc, ce dernier heurta le mur derrière lui avant de s'effondrer sur le sol, sonné.

« J'espère que nous ne vous avons pas fait mal », commenta Dansec avec une sollicitude affectée.

Il se tourna vers Léonte.

« Et maintenant ? l'interrogea-t-il. Ce n'est pas en démolissant la porte de leur quartier que nous allons nous en faire des alliés. »

Le grand maître n'eut pas le temps de répondre. Une immense silhouette enveloppée d'une cape noire se dressait silencieusement dans la rue derrière le baron. L'éclat d'une lame brilla dans la pénombre. Léonte dégaina prestement son épée d'une main et tira son ami à terre de l'autre.

Dansec émit un hoquet de protestation en basculant vers l'avant. Le son fut couvert par le bruit des lames qui s'entrechoquaient.

Sous la charge puissante du colosse, les genoux de Léonte fléchirent et son dos s'arqua. En serrant les dents, le grand maître parvint à se redresser et à repousser son assaillant. Ce dernier revint aussitôt à l'attaque.

Le grand maître para de nouveau et recula à l'intérieur du quartier namarre. Le colosse avança, abattit son énorme sabre. Léonte le repoussa de son épée, mais quand il voulut prendre son élan pour frapper à son tour, sa lame heurta une avancée qui jaillissait du mur d'une des masures du quartier. Débalancé, il eut à peine le temps de se remettre en garde pour arrêter un autre coup de son adversaire.

Derrière les combattants, Dansec s'était remis sur pied et avait dégainé son épée. Mais il lui avait suffi d'un regard pour prendre conscience de la vanité de son geste. Jamais il n'assaillirait un homme par-derrière. Or, la rue principale étant à peine assez large pour que le colosse puisse se mouvoir, le Darsonien ne pouvait le contourner pour se retrouver aux côtés de Léonte.

Des exclamations se firent entendre au-dessus des combattants. D'un coup d'œil rapide, Dansec embrassa les fenêtres des habitations qui bordaient l'étroite allée et vit plusieurs visages à la peau dorée qui ne perdaient pas une miette du spectacle.

Le colosse abattit son sabre vers le flanc de Léonte qui, en s'esquivant, se trouva coincé dans l'embrasure d'un mur. Dans une tentative désespérée pour protéger son côté vulnérable, il fit dévier une nouvelle fois le sabre de son épée, puis bondit prestement afin de revenir sur la voie principale.

L'inconnu plongea sur Léonte, qui recula de nouveau en parant la pluie de coups. Ses jambes percutèrent une surface dure et, regardant vivement derrière lui, le grand maître eut le temps de voir un bassin rempli d'eau et une fontaine avant de ramener son attention sur son adversaire.

Dansec contournait la fontaine pour prêter main-forte à son compagnon, sans quitter les combattants des yeux. Il remarqua un détail qui lui avait échappé jusqu'alors : le colosse maniait son sabre d'une manière étrange. Dansec connaissait peu d'hommes qui possédaient une telle technique…

Un large sourire souleva les lèvres du baron de Palsius et il recula, tout désir de se mêler au duel oublié.

Léonte cherchait une faille dans la garde de son adversaire, mais n'en trouvait aucune. Ses bras s'ankylosaient de fatigue à force de repousser les coups puissants du géant et la blessure à l'épaule reçue lors de son combat avec les mercenaires lonjois l'élançait.

Soudain, le grand maître cilla sous une forte luminosité : une percée dans les hauts murs faisait qu'il se trouvait directement en face du soleil ! Instinctivement, il leva son épée et l'orienta convenablement pour que cette dernière réverbère les puissants rayons lumineux vers son adversaire. Ce dernier, brusquement ébloui, leva une main pour protéger ses yeux et Léonte, lâchant son épée, en profita pour empoigner le colosse par le col de sa cape et le plonger la tête la première dans la fontaine. Le Namarre se débattit, mais le grand maître, muscles contractés, dents serrées, le maintint sous l'eau. Dans son regard, l'étincelle meurtrière brillait.

Dansec l'apostropha sèchement :

« Léonte ! »

L'interpellé ne lâcha pas sa prise. La fréquence des spasmes qui parcouraient le corps du colosse décrut.

« Léonte ! réitéra Dansec. Arrête ! Nous avons de la compagnie ! »

Cette fois, son ami leva la tête, tout en gardant son adversaire sous l'eau.

De son long menton, le baron de Palsius désigna les Namarres armés qui jaillissaient d'une maison.

Le grand maître courut ramasser son épée ; par le fait même, il libéra sa proie. Cette dernière émergea de la fontaine, tomba à genoux et cracha l'eau qui avait envahi ses poumons.

Dansec et Léonte se regroupèrent et se mirent en garde, prêts à se défendre contre les nouveaux venus.

« Arrêtez ! »

La troupe qui avançait sur les Shiraniens s'immobilisa et se tourna dans la direction de la voix.

Entre deux crachotements, le colosse se redressa.

« Je les connais, lança-t-il à l'adresse de ses compatriotes. Ce sont de braves guerriers, dignes de Shir. S'ils sont venus ici, ce n'est pas pour le compte de la reine.

— Tu réponds d'eux ? » s'enquit un des hommes armés.

Son interlocuteur hocha gravement la tête.

« Qui es-tu, pour assumer une telle responsabilité ? demanda Léonte.

— Quelqu'un pour qui tu as fait la même chose il y a bien longtemps », répondit l'autre d'une voix grave.

Il repoussa la capuche qui dissimulait son crâne rasé, couvert de tatouages, son visage doré, couturé de cicatrices, son nez cassé et ses yeux noirs empreints d'une gravité d'un autre monde.

Un large sourire éclaira le visage de Léonte et réchauffa son œil de glace.

« Nantor ! s'exclama-t-il.

— Comment, tu n'avais pas encore reconnu sa façon de manier son sabre ? s'indigna Dansec. Avec l'âge, ta mémoire s'altère, mon vieux… Tout comme ta forme physique, d'ailleurs », ajouta-t-il en désignant la cage thoracique de son ami, soulevée de courts halètements.

Léonte l'ignora, occupé à dévorer le Namarre des yeux.

« Que fais-tu ici ? Je te croyais partout, sauf à Dafidec !

— C'est une longue histoire. Nous avons beaucoup à dire… et beaucoup à expliquer », répondit Nantor en montrant les hommes qui les étudiaient avec méfiance.

Il fit signe à ses deux compagnons de le suivre. Les deux Shiraniens s'exécutèrent, toujours sous la surveillance des autres Namarres.

◆

Fyae n'avait assisté qu'à une grande célébration de Shir, celle de la Farsen qui commémorait la création du monde par le dieu mâle. À l'époque, le garçon n'avait que six ans et il avait été ébloui par le faste de la cérémonie dirigée par le grand prêtre de Shir. Le vaste temple de la ville de Dafidec avait été décoré de rubans dorés, les vitraux, soigneusement astiqués, les saints objets frottés jusqu'à ce que leur or étincelle. Les serviteurs du dieu avaient revêtu des robes blanches brodées de fils d'argent ; quant au grand prêtre Vilsin, il portait également un vêtement blanc, mais celui-ci était drapé d'une longue étole d'or.

À présent, Fyae se dépêchait vers une cérémonie en l'honneur de Shirana. Prévenu au dernier moment par Léane qu'il devait y assister, il avait eu à peine le temps de se nettoyer et il redoutait que sa tenue simple ne jure avec la splendeur des célébrations religieuses. Cependant, en pénétrant au pas de course dans la vaste chapelle de l'Ordre des Shiraniens, il fut aussitôt rassuré.

Là où le grand prêtre de Shir péchait par excès de dorures, la grande prêtresse de Shirana s'avérait plus modeste. Seuls quelques filigranes argentés ornaient la chapelle. Les bancs et les objets du culte, brillant comme seul l'argent fraîchement frotté peut le faire, avaient la beauté de la simplicité. Devant l'autel se tenait Léane, habillée d'une robe bleu pâle au corsage brodé de discrets fils d'or et d'argent. Sa chevelure blanche était retenue en arrière par une résille argentée.

Les novices et les chevaliers shiraniens avaient déjà pris place sur les bancs les plus avancés et la grande prêtresse prononçait une prière en l'honneur de sa déesse. Fyae tâcha de se glisser sur un des bancs à l'arrière de la chapelle, mais Léane le repéra immédiatement. Elle interrompit sa prière et l'apostropha :

« Fyae ! Viens me rejoindre à l'avant ! Pour ta première célébration, tu dois être à mes côtés. »

Toutes les têtes se tournèrent vers l'interpellé. Ce dernier, déjà rouge de sa course, vira au cramoisi.

Il se leva tout de même et s'engagea dans l'allée centrale. Il crut entendre quelques taquins le comparer à une jeune mariée, mais il était trop gêné pour répliquer.

Quand il fut près de Léane, celle-ci lui enlaça les épaules et déclara à l'assemblée :

« Malgré ce qu'affirment les monothéistes de Shir, Shirana est bien réelle. La preuve, Fyae l'a eue quand la déesse lui est apparue sous la forme de l'ours initiateur ! Shirana l'a touché ! Désormais, il est l'un de ses élus ! Montre-leur, Fyae. »

Le garçon jeta un coup d'œil incertain à la grande prêtresse, mais celle-ci insista d'un discret hochement de tête. À contrecœur, il exhiba sa cuisse, ce qui lui valut quelques sifflements moqueurs. Ces derniers se turent dès que la cicatrice laissée par les griffes de l'ours apparut.

« Louée soit Shirana ! s'exclama Léane.

— Louée soit-elle ! » répétèrent les Shiraniens en chœur.

Fyae se hâta de remonter son pantalon, en louant également la déesse, non pour sa gloire, mais pour la remercier que les longs pans de sa chemise dissimulent les parties les plus intimes de son anatomie.

« Je soumets la candidature de Fyae de Rasg à l'Ordre des Shiraniens », poursuivit la grande prêtresse.

Une vive stupéfaction apparut sur les traits des spectateurs. Les novices étaient recommandés par un membre de la noblesse, non par la grande prêtresse en personne ! Cela était inédit.

Atterré, Fyae fixait le bout de ses bottes. Lui, un Shiranien ? Que dirait son père ? Et sa sœur ?

Comme le garçon ignorait tout du culte de Shirana, il n'avait pas conscience de l'honneur considérable qui lui était fait. Il savait seulement qu'il se retrouvait dans les ennuis jusqu'au cou.

« Tu peux regagner ton siège, novice Fyae », dit Léane d'une voix douce.

Le garçon s'engagea dans l'allée centrale.

À l'extérieur, un craquement sonore retentit, suivi d'une clameur sauvage.

L'assistance blêmit. Elle n'avait pas à s'interroger longtemps pour deviner la provenance du bruit.

« Shirana nous protège ! s'exclama la grande prêtresse. Les portes de la ville ont cédé !»

◆

Léonte, Dansec, Nantor et les Namarres s'étaient attablés dans l'habitation qui avait été convertie en entrepôt d'armes. Un silence hostile régnait et les deux Shiraniens avaient rapidement compris que les hommes du sud, avec leurs lèvres serrées et leur œil farouche, ne le briseraient pas les premiers.

Or, le silence était le plus grand ennemi de Dansec. Il commença donc :

« Les Hudresiens et les Namarres n'ont pas toujours été amis. Cependant, des circonstances peuvent provoquer des unions inattendues, voire même réconcilier les irréconciliables… »

À ces mots, leurs hôtes froncèrent leurs arcades sourcilières soigneusement épilées – au Namarre, seul le Rishan et les femmes avaient le droit de conserver leur pilosité.

Léonte devina immédiatement la cause de leur irritation : dans leur désert natal, toute parole était synonyme d'eau précieuse, et les longs discours équivalaient à un gaspillage. Aussi jugea-t-il plus prudent de couper court à l'introduction.

« Les Osjes entourent la ville, nous avons besoin d'armes et d'hommes capables de tenir une épée. Nous aiderez-vous ? »

La stupéfaction se peignit sur le visage de Dansec, mais il s'empressa de la dissimuler derrière son masque blasé coutumier. Dans des négociations, le Darsonien considérait qu'il y avait deux règles fondamentales à appliquer : la première était de ne pas révéler à l'autre parti qu'il est indispensable, car il s'imagine alors qu'il peut exiger n'importe quoi en retour ; la seconde consistait à ne jamais montrer à son interlocuteur que les discussions ne prennent pas la tournure désirée. Léonte venait de désobéir à la première et lui-même avait manqué à la deuxième, ce qui lui fit réaliser qu'ils étaient tous deux dans le pétrin.

Pourtant, à l'annonce de Léonte, les Namarres ne manifestèrent aucune surprise, bien que le fait que les Hudresiens aient besoin d'eux fut inhabituel.

Le Namarre qui les avait accueillis dans la cache d'armes et qui était manifestement le chef du groupe, sinon de tous les habitants du quartier de Dafidec, prit la parole :

« Vous avez quelque chose en échange. »

Ce n'était pas une question.

« Nous n'avons pas d'or, l'informa Léonte. Le trésor royal est vide. Nous n'avons pas d'armes non plus. Elles sont toutes réservées à la lutte contre les Osjes. »

Le Namarre hocha la tête. Il connaissait les exigences de la guerre.

« En fait, enchaîna Dansec en jouant la carte de la franchise, nous n'avons rien qui puisse vous plaire.

— Alors pourquoi êtes-vous ici ?

— Si les Osjes attaquent Dafidec, ils s'en prendront forcément à votre quartier, répondit le baron. Nous avons un ennemi commun. Pourquoi ne pas nous allier plutôt que de le combattre chacun de notre côté ?

— Nous ne craignons pas les Osjes. Nous avons de quoi les repousser. Si ce n'est pas votre cas, tant pis. Si les Hudresiens sont massacrés, nous pourrons prendre possession de la capitale quand les Osjes seront repartis. »

L'homme avait mis le doigt sur la principale faiblesse de Dafidec. Cette dernière était trop vaste à défendre pour son maigre contingent de soldats, tandis que les Namarres avaient un quartier minuscule à protéger et suffisamment d'armes et d'hommes pour soutenir un long siège.

« Si vous nous aidez, suggéra Léonte, nous vous promettons que les soldats namarres seront tolérés dans la ville et que vous aurez le droit de posséder des armes.

— À quoi nous servirait cette tolérance ? demanda son interlocuteur. Dans nos murs, la reine n'a aucune autorité. »

Ce qui était malheureusement vrai : l'armée royale n'osait pas s'aventurer dans le quartier des fanatiques. Il fallait trouver une offre plus alléchante.

« Vous êtes en sécurité, ici, dit alors le baron de Palsius, mais à l'extérieur de vos murs, personne ne tient compte de votre avis ! Voilà votre problème ! »

Les traits du Namarre se creusèrent en signe de scepticisme.

Le Darsonien exposa son raisonnement :

« Vous habitez Dafidec, mais vous n'en êtes pas citoyens pour autant. La minorité namarre n'a jamais voix au chapitre quand le conseil royal se réunit. Si l'un des vôtres y siégeait, vous pourriez obtenir certains avantages…

— Lesquels ?»

Une note de curiosité troublait pour la première fois la voix du Namarre. L'appât avait fonctionné. Dansec décida de titiller davantage sa proie avant de la ferrer.

«Les hommages à Shir, par exemple. N'en avez-vous pas assez d'honorer le dieu dans votre minuscule chapelle, alors que le temple de Dafidec est assez grand pour contenir et les Namarres, et les Hudresiens ? Imaginez ce que vous pourriez accomplir au très saint nom du dieu si vous étiez dans le temple ! Vous pourriez enseigner aux Hudresiens comment se pratique le véritable culte de Shir !

— Qui nommerions-nous ?»

Le baron eut de la difficulté à cacher sa satisfaction. En étayant de religion son argumentation, il avait touché la corde sensible des Namarres.

«Vous avez la chance d'avoir dans vos murs un homme qui a déjà siégé au conseil royal. Si vous nous aidez, la reine Lyntas accueillera Nantor à bras ouverts.»

Il se tut. En son for intérieur, il supplia la Dualité de ne pas avoir poussé sa chance trop loin. Présenter la candidature d'un condamné à mort risquait de faire avorter le projet, sans compter que Lyntas s'était montrée catégorique quant au retour de Nantor. Mais les Namarres ignoraient cette dernière information.

Assis dans un coin, gardant un profil bas, Nantor ne broncha pas lorsque son nom fut mentionné, mais ses yeux se fixèrent sur le front plissé de son compatriote, qui révélait la profondeur de ses réflexions. En tant que représentant du Rishan en Hudres, la décision lui revenait et il serait le seul à en assumer les conséquences. Ainsi, le Rishan savait qui faire exécuter en cas de problème.

Un craquement sonore retentit dans le lointain, immédiatement suivi d'une vague de cris sauvages.

Namarres et Shiraniens bondirent sur leurs pieds et tirèrent leur arme.

«Les Osjes, déclara succinctement Léonte.

— Nous devons partir», s'excusa Dansec.

Les deux négociateurs quittèrent le quartier sud au pas de course. Nul Namarre ne chercha à les retenir et nulle protestation ne s'éleva lorsque Nantor s'élança à la suite de ses anciens compagnons.

Les Namarres de Dafidec avaient épargné la vie de leur ancien général parce qu'il enseignait l'hudresien aux nouveaux arrivants. En outre, les habitants du quartier sud savaient qu'il ne s'enfuirait pas puisqu'il n'avait nulle part où aller. Ils pourraient donc exécuter les ordres du Rishan dès qu'ils n'auraient plus besoin de ses talents d'interprète. En fait, ils étaient soulagés que les deux Shiraniens les débarrassent de Nantor. Grâce à eux, les Namarres n'auraient plus à redouter que quelqu'un ne les dénonce au Rishan et que celui-ci ne les immole sur les autels de Shir pour les punir de leur désobéissance. Les habitants du quartier sud, tels des naufragés dans une mer de païens, étaient solidaires les uns des autres. Néanmoins, nul n'était à l'abri d'une trahison, pas même un peuple uni dans la crainte de Shir et du Rishan, l'incarnation du dieu mâle sur terre.

◆

Du pas furtif des fugitifs, Elgire se hâtait en direction du palais royal, non sans jeter des coups d'œil nerveux par-dessus son épaule. Il avait la désagréable impression d'être suivi depuis qu'il avait quitté les appartements du traître, mais il échouait à surprendre son poursuivant. Peut-être était-ce son imagination qui lui jouait des tours, à moins que ce ne fût Shir lui-même qui soit sur ses talons pour réclamer son âme.

À ces pensées, le duc de Sargus esquissa un petit sourire de dérision. Les superstitions avaient fini par lui monter à la tête. Il inspira profondément pour calmer son esprit emballé et cessa de regarder derrière lui. L'Osje ignorait qu'Elgire avait surpris son échange avec son maître ; il ne risquait donc rien.

Le vieil homme pénétra dans le palais et s'enfonça rapidement dans les couloirs froids et nus, en direction de l'aile désaffectée où il avait donné rendez-vous à Léonte. Son plan était simple : il se dissimulerait dans une pièce à proximité des appartements du traître et attendrait que celui-ci se montre. Avec Léonte à ses côtés, Elgire n'aurait aucun mal à maîtriser l'homme et, si nécessaire, son serviteur osje charpenté. Même si les muscles du duc conservaient encore quelque force, celui-ci ne se leurrait pas : l'époque où il pouvait terrasser plusieurs hommes à lui seul était révolue. Des années passées à siéger au conseil, à noircir des parchemins plutôt qu'à s'entraîner au maniement de l'épée l'avaient ramolli. Il avait donc besoin d'aide pour mettre le traître aux arrêts et n'avait confiance que dans une personne pour mener cette tâche à bien : l'homme à qui Magne avait confié, sur la plaine d'Alvers, la responsabilité de mener l'Hudres à la victoire.

Tapi dans l'ombre, Falsgaf avait filé sa proie et attendu le moment où celle-ci serait totalement vulnérable. Or, des soldats, des serviteurs, des civils et des Shiraniens s'étaient toujours trouvés à proximité du duc. Toutefois, ce dernier venait, presque sous le nez de l'Osje, de s'engager dans un couloir désert du palais. Le plus silencieusement possible, Falsgaf tira son poignard de sa ceinture…

La précaution ne fut pas nécessaire : au même moment, les portes de la ville cédèrent et les Osjes se répandirent dans la cité en hurlant.

Instinctivement, Elgire jura. Dafidec était tombée !
Le blasphème serait la dernière parole que prononcerait Elgire : au même moment, l'arme de Falsgaf s'enfonça dans son échine. Le vieil homme poussa un petit cri de stupéfaction et s'écroula.

Plus jamais Elgire de Sargus ne prononcerait en vain le nom des dieux. La vengeance de Shir était assouvie, par l'action d'un fidèle de Shirana.

CHAPITRE 13

Les appartements de Léonte, situés au dernier étage de la maison-mère des Shiraniens, étaient sobrement meublés : une petite couche dure, une table sur laquelle le grand maître pouvait dérouler des cartes, des bancs et une tablette où s'entassaient quelques ouvrages et parchemins poussiéreux. Un disque en argent terni frappé aux armes de l'Hudres était accroché au-dessus du lit étroit.

Les cris lointains des Osjes et de leurs victimes parvenaient aux oreilles des occupants des lieux. Ces derniers affichaient une mine sombre et tressaillaient à chaque hurlement de souffrance qui montait jusqu'à eux. Ils jouissaient d'une certaine sécurité, car les Osjes ne s'attaqueraient à eux qu'au dernier moment. Les barbares n'avaient pas oublié la facilité avec laquelle ils avaient été repoussés par l'Ordre autrefois, alors qu'ils étaient aussi désorganisés que peu nombreux.

Aujourd'hui, néanmoins, il en allait autrement. Tous les espoirs de Dafidec avaient reposé sur la capacité de l'armée royale à garder les barbares à l'extérieur des murs ; en un seul assaut, ils avaient été réduits à néant.

Dans l'urgence du moment, les occupants de la chambre de Léonte ne pouvaient élaborer qu'une stratégie désespérée. La plupart d'entre eux avaient suffisamment d'expérience au combat pour le savoir. Dansec, Nantor, Léane et Léonte n'avaient-ils pas fait partie du conseil de guerre de Magne ? Quant à Fyae et à Nyam, qui n'en étaient qu'à leur premier affrontement, ils agissaient en tant que substituts d'Elgire et de Sterne. Léonte savait que les jumeaux n'apporteraient pas grand-chose à la discussion mais, dans un rare accès de superstition, il tenait à réunir tous les éléments qui assuraient, à l'époque, la victoire à Magne. Il avait d'ailleurs presque réussi : ne manquaient à l'appel que le grand prêtre de Shir et la couronne. Personne n'offrit d'aller quérir l'un ou l'autre ou de proposer quelque remplaçant.

« Les Osjes se répandent à toute vitesse dans la ville, annonça Léonte en se détournant de la fenêtre de sa chambre. L'armée royale est trop éprouvée pour les repousser. Si elle ne se rend pas aujourd'hui, elle cédera demain. »

Ses compagnons acquiescèrent gravement.

« Le problème, souligna Dansec, est leur grand nombre. Comme ils sont totalement désordonnés, ils sont partout et nulle part à la fois. Même Barsaf ne peut tenir ses hommes groupés. Ils sont trop excités par le pillage. Si nous éliminons une petite troupe, il en apparaîtra d'autres. Nous ne saurons jamais si nous avons le dessus ou non.

— Ce n'est pas un avantage ? demanda Léane. Nous pourrions les attaquer petit groupe par petit groupe, jusqu'à ce qu'il n'y en ait plus.

— Nous ne sommes pas suffisamment nombreux pour adopter cette tactique, expliqua Léonte. En plus, nous n'aurons personne pour surveiller la maison-mère pendant que nous serons disséminés dans la ville.

— Il faudrait les regrouper comme un troupeau. Alors ils seraient plus faciles à attaquer », déclara Nantor.

L'accueil que Léane et les chevaliers shiraniens avaient réservé au Namarre n'avait pas été très chaleureux, mais celui-ci ne s'en était pas formalisé. Il n'avait pas oublié qu'au cœur du combat l'élimination de l'ennemi précédait la célébration de l'ami.

« Quel sera l'élément qui les rassemblera ? » s'enquit Dansec.

Nantor haussa ses énormes épaules rondes en signe d'ignorance.

« Qu'est-ce que les Osjes désirent ? De l'or ? Des vivres ? demanda-t-il au baron.

— Les Osjes sont comme les Namarres avec Shir, réfléchit tout haut ce dernier. Shirana est le lien qui les unit. Unis par une femme… Unis contre une femme !

— Ils ont été payés pour venir détruire Lyntas ! C'est cela qui a poussé le traître à les faire venir, poursuivit Léonte. Lyntas est l'appât ! Tant qu'ils n'auront pas trouvé la reine et accompli leur mission, ils massacreront les habitants de Dafidec.

— Si les Osjes doivent détruire la Damasienne, reprit Dansec, ils convergeront tôt ou tard vers le palais. Mais il n'y a pas de pire endroit pour se battre : il ne s'y trouve nul endroit à découvert, les rues sont étroites, les maisons entassées. Manœuvrer à pied sera difficile, alors imaginez nos chevaliers avec leurs chevaux ! Nous sommes loin d'une belle plaine lisse comme celle d'Alvers, pas vrai, Nantor ? »

La remarque du baron laissa le géant de marbre.

« Nous devrions plutôt amener les envahisseurs sur la grand-place, devant le temple de Shir, suggéra Léane. Les Shiraniens n'auraient qu'à se dissimuler dans les maisons qui l'entourent et à éliminer les Osjes quand ils seront regroupés. »

Ses compagnons approuvèrent d'un hochement de tête.

« Encore faut-il les y attirer, rappela Dansec. Le palais est au sud-ouest de la ville et le temple à l'est, sans compter que le temple n'a été conçu ni pour essuyer des attaques ni pour soutenir des sièges. Et puis, comment y attirer à la fois la reine et les Osjes ? Lyntas a beau être une Damasienne, elle n'est pas idiote ; jamais elle n'acceptera de quitter la sécurité de sa demeure. Quant aux Osjes, je doute qu'on puisse les attirer avec la nouvelle que la reine se trouve au temple. Ils savent qu'elle ne se déplacerait jamais dans une ville assiégée sans la totalité de son armée pour la protéger.

— À moins que nous ne répandions la rumeur que la reine se rendra au temple au coucher du soleil pour prier Shir et ce, avec une petite escorte. Disons qu'elle voudrait prouver aux envahisseurs qu'elle n'a pas peur et que personne ne peut s'interposer entre son dieu et elle, suggéra Léonte.

— Pas mal, dit Dansec d'un ton dubitatif. Toutefois, ils ne viendront pas tous. Certains seront trop occupés à piller la ville.

— L'important, c'est que la majorité se dirige vers la place, intervint Nantor. Éliminer quelques Osjes isolés n'est pas un problème. Se débarrasser de quelques milliers est plus épineux. En fait, je ne vois qu'un obstacle à votre plan.

— Qui est… ? interrogea Dansec.

— La reine, répondit Nantor. Si vous répandez dans la ville la rumeur selon laquelle la reine se rendra au temple à la tombée de la nuit sans un nombre considérable d'hommes pour l'escorter, les Osjes enverront des éclaireurs pour vérifier. Votre histoire est trop grosse pour qu'ils y croient. Même des adorateurs de la déesse ne sont pas aussi sots.

— Nantor ! » s'écria Léonte, la voix chargée de reproches.

La large face ronde du Namarre s'éclaira d'un rare sourire, puis ses traits reprirent leur gravité coutumière.

« Le seul moyen pour que votre stratagème fonctionne est que les éclaireurs osjes voient la reine pénétrer dans le temple. Autrement, ils ne préviendront pas les leurs. »

Un silence atterré suivit la remarque. Par la fenêtre ouverte, les cris de terreur des habitants de la ville et ceux, enragés, des Osjes leur parvenaient.

« Au fait, s'enquit Léane, qui a dit que nous avions besoin de la reine ? »

Les autres la dévisagèrent comme si elle avait perdu la tête. N'avait-elle pas écouté les propos de Nantor ?

« Les Osjes n'ont jamais vu Lyntas, poursuivit-elle. Ce qu'ils cherchent, c'est une femme à la chevelure noire striée d'une mèche blanche. Avec un peu de teinture, la première venue peut jouer ce rôle. »

Léonte regarda gravement la jeune femme. Elle lui rendit son regard sans fléchir.

« Celle qui jouera l'appât s'exposera à une mort presque certaine, énonça gravement le grand maître. Il faudra une femme courageuse, aux nerfs d'acier. »

Nyam, qui se tenait coite depuis le début de la réunion, tâcha de se faire toute petite, de crainte que les anciens conseillers de Magne ne voient en elle une reine potentielle. Les propos de Léane, toutefois, la rassurèrent aussitôt.

« Je n'entendais pas confier cette tâche à la première venue, répliqua la grande prêtresse. C'est ma responsabilité de tout mettre en œuvre pour sauver l'Hudres au nom de Shirana. J'incarnerai donc la Damasienne. Ce ne sera pas la première fois que je jouerai les appâts pour vous… »

Elle défia ses compagnons du regard.

Même si tous songeaient qu'à défaut d'être la première fois, ce serait probablement la dernière, nul ne leva la voix pour contester. Ils avaient compris que la décision de la jeune femme était irrévocable. Et, exception faite de Nyam, ils n'étaient aucunement soulagés d'avoir trouvé leur appât.

◆

La vitesse d'exécution était primordiale. Avant que la nuit tombe, il fallait faire courir dans la ville la rumeur à propos de la reine, poster les Shiraniens dans les maisons autour de la grand-place et s'arranger pour que quelques barbares aperçoivent « Lyntas » qui pénétrait dans le temple. Pendant que certains chevaliers s'affairaient à rassembler armes et montures, d'autres discutaient à l'extérieur de la maison-mère de l'inconscience de la reine, assez fort pour que les Osjes qui rôdaient aux alentours entendent leurs propos.

Dans sa chambre de la maison-mère, Léane se teignait les cheveux. La terreur qui étreignait son cœur était tempérée par la sérénité qu'elle éprouvait à l'idée d'accomplir son devoir. Par son sacrifice, elle sauverait Dafidec et l'Hudres et elle rappellerait à la mémoire des Hudresiens l'existence de Shirana. En outre, son trépas serait un témoignage de gratitude à l'endroit de la déesse pour lui avoir donné une seconde chance et à ses compagnons pour l'avoir arrachée à Gharf VIII. En servant d'amorce, la jeune femme obtenait donc l'expiation suprême : une mort utile.

Trois coups discrets la tirèrent de ses réflexions. Elle enleva l'étoffe qui protégeait sa chevelure entièrement noire, à l'exception d'une mèche restée blanche, et alla ouvrir. Ce ne pouvait déjà être Léonte qui venait la chercher. L'Ordre n'était pas prêt. Il y avait les chevaux à seller, les armures à enfiler, les Shiraniens à disséminer dans les maisons, porches et arrière-cours autour du temple…

Derrière la porte se tenait Fyae. Quand il vit Léane, il écarquilla les yeux.

« On… On dirait la vraie ! bafouilla-t-il, ses yeux rivés sur la chevelure de Léane.

— Dans les circonstances, je prends ce commentaire pour un compliment, répliqua la grande prêtresse d'une voix tendue. Tu voulais me voir ?»

Le garçon hocha la tête.

La jeune femme s'écarta pour le laisser entrer et referma la porte derrière lui.

« C'est à propos de mon noviciat, articula péniblement Fyae. Je ne peux absolument pas devenir chevalier de Shirana ! »

Il enfouit son visage dans ses paumes et se mit à pleurer. Léane le toisa avec agacement. Elle allait à sa mort et elle avait besoin de paix et de silence pour se recueillir, pas d'un garçon en larmes qui lui confiait ses problèmes !

« C'est une question de foi ? le questionna-t-elle. Tu ne peux vouer ta vie à Shirana alors que tu ne vénères que Shir ? La déesse n'a pas manifesté suffisamment son existence pour que tu croies en elle ?

— Ce n'est pas cela ! protesta le garçon. C'est autre chose ! Mon… »

Un instant, il chercha désespérément ses mots et roula des yeux affolés autour de lui, à la recherche des mots appropriés.

« Mon… père a besoin de moi. Je suis son unique héritier, dit-il enfin d'une voix hésitante. Je ne peux passer mon existence cloîtré dans la maison-mère.

— Beaucoup de Shiraniens sont loin de la maison-mère, répondit la grande prêtresse. Sitôt qu'ils ont eu leur titre de chevalier, ils sont retournés chez eux. Ce n'est pas un problème puisque le grand maître sait que dès qu'il aura besoin d'eux, il n'aura qu'à les appeler et ils accourront. »

Un cliquetis de cottes de mailles s'éleva dans le couloir. Un éclair de terreur traversa brièvement le visage de Léane. Elle posa sa main, qui tremblait imperceptiblement, sur l'épaule du garçon et riva ses yeux turquoise sur les siens.

« Fyae, je n'ai plus beaucoup de temps. Shirana voit tout, Shirana sait tout. Je suis sa première servante. Je ne prétends pas posséder l'omniscience de ma maîtresse, mais souvent, elle daigne partager un peu de son savoir avec moi. Je connais ton passé et ton présent, je connais les motifs de tes tourments et, bien que j'ignore tout de ton avenir, j'ai une conviction : ta place est ici, parmi les Shiraniens. »

Une expression affolée apparut sur les traits de Fyae.

« Vous savez tout de moi ? » dit-il d'une toute petite voix.

La prêtresse hocha gravement la tête.

« Et vous voulez que je devienne novice ?

— Non, rectifia calmement Léane, Shirana veut que tu deviennes novice, et j'exécute sa volonté. Nul ne peut s'opposer aux désirs de la déesse, sous peine de représailles. »

Une poigne solide martela le battant.

La jeune femme rouvrit la porte.

Des chevaliers shiraniens se tenaient dans le couloir.

« C'est l'heure, prêtresse, déclara l'un d'eux. Les hommes sont à leur poste. Il ne manque plus que vous.

— J'arrive dans un instant, répondit-elle, avant de se tourner de nouveau vers Fyae. Maintenant, je pars et je ne reviendrai peut-être pas pour te rappeler que tu dois devenir membre de l'Ordre. La déesse t'a choisi. Tu sais combien de gens ont eu ce privilège ? Très peu, car Shirana est avare de sa bénédiction. Je te le répète, Fyae, ta place est ici, parmi ses fidèles, et nulle part ailleurs. Tu as senti Shirana t'appeler, sinon tu ne serais jamais parti de chez toi. Désormais, c'est ton devoir de la servir. Jure-moi que tu ne te déroberas pas. »

Le garçon posa la main sur son cœur en signe de promesse. Rassurée par son expression sincère, Léane se tourna vers les chevaliers.

« Vous n'emportez pas d'arme, prêtresse ? » remarqua l'un d'eux.

Léane haussa les épaules.

« Pourquoi ? Shirana veille sur moi. »

Sur ce, elle s'écarta pour laisser sortir Fyae, puis ferma la porte de ses appartements.

Tandis que Léane et les Shiraniens s'éloignaient, le garçon ruminait les dernières paroles de la jeune femme. Responsabilités, devoir… Les anciens conseillers de Magne n'avaient donc que ces mots à la bouche ! D'abord Léonte, puis Elgire, et maintenant Léane…

À l'évocation de son parrain, Fyae blêmit. Le message pour Léonte ! Il l'avait complètement oublié !

Il courut dans les couloirs à la recherche du grand maître, mais tous les Shiraniens s'étaient apparemment envolés.

Désespéré, Fyae appela :

« Il y a quelqu'un ? »

Les couloirs vides lui renvoyèrent l'écho de son cri.

Le garçon se tordit les mains. Quel idiot ! Jamais son parrain ne lui pardonnerait… à moins qu'il répare son erreur en trouvant Léonte et en lui transmettant le message d'Elgire.

Il s'élança dans les rues étroites de Dafidec. Il ne connaissait pas bien la ville, mais le clocher du temple, qui dominait les autres habitations, lui permettait de s'orienter.

Pourvu qu'il trouve rapidement Léonte ! Tout en courant dans la ville, Fyae songea amèrement qu'il était incapable d'accomplir le bon acte au bon moment et, par conséquent, il était voué à faillir à son devoir. C'était à se demander pourquoi la déesse l'avait marqué. Après tout, en dépit de sa bonne volonté, il accumulait les échecs ; il ne deviendrait jamais un homme. Pareil diagnostic, cependant, ne le surprenait guère ; c'était qu'il ait pu croire le contraire qui s'avérait plus préoccupant.

◆

Nyam était trop occupée à soigner son cœur en miettes pour prêter autre chose qu'une oreille distraite au conseil de guerre. Dès que ce dernier avait pris fin, elle s'était empressée de regagner sa cellule. Chaque fois qu'elle posait les yeux sur Fyae, un vide immense envahissait sa poitrine et les larmes affluaient, aussi avait-elle quitté les appartements de Léonte avant que son jumeau lui ait adressé la parole. Pourquoi lui avait-il dissimulé qu'il avait été marqué par une déesse païenne ? Pourquoi avait-il accepté de s'engager dans un noviciat qui le garderait loin d'elle ? Était-ce donc que Fyae cherchait à couper tous les liens avec elle ? C'était donc ainsi qu'il la remerciait pour toutes ces années où elle avait été sa fidèle et unique amie ? À présent, il avait de nouveaux compagnons aussi étranges que terrifiants, et il n'y avait plus de place dans son existence pour sa sœur.

À la peine succéda la sourde rancœur : puisque son frère était un ingrat, Nyam ne voulait plus lui parler ni même le consulter pour prendre des décisions ! Désormais, elle mènerait sa vie toute seule. Elle prouverait à Fyae qu'elle était capable de se passer de Fyae comme lui pouvait se passer d'elle.

Derrière la porte close de sa chambre, un bruit étouffé de pas se fit entendre. Fyae était-il de retour pour lui demander pardon ? L'espoir d'une éventuelle réconciliation dissipa la colère de la jeune fille. Elle se leva, entrouvrit le battant et aventura le bout de son nez à l'extérieur de sa chambre. Le corridor était désert.

Elle frissonna. Y avait-il des fantômes dans la maison-mère de l'Ordre ? L'endroit était si sinistre que cela ne l'aurait guère étonnée.

Dans le lointain, des cris furieux s'élevèrent, auxquels se joignirent des appels désespérés. Ce chœur lugubre glaça le sang de la jeune fille.

« Fyae ? »

Une main se plaqua brutalement sur sa bouche et une voix masculine intima :

« Silence ! »

Nyam devint aussi molle qu'une poupée de chiffon et son agresseur la pressa contre le mur.

Dans son énervement, la jeune fille peinait à distinguer les traits de son assaillant. Elle parvint néanmoins à déterminer qu'il était plus petit qu'elle et qu'il portait la longue tunique blanche et la courte épée des novices.

« Que faites-vous là ? » demanda sèchement l'homme en relâchant quelque peu sa prise.

Nyam balbutia :

« Je suis Nyam, la fille du duc de Rasg. Je vous en supplie, ne me faites pas de mal !

— Vous faire du mal ? répéta son interlocuteur d'un ton incrédule. Nous vous protégeons ! Les chevaliers sont partis combattre et ont confié aux novices la tâche de protéger la maison-mère. Nous restons cachés. Si jamais un Osje entre ici, il sera tué avant même de comprendre ce qui lui arrive. »

La maison-mère était protégée… par des novices, des jeunes qui ne maîtrisaient pas encore l'art de se battre ! Une telle sécurité était illusoire !

« Pourquoi avez-vous quitté votre cachette ? s'enquit Nyam, toujours peu rassurée.

— J'obéis aux ordres de notre grand maître. Sitôt la brunante arrivée, je dois courir au palais porter une missive. »

Le palais ! La dernière place sûre de toute l'Hudres ! Nyam y serait allée bien avant, mais elle n'avait pas eu le courage de s'y rendre sans Fyae. Or, si son jumeau s'était présenté à deux reprises au palais, il n'avait pu emmener Nyam. Maintenant que cette dernière avait pris la décision de se débrouiller sans lui, elle était déterminée à gagner le palais par ses propres moyens… c'est-à-dire escortée de quelqu'un d'autre que Fyae. Elle n'aimait pas l'idée de suivre un novice, mais c'était soit un bref séjour avec lui, soit l'attente de la mort dans la maison-mère, soit la traversée en solitaire de la ville envahie par les barbares. Entre trois maux, Nyam choisit le moindre.

« Je viens avec vous. »

Le novice eut un mouvement de recul.

« Une demoiselle, dans les rues grouillantes d'Osjes déchaînés ? »

Les épaules de Nyam s'affaissèrent, mais la pénombre du couloir joua en sa faveur, car le novice interpréta sa manifestation de terreur comme une moue de mécontentement. Il jugea qu'il s'était montré grossier et tâcha de réparer son erreur.

« Vous êtes certaine que c'est bien là ce que vous désirez, ma dame ? » reprit-il.

La jeune fille esquissa un hochement de tête hésitant.

« La reine aura besoin de toutes les dames de compagnie pour la réconforter en ces heures sombres », dit-elle en se remémorant les arguments qu'elle entendait utiliser pour convaincre Lyntas de la prendre sous sa protection.

Le novice fut impressionné par la noblesse du propos.

« Alors je vous protégerai de mon bras vaillant, gente dame. »

Nyam fut séduite : elle avait un chevalier servant, comme dans les récits d'aventures qu'elle dévorait, à Rasg !

« Quel est votre nom ? demanda-t-elle.

— Seres, ma dame », répondit l'intéressé.

Le nom du novice révéla ses origines modestes – le suffixe « s », en Hudres, étant ajouté aux prénoms des paysans pour les distinguer de ceux de la noblesse. Comme Seres venait de le prouver, ce n'était pas parce qu'il était né paysan qu'il n'avait aucune manière. Galamment, il offrit son bras à la jeune fille. Cette dernière l'accepta avec plus de chaleur que la bienséance ne l'aurait toléré, si grand était son besoin d'être réconfortée.

◆

Les forces de l'Ordre des chevaliers de Shirana avaient été divisées en trois troupes. Leurs instructions étaient simples : elles devraient frapper vite afin de profiter de l'effet de surprise. À quatre cents contre trois mille, les chances de victoire étaient quasi inexistantes, et les deux seuls avantages des Shiraniens résidaient dans le fait qu'ils étaient à cheval, alors que les Osjes étaient à pied et que, du haut des maisons ceinturant la grand-place, ils étaient en position de cribler les Osjes de flèches… bien qu'ils n'aient pas suffisamment de munitions pour que l'averse dure très longtemps. L'intention avouée de Léonte n'était pas de vaincre la puissance osje, mais de l'affaiblir suffisamment pour que les soldats de l'armée royale – ou plutôt ce qu'il en restait ! – n'aient plus qu'à l'achever. L'armée royale récolterait les honneurs, Lyntas serait satisfaite et les légions damasiennes n'auraient plus de raison valable de pénétrer en Hudres.

Si tout se déroulait comme prévu.

Dans les stratégies élaborées de toute urgence, le hasard avait une si grande marge de manœuvre que Dansec préférait ne pas penser à tous les imprévus qui pouvaient surgir.

Pour l'instant, néanmoins, aucun obstacle n'avait entravé l'exécution de leur plan. Discrètement, ils avaient disséminé les Shiraniens dans les habitations autour de la grand-place et casé les chevaux dans les arrière-cours de celles-ci. Les citadins avaient à peine protesté lorsque les chevaliers avaient réquisitionné leur logis, car en échange de celui-ci, les Shiraniens leur offraient protection dans leur maison-mère. Trop heureux de troquer leur habitation exposée contre une place forte, les Hudresiens s'étaient empressés de gagner, sous la protection de quelques chevaliers, leur nouveau refuge.

Pour celer leur présence aux Osjes et garantir une surprise totale, les chevaliers avaient dû éliminer les rares barbares qui avaient croisé leur route, le gros du contingent toujours affairé au nord de Dafidec. Les Shiraniens dissimulés avaient ensuite attendu que quelques Osjes rôdent à proximité de la place. Quand deux barbares s'étaient présentés, Léane avait traversé la place escortée d'une vingtaine de chevaliers, puis avait pénétré dans le temple. Les Shiraniens avaient patienté quelques instants sur le parvis, afin de dissuader les deux Osjes d'attaquer à eux seuls la reine. Quand les barbares avaient filé prévenir leurs compatriotes, les chevaliers avaient quitté le temple pour aller rejoindre leurs compagnons. Léane avait été catégorique : elle ne voulait pas de protection lorsqu'il faudrait donner l'assaut, de sorte que les chevaliers, même si l'idée ne leur souriait guère, avaient abandonné la prêtresse à elle-même.

À présent, il n'y avait plus qu'à attendre que la confirmation de la présence de Lyntas au temple se répande parmi les rangs osjes.

Du deuxième étage d'une maison donnant sur le temple, Dansec pouvait embrasser d'un coup d'œil la grand-place, mais il n'avait d'yeux que pour les portes rectangulaires de bois massif scellant l'entrée du temple. Léane s'y terrait, dissimulée par l'ombre des arches de pierre. Tout reposait sur ses épaules, car son apparition signalerait aux Shiraniens que le moment était venu de foncer sur les Osjes. Pourvu qu'il ne lui arrive rien…

Quand Dansec avait lu la résolution dans ses yeux turquoise, il n'avait pas prononcé un mot, même si sa langue acerbe le démangeait. Il regrettait pour une des rares fois de son existence de s'être tu. Quelques pointes auraient peut-être dissuadé Léane de courir à sa perte… À présent, il était trop tard. En fait, il avait déjà été trop tard au moment où les Osjes avaient défoncé les portes de Dafidec. Les stratégies élaborées de toute urgence ne laissaient place à aucune solution de rechange. Il fallait se contenter de prier qu'elles fonctionnent.

C'est d'ailleurs ce que faisait Dansec de tout son cœur quand un homme vêtu de peaux de bêtes apparut sur la grand-place.

◆

L'attente.

Léonte se tenait au premier étage d'une résidence donnant sur le côté du temple. Derrière lui, ses hommes retenaient leur souffle, tout à l'anxiété des instants précédant le combat. Comme eux, le grand maître avait les muscles tendus, le souffle court, les sens à l'affût et, comme eux, il sentait la nervosité lui nouer les entrailles. Mais bientôt, la Dualité prendrait de nouveau possession de son être et en succombant à sa fiévreuse soif de sang, il ne serait plus comme ses hommes, il ne serait pratiquement plus un homme. Tel était son destin, telle était sa nature.

Pourquoi sa paupière gauche tressaillait-elle, alors qu'il se soumettait à la volonté des dieux?

Un mouvement furtif, sous l'arche de l'entrée principale du temple, attira son attention. Il aperçut l'ourlet d'une robe: Léane, la seule femme qui pouvait comprendre le trouble qui assaillait les combattants pendant l'attente. Elle avait suffisamment pris part aux campagnes de Magne pour éprouver, elle aussi, cette angoisse.

En fait, c'était Léonte qui ne pouvait comprendre ce que Léane ressentait. Elle serait la première tuée si le plan échouait… et probablement aussi si le plan fonctionnait. Le grand maître était conscient de cette conséquence, mais il avait été incapable de dissuader Léane : celle-ci avait réduit à néant ses arguments en parlant du « devoir ». À ce moment, Léonte aurait pu la laisser aller vers son destin la conscience tranquille, mais il avait fallu que la jeune femme lui glisse à l'oreille, avant de gravir les marches du temple :

« Pour toi, et pour l'Hudres. »

Trop abasourdi pour répondre, Léonte était resté cloué sur place à la regarder s'éloigner, jusqu'à ce que les chevaliers shiraniens manifestent des signes d'impatience. Il s'était alors détourné d'elle, comme il l'avait fait si souvent par le passé, et l'avait abandonnée seule avec ses responsabilités pour s'occuper des siennes.

Là où était le devoir, l'amour n'avait pas sa place.

Alors, d'où venait ce trouble qui agitait sa paupière gauche ?

Léonte secoua la tête pour se ressaisir. Léane était la seule femme capable de percer sa froideur d'homme de devoir et d'atteindre l'être dégoûté par ses actes. Sans doute était-ce pour cela qu'il l'avait toujours repoussée. Il redoutait le regard de la grande prêtresse, qui lisait à travers ses barrières aussi aisément que si elles avaient été transparentes.

Tiames n'avait pas ce talent, Tiames ne lui posait pas de questions.

Tiames ignorait tout de lui. Tiames s'était mariée à un homme qui n'était pas Léonte. Au moment où ce dernier avait choisi de nouveau le « devoir », l'homme que Tiames avait connu était mort.

Et celui qui avait aimé Léane était de retour.

Et Léane risquait la mort.

Pour lui. Et pour l'Hudres.

L'apparition d'une nouvelle silhouette interrompit les réflexions de Léonte : devant le temple, sur la grand-place, un premier barbare faisait son apparition, l'épée au clair et le pas incertain.

◆

Dans les rues désertes de Dafidec, Fyae courait aussi vite que sa blessure à la cuisse le lui permettait. Il sentait les regards terrifiés que les citoyens terrés derrière leurs fenêtres lui jetaient. Ils s'imaginaient probablement que le garçon fuyait les Osjes, alors qu'au contraire il se précipitait droit sur eux.

Il atteignit finalement le temple, face à la grand-place. La paroi faite de pierres de la couleur des blés séchés se dressait devant lui.

La mission du garçon se heurta aussitôt à un obstacle majeur : Léonte n'était nulle part en vue. En fait, la seule âme en vue était un Osje solitaire qui se tenait au pied des marches du temple. Or, le garçon n'avait aucune envie d'en découdre avec un barbare. Il devait se cacher avant que l'Osje ne le repère ou, mieux encore, trouver les Shiraniens pour qu'ils le protègent.

Fyae promena un œil désemparé sur les alentours.

Un appel discret retentit :

« Fyae ! »

Des yeux, le garçon chercha à repérer qui l'appelait ainsi.

« Par ici ! »

Après un regard furtif en direction du barbare, qui était trop loin pour entendre, Fyae se dirigea vers la voix jaillie de la fenêtre d'une maison.

Quelques instants plus tard, il pénétrait dans la pièce où se trouvait Léonte, vêtu d'une cotte de mailles et entouré de plusieurs chevaliers. La tension qui régnait dans l'endroit était palpable : les hommes jouaient nerveusement avec les sangles de leurs armures. Des bruits sourds en provenance du deuxième étage descendaient jusqu'à eux, signe que les chevaliers chargés de cribler les Osjes de flèches étaient en train de terminer leurs préparatifs.

« Que fais-tu là ? » demanda froidement le grand maître.

Fyae balbutia en rougissant :

« Mon… mon parrain vous… vous attend dans l'aile désaffectée du palais.

— Ton parrain m'attend en ce moment ? »

Fyae acquiesça sans oser lever le regard vers Léonte.

« Et il y a longtemps qu'il t'a envoyé à moi ? »

Le teint du garçon vira au cramoisi, ce qui constituait une réponse éloquente en soi.

Léonte jura avant de demander d'un ton lourd de reproches :

« Tu ne l'as pas prévenu de notre plan ?

— Je suis venu ici pour vous livrer son message », dit Fyae d'un ton pitoyable.

L'exclamation d'un des chevaliers coupa court au supplice du garçon.

« Maître Léonte ! Regardez ! »

L'interpellé se tourna vers la fenêtre, aperçut une silhouette longue et maigre qui longeait les façades des maisons en direction de l'arrière du temple.

« Comme si j'avais besoin de ça maintenant ! cracha Léonte entre ses dents. Cet imbécile va se faire tuer !

— Qu'y a-t-il ? s'enquit un de ses hommes.

— Cet idiot de Vilsin vient d'entrer dans le temple. Visiblement, il ignore que sous peu l'endroit va grouiller d'Osjes !

— Voulez-vous que j'aille le chercher ? » proposa un Shiranien.

Léonte poussa un soupir qui en disait long sur son état d'esprit et jeta un coup d'œil à Fyae, qui fit craintivement un pas en arrière. « Non, Alfre, dit le grand maître. Il serait bien capable de refuser de te suivre. Tu serais obligé de le malmener, il attirerait sur toi la malédiction de Shir, et je te trouve un peu jeune pour être maudit du dieu mâle. Je m'en occupe. Toi, tu viens avec moi. Puisque tu sembles toujours commettre des bêtises quand tu es laissé à toi-même, tu ne me quittes plus d'une semelle. »

Sur ce, Léonte sortit de la maison, Fyae marcha derrière lui, la tête baissée sous le poids du regret. Ensemble, ils remontèrent la ruelle en tournant le dos à la grand-place.

« Je croyais que nous allions au temple ! s'étonna le garçon.

— Nous y allons, mais nous nous faufilerons par une autre entrée, expliqua Léonte. Je ne tiens pas à ce que l'Osje nous aperçoive. En tant que serviteur de la Dualité, je dois protéger un grand prêtre de Shir, fût-il Damasien, mais je ne ruinerai pas notre effet de surprise pour lui. »

Dans les stratégies élaborées de toute urgence, le hasard avait une si grande marge de manœuvre qu'il suffisait d'un imprévu pour tout gâcher…

CHAPITRE 14

Nyam et Seres rencontrèrent bien peu d'Osjes dans leur course vers le palais royal et, chaque fois, ils réussirent à ne pas se faire voir et à éviter l'affrontement.

Arrivés à proximité de leur destination, les deux jeunes gens contemplèrent la population qui s'était massée devant la muraille séparant le palais du reste de Dafidec. Nyam eut un mouvement de recul, mais Seres la prit par la main et, d'un pas décidé, il entreprit de jouer des coudes et de se frayer un chemin jusqu'à la porte. En le suivant, la jeune fille jetait craintivement des coups d'œil à droite et à gauche, recevant en retour des regards pour le moins hostiles. Mais les habitants n'osèrent pas s'attaquer à eux, car ils craignaient sans doute les représailles de l'Ordre des chevaliers de Shirana, s'il apprenait qu'un de ses novices avait été molesté, ou, plus directement, celles des sentinelles postées sur la muraille.

Nyam et Seres atteignirent donc la porte de l'enceinte royale sans encombre.

«Que veux-tu? lança un garde au jeune novice.

—J'ai un message pour la reine de la part du grand maître de l'Ordre des Shiraniens!

—Et elle? reprit son interlocuteur en montrant Nyam de sa lance.

— C'est une dame de la noblesse», dit le novice.

La sentinelle consulta brièvement ses confrères, puis les battants massifs pivotèrent. Des gardes quittèrent aussitôt l'enceinte du palais pour repousser les habitants qui auraient eu l'audace de suivre les jeunes visiteurs alors qu'ils pénétraient dans la cour intérieure. Sitôt fait, les gardes retraitèrent rapidement puis s'empressèrent de refermer les portes sans se soucier des cris de protestation des pauvres hères restés derrière.

Après avoir fouillé Seres et Nyam, les soldats les autorisèrent enfin à pénétrer dans le palais.

« À cette heure, la reine doit être dans la salle d'audience, dit l'un des hommes. Demandez à un serviteur, il se chargera de vous y mener.»

Les jeunes gens hochèrent la tête et se hâtèrent de gravir les marches. Puis, ils s'enfoncèrent dans les corridors déjà plongés dans la pénombre de l'imposant édifice. Nyam avait du mal à voir devant elle et elle éprouva de la reconnaissance envers son compagnon, qui la tenait toujours par la main pour éviter qu'elle s'égare. Mais le jeune novice n'y voyait guère mieux puisqu'il buta soudain contre un obstacle et, dans sa chute, il entraîna la jeune fille avec lui.

Ils demeurèrent allongés sur le plancher de pierre pendant quelques instants, puis Seres tenta de se relever. Nyam, qui était tombée par-dessus lui, s'écarta. Le novice se remit debout et la dévisagea d'un regard intense qui fit rougir la jeune fille jusqu'à la racine des cheveux. Seres se détourna, un sourire timide aux lèvres, et examina la cause de sa chute.

«Regardez, ma dame!» lança-t-il aussitôt.

Tout d'abord, Nyam crut qu'il s'agissait d'un tas d'étoffes, puis son œil se posa sur le manche brillant d'un poignard, planté en son milieu et entouré d'un cerne sombre.

Horrifiée, elle plaqua une main sur sa bouche et recula.

Seres continuait à examiner le cadavre et réfléchissait à voix haute :

« Je me demande de qui il s'agit… Il ne devait pas être très apprécié pour être assassiné de la sorte… Et son assassin doit être fier de son crime, pour laisser traîner le cadavre au beau milieu d'un couloir !

— Laissons-le où il est et courons trouver la reine ! » supplia Nyam.

Elle avait vu suffisamment de cadavres depuis qu'elle avait quitté la demeure paternelle : des femmes, des enfants et des hommes calcinés, un Osje transpercé d'une flèche et, à présent, un vieillard, à en juger par la crinière blanche du mort, une crinière qui…

« Seres, il faut le retourner ! » s'écria-t-elle.

Son compagnon la dévisagea avec une expression étonnée.

« Vous êtes certaine, ma dame ? »

La jeune fille hocha énergiquement la tête et Seres s'exécuta. En frappant le dallage de pierre, le manche de la dague produisit un tintement métallique, qui fut cependant totalement couvert par le cri de Nyam :

« Oncle Elgire ! »

Elle s'effondra en larmes sur la poitrine du duc de Sargus.

Troublé, Seres croisa les bras. Sa main sentit le parchemin qu'il avait passé à sa ceinture et il se rappela que l'heure passait et que sa mission n'en devenait que plus urgente.

« Il faut vous ressaisir, ma dame, dit-il d'une voix pressante, et gagner la salle d'audience. L'endroit n'est pas sûr, le meurtrier rôde peut-être encore dans les parages… »

Nyam tourna vers lui un visage baigné de larmes, puis son regard revint vers son parrain, puis de nouveau à Seres. Finalement, elle se releva et emboîta docilement le pas à son compagnon.

Contrairement à sa filleule, Elgire n'avait plus besoin de se mettre en sécurité.

◆

Un seul Osje s'était présenté sur la grand-place !

Léane n'en croyait pas ses yeux. Pourtant, des chevaliers s'étaient assurés d'être entendus par les barbares alors qu'ils évoquaient la visite de Lyntas au temple et des éclaireurs l'avaient bel et bien aperçue alors qu'elle y pénétrait. Avait-elle, avec ses compagnons, surestimé l'intérêt que les Osjes portaient à la reine ?

Dans la lumière déclinante, le barbare rôdait au pied des marches, hésitant à s'y engager. Léane envisagea de quitter subrepticement l'ombre des grandes portes sous la flèche massive du temple avant qu'il ne l'aperçoive, mais ce mouvement risquait d'être interprété comme le signal convenu. Les Shiraniens sortiraient aussitôt de leur cachette, élimineraient cet individu nuisible et… et ils rentreraient tous la tête basse à la maison-mère où ils passeraient la nuit à échafauder un nouveau plan ?

Elle tergiversait toujours sur la conduite qu'elle devait adopter quand son attention fut attirée par un changement dans la rumeur de la ville. Par-dessus les cris et les bruits d'incendie qui provenaient toujours du nord de Dafidec, il y avait comme une vibration de l'air… Quelques secondes s'écoulèrent, incertaines, puis elle entendit le bruit de pas qui s'approchaient, de milliers de pas et, soudain, venant d'une ruelle, un éclat métallique… Une épée ? D'autres secondes s'égrenèrent et ce furent des centaines de points argentés qui scintillèrent entre les maisons de Dafidec. Les premiers Osjes arrivaient sur la grand-place. Ils avançaient à pas prudents, tels des loups ayant flairé le piège, mais irrésistiblement attirés par l'appât. Leurs vêtements faits de peaux et de crânes de bêtes accentuaient la ressemblance, de sorte que les barbares ne paraissaient qu'à moitié humains.

Dans l'embrasure des portes, Léane retint son souffle. Le piège marchait, les Osjes étaient déjà nombreux et il en affluait toujours davantage !

Quant à l'Osje solitaire, il s'était désintéressé du parvis et regardait ses semblables arriver. Il paraissait indécis : devait-il assaillir le temple seul ou attendre ses pairs ?

Léane supplia Shirana que l'Osje ne s'engage pas tout de suite sur les marches du temple. Il était encore trop tôt pour lancer l'attaque shiranienne ! Léonte avait été catégorique : il fallait attendre qu'une majorité d'Osjes ait gagné la grand-place avant de se montrer, sinon ce seraient les Shiraniens qui se retrouveraient prisonniers de la horde au lieu de l'encercler.

Hélas ! Shirana ignora la prière de sa grande prêtresse. Alors qu'affluait toujours la horde barbare, l'Osje gravit la première marche tout en jetant un nouveau regard hésitant vers ses compatriotes.

Léane se blottit contre la pierre. Il fallait qu'elle reste invisible le plus longtemps possible.

L'Osje continua sa progression, atteignit le parvis.

Léane se mordit les lèvres. Les barbares affluaient encore et encore alors que la grand-place était quasi bondée ! Oui, leur plan fonctionnait, et même trop : peut-être avaient-ils commis une autre erreur, celle de sous-estimer l'intérêt que les Osjes portaient à la reine !

◆

La petite chapelle qui abritait l'autel de Shir était déserte. Léonte la traversa, Fyae derrière lui, et entra dans le temple. Il balaya l'endroit du regard et n'aperçut aucune trace de Vilsin. Il se tourna vers Fyae. Ce dernier gardait les yeux fixés sur le bout de ses bottes. Léonte lui demanda tout en avançant dans l'allée et en scrutant les lieux :

« Tu n'as aucune idée de la raison pour laquelle ton parrain tenait à me rencontrer ? »

Fyae secoua la tête.

« Il n'a rien voulu me dire. Tout ce que je sais, c'est qu'il était en proie à une grande agitation. »

Le grand maître soupira.

« Bon. Vilsin n'est nulle part en vue. Hâtons-nous. Peut-être parviendrons-nous à rejoindre les nôtres avant qu'ils passent à l'attaque. »

Il revenait sur ses pas quand il entendit distinctement un tintement métallique résonner derrière lui dans l'espace majestueux. Il foudroya Fyae du regard.

Le garçon rentra précipitamment la tête dans les épaules, mais écarta les paumes en signe d'innocence.

Léonte posa un doigt sur ses lèvres. Fyae resta immobile.

Le bruit s'éleva de nouveau. Vif comme l'éclair, Léonte s'élança silencieusement vers sa provenance en faisant signe à Fyae de le suivre. Le garçon se rangea derrière lui et dégaina sa courte lame. Léonte lui jeta un coup d'œil surpris, puis approuva d'un hochement de tête.

Le bruit se répéta et les attira en haut d'un long escalier en colimaçon menant manifestement aux appartements de l'officiant. Le battant de ces derniers était entrouvert. Le grand maître se faufila par l'ouverture, Fyae sur les talons.

À l'entrée des deux hommes, Vilsin se détourna des tiroirs qu'il vidait et fixa les intrus d'un œil affolé.

Léonte dégaina son épée et s'appuya sur le pommeau.

« Alors, Vilsin, les rats quittent le navire ? »

Le grand prêtre ne se soucia pas de dissimuler son sac. Au contraire, il referma ce dernier posément et Fyae eut le temps d'apercevoir l'éclat de l'or.

«Dafidec ne survivra pas à l'assaut des Osjes, prédit le Damasien. Tant qu'à savoir l'or des pauvres et les objets du culte entre leurs sales pattes, j'aime mieux m'en emparer. Les Osjes n'auraient aucun respect pour les biens du dieu mâle! Ils seront plus à leur place en Damasie!»

Avec son maigre corps dressé, il évoquait un reptile prêt à mordre.

«Les Hudresiens pratiquent la religion comme il se doit. Ces objets et cet or leur appartiennent, dit froidement Léonte.

— Je suis mieux placé que vous pour juger des pratiques d'autrui, commenta Vilsin. Aussi, je vais rapporter ce trésor chez moi.»

Il jeta son sac en travers de son épaule. Il vacilla sous la lourde charge, mais il serra les dents et tâcha de contourner Léonte.

Ce dernier l'arrêta en posant la main sur le sac et en pesant sur celui-ci de tout son poids. Les genoux de Vilsin tremblèrent et il grimaça de douleur.

«Les objets du culte appartiennent à l'Hudres, et l'or aux pauvres, répéta Léonte en articulant soigneusement chaque mot. Retournez chez vous, Vilsin. Je ne vous retiendrai pas. Toutefois, ce qui appartient au culte de Shir demeurera ici.

— Je ne crois pas! siffla le grand prêtre, les traits crispés par l'effort et la souffrance.

— Oh si, vous dis-je, Vilsin. D'ailleurs, je vous vois bien lourdement chargé, permettez donc que je vous aide.»

Il arracha le sac des mains du grand prêtre. Ce dernier, en se retrouvant brutalement soulagé du poids qui l'écrasait, tomba à quatre pattes.

Léonte posa le sac hors de la portée du grand prêtre et se tourna vers lui.

« La reine sera très heureuse d'apprendre que son grand prêtre a tenté de dépouiller son temple », commenta-t-il.

Vilsin se releva et dit sèchement :

« La reine a d'autres préoccupations en ce moment et celles-ci devraient être les vôtres. N'avez-vous pas une armée osje à terrasser ?

— C'est maintenant que vous vous en souvenez ? répliqua Léonte. Il est un peu tard. Vous auriez dû rester au palais, Vilsin. Toutefois, comme vous êtes ici, je vous somme de me suivre.

— Vous pensez vraiment pouvoir me donner des ordres ? » s'enquit son interlocuteur d'un ton incrédule.

Un mouvement par la fenêtre de la chambre attira brièvement l'œil du grand maître à l'extérieur du temple. Quand il se posa à nouveau sur Vilsin, il brillait d'un calme inhumain.

« Je sais que vous ne m'obéirez pas, répondit Léonte. Aussi vais-je vous faire plaisir en me pliant à votre volonté. »

Il se tourna vers Fyae.

« Fyae, ordonna-t-il, tu fais le guet devant cette porte. Vilsin ne doit quitter le temple sous aucun prétexte. Les Osjes vont le massacrer s'il a le malheur de se montrer. Compris ? »

Fyae hocha péniblement la tête ; cette nouvelle responsabilité ne lui souriait pas du tout. Léonte aurait aussi bien pu les condamner à mort, Vilsin et lui, pensa-t-il en contemplant sa courte lame. Pareille aiguille se révélerait dérisoire si un seul Osje réussissait à se rendre jusqu'ici.

Léonte quitta les appartements de l'officiant et Fyae lui emboîta le pas. Puis le grand maître verrouilla la porte à double tour avant de dévaler les marches de pierre et de courir rejoindre ses hommes. Avant de disparaître dans l'escalier, il rappela au garçon :

« Surtout, n'oublie pas que tu dois veiller sur lui !

— Je croyais que nous devions le ramener avec nous ! cria Fyae.

— Il est trop tard ! Les Osjes sont là ! Si vous sortez, vous serez massacrés ! »

Les échos de la voix de Léonte moururent. Fyae se retrouvait seul, dans un temple isolé au cœur d'une mer d'Osjes.

En fait, pas totalement seul : Vilsin, enfermé à l'intérieur de la chambre, s'était aussitôt rué sur le battant et il le martelait maintenant comme un forcené tout en crachant un nombre incalculable d'insultes.

Fyae s'assit pesamment dans les marches. La seule chose qui pouvait le sauver, à présent, était un miracle. Et comme il se trouvait dans l'endroit idéal pour en commander un, il tâcha d'ignorer les menaces que lançait le grand prêtre à travers la porte et se mit à prier la Dualité d'accorder la victoire aux Shiraniens.

◆

Les Namarres scrutaient la ville du haut des murs de leur quartier. Ils entendaient les cris de l'ennemi mais, à leur grande frustration, ils ne parvenaient pas à le voir. Les maisons qui les entouraient étaient trop élevées, les espaces entre elles trop restreints. Les hommes du sud attendaient donc impatiemment que les barbares se frottent aux murs de leur quartier. Cependant, le soleil se couchait et l'ennemi n'avait toujours pas donné signe de vie. Peut-être, se dirent les sentinelles en haussant les épaules, qu'il faudrait attendre au lendemain pour pouvoir verser le sang des hérétiques à la gloire de Shir.

« Toujours rien à signaler ? » leur lança soudain le chef du quartier, qui venait de monter encore une fois à leur niveau.

Les sentinelles secouèrent la tête.

Le Namarre fit la moue. Il aurait dû accepter l'offre des deux Shiraniens. Ainsi, les siens auraient pu prendre part à la bataille au lieu de se morfondre dans leur quartier. Songeur, il tourna son regard vers le temple de Shir qui se découpait au loin sur le ciel de plus en plus sombre. Quel gaspillage que la maison du dieu mâle soit laissée aux mains de croyants apocryphes !

Soudain, son œil acéré crut percevoir quelque chose sur le minuscule bout de la grand-place qu'on pouvait apercevoir du haut des murs du quartier namarre. Plissant les paupières, il réussit à distinguer nombre de silhouettes vêtues de peaux de bêtes qui, selon toute vraisemblance, s'approchaient de la demeure du dieu.

Son sang ne fit qu'un tour.

« Préparez-vous ! lança-t-il à ses hommes. Nous allons faire une sortie ! Les infidèles attaquent le temple de Shir ! »

Les sentinelles échangèrent un coup d'œil enthousiaste et s'empressèrent de transmettre les ordres de leur chef dans tout le quartier.

Enfin, les Namarres allaient combattre les hérétiques ! Tandis que le bruit des préparatifs de ses hommes montait, le chef du quartier griffait la pierre des remparts de ses longs ongles. L'outrage fait au dieu ne resterait pas impuni. Puisque les Hudresiens étaient trop lâches pour défendre Shir, les Namarres leur montreraient ce que signifiait combattre et mourir pour la gloire de son dieu.

◆

De ses longs doigts, Dansec pianotait nerveusement sur la poignée de son épée. Il y avait suffisamment d'Osjes sur la grand-place pour donner l'assaut, mais Léane n'avait toujours pas bougé.

Et voilà que l'espèce d'éclaireur osje arpentait le parvis en scrutant ses coins d'ombre. Qu'attendait donc Léane ? Que le barbare la transperce de son épée ? Pourtant, la grande prêtresse savait que, pour être secourue par les Shiraniens, elle devait se montrer !

« Allez, couarde, montre-toi ! » siffla le baron de Palsius entre ses dents serrées.

N'y tenant plus, il jura et se donna l'ordre de compter jusqu'à dix. Si Léane ne s'était pas montrée avant la fin de son décompte, il lancerait l'attaque.

Un.

Tout en égrenant le plus lentement qu'il le pouvait les chiffres, il ne put s'empêcher de se tancer. Quel naïf irrécupérable il faisait ! Jadis, sur la plaine d'Alvers, il avait cru que Léane l'aimait et il s'était, pour la seule et unique fois de sa vie, offert sans la protection de sa langue acérée. En retour, la grande prêtresse avait réduit en miettes son cœur mis à nu. Dansec avait appris la leçon et jamais plus il n'avait aimé.

Cinq.

Et voilà qu'il avait oublié de se méfier de la seule femme capable de lui faire du mal ; pourquoi avait-il accepté que tout le plan repose sur les épaules de Léane ? Lui qui se targuait d'être intelligent !

Sept.

Tant pis pour elle ! Qu'elle meure ! De toute façon, l'Osje était maintenant si près de sa cachette que ce n'était plus qu'une question de secondes avant qu'il ne tombe sur elle et lui passe son épée à travers le corps.

Huit.

◆

Seule dans la salle du conseil, Lyntas regardait, avec une expression préoccupée, par l'une des fenêtres une partie de la ville assiégée. Elle connaissait suffisamment

Dansec et Léonte pour redouter quelque plan téméraire de leur part. Or, elle ne voulait rien tenter contre
les Osjes. Elle désirait simplement soutenir le siège
de Dafidec dans la sécurité des murs de son palais.
Ce dernier tiendrait bon jusqu'à ce que les légions
arrivent de la Damasie. Du moins, la reine s'arrangeait-
elle pour qu'il résiste : depuis la chute du mur ouest,
elle avait interdit aux soldats de s'aventurer dans la
ville, interdit aussi de laisser entrer qui que ce soit
dans l'enceinte royale, à l'exception des messagers.

Toutefois, en dépit de sa prudence, elle tremblait à
l'idée que les anciens conseillers de son mari ruinent
ses projets.

Prier aurait certainement soulagé son esprit, mais
Vilsin demeurait introuvable.

« Un messager demande à voir la reine ! » annonça
un garde.

Lyntas se détourna de la fenêtre tout en notant
qu'un silence de mauvais augure régnait depuis
quelques instants sur Dafidec.

Le soldat s'écarta.

Deux jeunes gens pénétrèrent dans la salle du
trône. Le premier portait la robe blanche des novices
shiraniens. Petit, trapu, il avait des bras courts qui se ter-
minaient par des mains puissantes, des traits grossiers,
un petit nez rond et de grands yeux bruns dans lesquels
retombait une chevelure noire et frisottée, bref, il
avait tout du paysan. Par contre, la deuxième personne,
malgré sa robe froissée, sa chevelure en bataille, son
teint brouillé et ses yeux rougis par les larmes, ap-
partenait indéniablement à la noblesse hudresienne.
La finesse des traits et la couleur des cheveux de la
jeune fille rappelèrent soudain à Lyntas l'épouse
défunte du duc de Rasg. Or, le vieux Sterne n'avait-il
pas une fille de cet âge ?

« Présentez-vous, messager ! ordonna la reine.

— Je me nomme Seres et j'ai un message pour la reine de la part du grand maître Léonte de l'Ordre des chevaliers de Shirana, ma reine », débita le jeune novice.

Lyntas fixa son regard intense sur le messager. Ce dernier rougit, détourna les yeux et tendit à la reine le parchemin qu'il portait. Puis il recula en esquissant une révérence maladroite.

« Vous ne pouvez quitter l'enceinte du palais, alors retirez-vous aux cuisines, déclara la reine d'une voix distraite. On vous y servira à manger. »

Elle fixait le sceau de Léonte comme s'il allait lui sauter au visage. Elle devinait qu'en parcourant le parchemin, elle verrait ses inquiétudes confirmées. Le grand maître avait été incapable de demeurer inactif.

Elle sentit qu'elle était observée. Elle détacha les yeux du parchemin encore scellé et découvrit que les deux jeunes gens se tenaient toujours devant elle.

« Vous n'êtes pas encore partis ? s'étonna-t-elle d'un ton agacé.

— C'est que, ma reine… » commença le garçon en virant au cramoisi.

Il déglutit avant de continuer :

« Dans un couloir près de cette salle, ma reine, gît le duc Elgire de Sargus. Il… il… »

Des larmes jaillirent des yeux de sa compagne.

Le novice termina rapidement :

« Il a été poignardé. Dans le dos. »

La reine inspira profondément. Elle ne portait pas le vieux Elgire dans son cœur, mais l'idée qu'il ait été assassiné la choquait profondément. Après tout, le meurtrier aurait pu attendre que le temps fasse simplement son œuvre !

Vilsin disparaissait, Elgire mourait…

Les deux incidents étaient trop importants pour ne pas être liés. Vilsin ? Il ne reculerait pas devant le meurtre pour arriver à ses fins et il n'aimait guère le duc de Sargus.

Les deux jeunes gens ne faisaient toujours pas mine de se retirer.

Lyntas fronça un sourcil agacé.

«Y a-t-il autre chose? interrogea-t-elle.

— C'est que, balbutia le novice, je dois transmettre votre réponse au grand maître, ma reine.»

Excédée, Lyntas brisa le sceau d'un geste impatient et parcourut le message des yeux.

En découvrant le plan élaboré par le grand maître des Shiraniens, elle blêmit de rage. Léonte avait perdu la raison! Non content de lui désobéir, il osait utiliser la sainte demeure de Shir pour tendre une embuscade! En outre, comme si les outrages à l'endroit de la couronne et du dieu n'étaient pas suffisants, Léonte avait l'insolence de conclure:

Pour le salut de l'Hudres, je vous prierais d'envoyer votre armée attaquer au moment où vous recevrez la missive. Le palais sera sans défense, mais si notre plan fonctionne, vos soldats n'auront plus qu'à achever les Osjes restants, trop affaiblis pour offrir quelque résistance.

Il voulait donc l'abandonner à la merci du premier Osje venu! Lyntas voyait clair dans son jeu et elle ne se laisserait pas faire aussi aisément. Elle n'accéderait pas à la demande du grand maître. Ce seraient les Shiraniens qui seraient massacrés par les Osjes, pas elle!

Elle s'adressa au soldat qui avait introduit les deux jeunes gens:

«Ne les menez pas à la cuisine. Jetez-les plutôt au cachot et faites-leur descendre de quoi manger.»

Le novice protesta:

«Mais je dois donner votre réponse au grand maître! Il l'attend!

— Alors qu'il attende ! » trancha Lyntas.

Sur ce, elle leur tourna le dos. L'entretien était terminé. Elle ne vit donc pas les mines catastrophées de Seres, qui n'arrivait pas à croire ce qu'il venait d'entendre, et de Nyam, abasourdie d'avoir été totalement ignorée par la reine. La jeune fille ouvrit la bouche pour dire quelque chose, mais déjà le garde les avait poussés, elle et son compagnon, à l'extérieur de la pièce, et la porte se refermait.

Tout compte fait, songeait la reine, l'acte qu'elle avait craint servirait ses propres fins : Léonte et Léane iraient droit à la mort, sans oublier Dansec, leur chien fidèle. À cette pensée, elle frissonna de satisfaction. Enfin, après toutes ces années, elle serait vengée du Darsonien, le seul homme à l'avoir humiliée et à être encore en vie... L'autre, son époux, était mort.

Shir offrait toujours l'occasion de se venger. Il suffisait d'être assez vigilant pour la saisir lorsqu'elle se présentait.

Et Lyntas était devenue experte en la matière.

CHAPITRE 15

Le cœur de Léane s'arrêta de battre pendant quelques instants lorsqu'elle aperçut le visage du barbare qui arpentait le parvis. Traits pour traits, ce dernier était le sosie de Gharf VIII. Les souvenirs pénibles affluèrent à l'esprit de Léane et chassèrent momentanément sa raison. Il ne fallait pas que Gharf VIII la voie, sinon il la ramènerait dans son royaume et l'asservirait à nouveau !

Il n'importait plus que les Osjes aient fini d'affluer, que le moment fût venu pour elle de sortir de l'ombre et pour les Shiraniens d'attaquer : l'instinct de Léane lui intimait de rester immobile, de ne pas se montrer à Gharf VIII si elle ne voulait pas retourner au Valdes, aussi ne bougea-t-elle pas.

Mais ne pas remuer ne voulait pas dire ne pas trembler, ce que faisait Léane depuis qu'elle avait posé les yeux sur l'Osje. Le tremblement irrépressible attira l'attention de ce dernier vers l'embrasure où se terrait Léane.

Brusquement, il bondit en avant. La grande prêtresse voulut reculer, mais le mur du temple l'en empêchait. Un cri d'horreur muet écarta ses lèvres et, paralysée par la terreur, elle n'esquissa aucun geste de défense lorsque l'Osje l'empoigna par le bras et la tira sur le parvis.

« Lyntas ! » hurla-t-il d'une voix triomphante en exhibant sa trouvaille sur le parvis du temple de Shir.

Un incroyable frisson d'excitation parcourut la foule des Osjes. La femme pour qui ils avaient enduré les averses de flèches, d'huile et de goudron bouillants était enfin entre leurs mains !

D'un seul geste, les barbares brandirent dans les airs leurs armes et poussèrent un terrible hurlement victorieux.

Mais dès que la clameur s'éteignit, une autre s'éleva, celle-là mêlée de douleur et de surprise. Les barbares en cherchèrent autour d'eux la provenance, mais, avant qu'ils comprennent qu'il s'agissait de certains des leurs qui expiraient sous des flèches tirées depuis des maisons autour de la grand-place, les Shiraniens, aussi silencieux que la mort qui passe, donnaient l'assaut.

◆

Après quelques minutes, Vilsin s'était enfin tu et Fyae avait pu tendre l'oreille dans l'espoir de savoir ce qui se passait à l'extérieur du temple. Mais son ouïe n'avait capté qu'un silence tendu. Les nerfs à vif, le garçon s'était mis à faire les cent pas devant la porte fermée à clef, mais, au bout d'un moment, il s'était avoué qu'il n'en pouvait plus. Il fallait qu'il sache !

Jugeant, au calme qui régnait derrière le battant, que le grand prêtre devait s'être assoupi, Fyae s'était dit qu'il pouvait s'éloigner quelques secondes de son poste pour aller voir où en étaient les choses… Et puis, ce n'était pas comme si la porte allait s'ouvrir comme ça, d'un coup : Léonte l'avait verrouillée, n'est-ce pas ?

N'en pouvant plus, le garçon avait foncé dans l'escalier en colimaçon, mais, au lieu de descendre vers la nef, il avait gravi les marches qui montaient directement dans le clocher du temple de Shir.

Quand il avait atteint le niveau de la cloche, il l'avait rapidement contournée pour se diriger vers l'ouverture qui donnait sur la grand-place, tout en bas.

Au moment où il s'était penché, une terrible clameur s'était élevée du sol jusqu'à lui et il avait littéralement bondi en arrière, heurtant fortement la cloche, le cœur battant la chamade.

Il y avait tant d'Osjes !

Des milliers et des milliers et des milliers…

Les Shiraniens ne feraient pas le poids !

Paniqué, Fyae se dit qu'il devait absolument quitter le sanctuaire avant que les barbares n'y entrent. Dévalant les marches quatre à quatre au risque de se rompre le cou, il n'oubliait cependant pas qu'il avait un devoir à accomplir, celui de protéger Vilsin. Il ne pouvait donc fuir en laissant le grand prêtre derrière lui.

Mais Fyae, atterré, constata à son retour devant la porte qu'il avait eu tort de se soucier de Vilsin : le battant des appartements était écarté, et si le sac rempli d'or gisait toujours là où Léonte l'avait posé, il n'y avait pas âme qui vive à l'intérieur.

Fyae se tordit les mains. Quel idiot il était ! Il avait lamentablement failli à l'ordre de Léonte et, qui plus est, le grand prêtre se précipitait directement dans les griffes des Osjes !

Se laissant pesamment choir dans les marches, le garçon fit le bilan de sa journée et constata que celui-ci était assez simple : il avait ni plus ni moins failli à toutes les responsabilités qu'on lui avait confiées. Les larmes montaient à ses yeux quand il entendit la rumeur qui s'élevait à l'extérieur du temple : la bataille était engagée, la mort à grande échelle était en marche.

Se relevant prestement, il ravala ses larmes et recommença à dévaler les marches. Au moins, il ne faillirait pas à son dernier devoir. En tant qu'élu de Shirana, et comme tous ceux qui arboraient sa marque, il donnerait sa vie pour défendre l'Hudres. Et peut-être que, s'il parvenait à accomplir convenablement cette tâche, Léonte lui pardonnerait d'avoir manqué aux deux autres.

La terreur au fond du ventre et le désir de réparer ses torts en tête, Fyae courut vers la porte principale du temple dès qu'il fut dans la nef. Car il redoutait tant la colère de Léonte qu'il préférait affronter une marée d'Osjes plutôt que celle-ci.

◆

Léonte réussit à rejoindre ses hommes juste avant le début de l'attaque.

« Maître Léonte ! s'exclama Alfre avec une expression soulagée. Je redoutais de devoir mener la charge sans vous !

— Léane ne s'est toujours pas montrée ? » demanda le grand maître, qui avait constaté avec satisfaction que le piège avait finalement fonctionné.

Le Shiranien secoua la tête.

Léonte fronça les sourcils et jeta un coup d'œil en direction du parvis. Un Osje venait d'y déboucher – était-ce celui qui était arrivé en premier ? se demanda Léonte – et le moment pour Léane de se montrer était idéal : il n'arrivait plus beaucoup d'Osjes par les ruelles, la grand-place était bondée… mais la grande prêtresse ne se manifestait pas.

Alfre le tira brusquement par le bras.

« Maître ! Regardez ! »

Léonte suivit du regard le doigt du chevalier, qui désignait l'arrière du temple, et jura.

« Que fait cet imbécile dehors ? Il va se faire tuer ! »

Vilsin émergeait prudemment du bâtiment.

Le grand maître s'apprêta à bondir pour rattraper le Damasien quand une formidable clameur coupa net son élan. Il virevolta pour regarder de nouveau vers la grand-place et le parvis du temple. Léane s'y montrait enfin, mais pas de son plein gré : l'Osje la tenait entre ses bras et l'exhibait tel un trophée.

La Dualité prit aussitôt le contrôle de Léonte. Le feu de Shir envahit ses veines et la froideur de Shirana glaça son esprit. Il grimpa sur son destrier et, à travers ses dents serrées, ordonna à ses hommes de se porter à l'attaque. Aussitôt, le sifflement des flèches des Shiraniens postés dans les hauteurs déchira l'air.

En jaillissant de la maison, ses hommes sur les talons, Léonte aperçut les troupes de Dansec et de Nantor qui imitaient la sienne.

Le grand maître tira son épée, tua aussi les deux Osjes qui fonçaient sur lui, et dès le moment où le sang des barbares commença à jaillir, plus rien n'eut d'importance pour Léonte sinon le « devoir », qui consistait pour l'instant présent à sauver Léane et l'Hudres en massacrant le plus de barbares possible.

◆

La tête vide, Léane contemplait les Osjes sans les voir et ne songeait pas à se débattre entre les mains de son ennemi. L'heure d'expier ses crimes avait enfin sonné, Gharf VIII avait triomphé.

Sous les cris de ses pairs, la réplique osje du roi du Valdes obligea la jeune femme à ployer les genoux, puis il brandit son épée.

Voyant l'arme se dresser au-dessus de sa tête, Léane ferma les paupières et confia son âme à Shirana quand une plainte lointaine troubla sa prière. Elle rouvrit les yeux et constata que les Shiraniens passaient à l'attaque.

La grande prêtresse esquissa un sourire résigné. Pour elle, les Shiraniens arrivaient trop tard : Gharf VIII était venu du Valdes pour achever sa proie. Même Léonte ne pourrait la sauver à présent, déjà son âme volait vers sa déesse.

Stupéfait par l'intervention des Shiraniens, sortis de nulle part, l'assaillant de Léane avait néanmoins abaissé son arme. À l'instar de la multitude osje, le barbare, figé au centre du parvis, avait regardé pendant plusieurs secondes ses compagnons mourir sous les flèches des chevaliers sans vraiment comprendre ce qui se passait. Puis les Osjes s'étaient ressaisis et, avec un hurlement de rage, s'étaient lancés sur leurs assaillants.

Du haut du parvis du temple de Shir, le barbare qui, sans le savoir, était le sosie d'un roi, se trouvait trop éloigné pour venir en aide à ses compatriotes. Mais en éliminant la reine de l'Hudres, inerte entre ses mains, il pouvait porter à la résistance hudresienne un coup encore plus puissant que celui de ses frères, un coup fatal.

Il leva de nouveau son épée et se prépara à décapiter le royaume de l'Hudres. Mais, au moment même où il prenait son élan pour abaisser la lame mortelle, une douleur si vive éclata en plein milieu de son dos qu'il en laissa choir sa victime.

Avec un grognement de rage, l'Osje fit volte-face.

Fyae recula précipitamment en brandissant devant lui son poignard rouge du sang du barbare.

Ce dernier rugit et abattit son épée sur le garçon.

La lame ne rencontra que le vide, Fyae ayant roulé sur lui-même pour éviter le coup. Débalancé, souffrant le martyre mais surtout furieux, le barbare se remit en position alors que le garçon se relevait péniblement, sa cuisse blessée ayant souffert de sa périlleuse manœuvre.

L'Osje avança. Fyae recula précipitamment, trop même car, dans sa hâte, il prit brutalement appui sur sa jambe meurtrie. Un éclair de douleur le foudroya. Il perdit l'équilibre et bascula comme une masse. Son crâne heurta la pierre avec un bruit mat et des étoiles dansèrent devant ses yeux. Il tenta de se relever, mais au-dessus de lui apparut l'Osje, ou plutôt les Osjes : là où il n'y avait eu qu'un adversaire, le garçon en contemplait maintenant quatre, qui s'apprêtaient à lui fendre le crâne de leur épée, alors que derrière eux quatre chevaux volaient sur le parvis du temple.

Heureusement, les ténèbres de l'inconscience lui épargnèrent d'avoir à distinguer les illusions de la réalité.

◆

Dansec n'avait plus rien de blasé. Son long bras fauchait les guerriers osjes comme les blés et son champ de vision était brouillé par le sang, le sien comme celui des barbares tués. Le baron de Palsius ne s'en souciait guère : en échange des coups mortels qu'il avait distribués, il n'avait reçu que quelques égratignures.

Un cheval renâcla près de celui de Dansec et une botte effleura le talon du baron, qui n'eut pas besoin de tourner la tête pour savoir que Nantor était à ses côtés. Tout comme lors de la campagne du Lonjois, le Darsonien et le Namarre combattirent ensemble et infligèrent des pertes importantes à la masse ennemie. Mais, hélas, sans l'endiguer pour autant, puisque pour chaque Osje tombé, trois autres apparaissaient, de sorte que les deux compagnons avaient beau tuer et tuer, ils avaient la conviction croissante que l'inévitable conclusion du combat serait leur propre mort.

Pour la centième fois, avec un cri sauvage, un barbare se ruait sur Dansec en faisant tournoyer une masse au-dessus de sa tête. Le baron para le coup, mais la sphère hérissée de pointes dévia et atteignit son cheval. L'animal hennit de douleur et se cambra violemment. Désarçonné, le Darsonien chuta et son coude frappa durement les pavés de la grand-place.

Sous le choc, il échappa son épée tandis que sa monture s'enfuyait au galop, renversant indistinctement barbares et Shiraniens sur son passage.

À demi sonné, Dansec vit l'arme de son adversaire tournoyer au-dessus de lui. Il leva instinctivement la main pour se protéger, mais la sphère heurta le sol sans l'effleurer, puis l'Osje qui la maniait la rejoignit. Dansec remarqua qu'il avait le ventre traversé par un sabre. Celui de Nantor.

D'un bref hochement de tête, le Darsonien remercia le Namarre et bondit sur ses pieds. Cependant, Nantor dégageait déjà sa lame du corps de l'Osje afin de terrasser un nouveau barbare qui se ruait sur son cheval.

Le baron s'empressa de récupérer son épée et promena son regard sur le champ de bataille. Au-dessus de la marée humaine, sur le parvis du temple, il vit soudain Fyae poignarder l'Osje qui malmenait Léane, puis trébucher. Il ne fallait pas avoir une grande expérience des combats pour comprendre que le garçon ne ferait pas le poids contre le barbare et que Dansec, séparé du temple par la masse chaotique des belligérants, n'arriverait jamais à temps sur le parvis pour sauver Fyae et Léane, à moins que...

Avisant un cheval sans cavalier, le Darsonien se précipita vers l'animal, l'enfourcha et le talonna. Ce dernier s'élança au galop, bousculant Osjes et Shiraniens sur sa route. Sous les encouragements de son cavalier, le cheval vola littéralement au-dessus des marches du parvis et atterrit devant l'entrée du temple.

L'épée de l'Osje était levée au-dessus du crâne de Fyae. D'un mouvement assuré en dépit de l'onde de douleur qui parcourut son coude, Dansec lança son épée en direction du barbare. Ce dernier perçut le sifflement de la lame qui fendait l'air et pivota sur lui-même, et le pommeau de l'épée le heurta à la tempe. Déséquilibré, l'Osje vacilla, lâcha son arme et tomba à la renverse.

Dansec sauta à bas de sa monture et courut vers Fyae. Avec un vif soulagement, il constata que le garçon était seulement sonné. Déjà, dans l'œil gris de ce dernier, une lueur de lucidité se frayait un chemin à travers les brumes de l'inconscience.

Le Darsonien tapota la joue de son jeune compagnon.

« Debout, mon garçon ! » lui enjoignit-il.

Quelqu'un obéit, mais ce ne fut pas l'intéressé. Dansec tourna la tête juste à temps pour découvrir l'éclaireur osje qui, loin d'avoir été assommé par le coup qu'il avait reçu et sa chute, brandissait à présent son épée au-dessus de lui. Le baron la vit s'abaisser sans avoir le temps de réagir mais, encore une fois, l'arme dévia de sa trajectoire et elle heurta, dans un tintamarre de ferraille, la pierre du parvis, alors que l'Osje basculait à son tour vers l'avant. Dansec s'écarta promptement et le barbare s'abattit de nouveau au sol mais, cette fois, une plaie sanglante s'ouvrait dans son dos.

Léane apparut là où l'éclaireur s'était tenu un instant plus tôt. Un pâle sourire flottait sur ses lèvres et, entre ses mains crispées, se trouvait l'épée de Dansec, de laquelle s'égouttait un liquide rouge.

« Léane ! s'exclama Dansec. Moi qui croyais que tu rêvais de te débarrasser de moi, voilà que tu me sauves la vie ! »

Décontenancé, il ne songeait même pas à ironiser.

Léane haussa les épaules.

« Ne me remercie pas. J'ai seulement retardé l'inéluctable. Regarde ! »

Dansec suivit l'index pointé de la jeune femme.

Si les Shiraniens avaient effectivement réussi à affaiblir les rangs osjes qui se trouvaient sur la grand-place, ils avaient quand même attaqué trop tôt et de nouveaux Osjes, des centaines de nouveaux combattants qui, sans doute, s'étaient attardés à piller la ville, affluaient du nord-ouest pour venir au secours de leurs pairs.

Comme quoi il suffisait d'un minuscule imprévu pour faire échouer les stratégies désespérées.

◆

Léonte jugea que son cheval le ralentissait. Il sauta donc à bas de sa monture et poursuivit le combat à pied.

Des visages hurlants, déformés par la haine, apparaissaient devant lui et des armes s'abattaient sur lui. Le grand maître parait, feintait, tailladait une jambe ou un flanc, ou ouvrait un crâne. Il frappait toujours là où se trouvait le point faible. À un certain moment, il ramassa une hache abandonnée et se mit à faucher les Osjes à deux mains, utilisant la hache quand l'épée était plantée dans un cadavre, recourant à l'épée quand la hache se maniait mal.

Il ne ressentait nulle fatigue et ne se souciait guère des blessures que les barbares avaient réussi à lui infliger malgré sa cotte de mailles. Il n'avait conscience de rien, sinon de cette soif dévorante de sang osje qui l'habitait. Bien qu'il eût tué plus d'ennemis que la plupart des Shiraniens, il ne parvenait pas à combler son besoin et continuait donc à tuer tout ce qui était devant lui quand, derrière, un cri de défi retentit.

Léonte fit volte-face au moment où une épée osje plongeait vers lui. Il leva sa hache, la lame de l'assaillant entailla le manche, le grand maître repoussa ensuite l'arme et planta son épée dans le ventre de l'Osje. Une écume rose afflua aux lèvres de ce dernier et s'écoula le long de son menton. Léonte dégagea son épée du mort et se mit en quête d'un nouvel adversaire, mais autour de lui, tout n'était que cadavres. Soudain quelqu'un l'appela.

« Maître ! »

Léonte chercha la source de l'appel et aperçut Nantor.

Du haut de sa monture, le colosse montrait le nord-ouest où une troupe d'hommes avait fait son apparition. Le soleil n'était plus qu'une fine ligne orange sur l'horizon, mais la lumière était suffisante pour permettre à Léonte de discerner les casques faits de crânes de bêtes.

Le grand maître regarda autour de lui et constata qu'il y avait encore trop d'Osjes debout, sans compter que l'armée royale ne viendrait manifestement pas. Le novice avait eu le temps d'aller porter le message à la reine et celle-ci avait donc abandonné les Shiraniens à leur sort. Devant l'évidence, Léonte n'éprouva nulle amertume. Il avait soupçonné que Lyntas utiliserait les Osjes pour se débarrasser des Shiraniens, puis attendrait que les légions de son père la délivrent des Osjes. Le triomphe de la reine serait alors total.

La défaite des Shiraniens également.

Une goutte de sueur tomba dans l'œil de Léonte. Ce dernier tenta de l'enlever, mais ses vêtements et ses mains étaient trempés de sang. Nantor, qui l'avait rejoint, lui passa un morceau d'étoffe blanche et le grand maître épongea son visage. Il remit ensuite l'étoffe au Namarre.

« Merci, dit Léonte.

— Je serai toujours là pour veiller sur toi, maître », affirma son compagnon.

Ainsi ce dernier renouait-il les liens de servitude qui, au cours des onze années précédentes, s'étaient relâchés, mais n'avaient pas été rompus. Sur ces mots, l'Hudresien et le Namarre brandirent ensemble leurs armes afin de combattre la nouvelle troupe de barbares qui s'avançait vers eux.

◆

Le sentiment de la victoire tenait à peu de chose. Les Osjes, occupés à affronter les Shiraniens, s'étaient désintéressés de la fausse Lyntas. Rares étaient ceux qui s'étaient aventurés sur les marches menant au temple. Quand l'exception se manifestait, généralement hurlante et sans stratégie définie, Dansec la ramenait au niveau des mortels d'un solide coup de lame. Il tenait le parvis du temple et n'était pas peu fier de repousser aisément l'envahisseur, en dépit de son coude douloureux.

Pendant que le baron assurait leur défense, Léane traîna Fyae à l'intérieur du temple et referma la porte sur eux. Lorsque le combat serait terminé, Dansec viendrait les prévenir. Sinon, les Osjes se chargeraient bien assez tôt de faire irruption dans le temple et de les tuer.

Sur la grand-place, peu de Shiraniens tenaient encore debout et encore moins se trouvaient sur un cheval. Bien que les chevaliers aient infligé de lourdes pertes aux Osjes, ceux-ci demeuraient toujours supérieurs en nombre, surtout depuis l'arrivée des renforts. Ces derniers avaient déjà terrassé cinq Shiraniens et se dispersaient à présent sur la grand-place pour tenter de décimer l'Ordre.

L'arrivée d'un barbare détourna le Darsonien de son analyse de la situation. L'Osje avait la folie au fond des yeux, l'écume aux lèvres et une épée shiranienne à la main. Dansec en prit ombrage. Lequel de ses compagnons ce monstre avait-il tué?

L'Osje se rua sur Dansec. Ce dernier détourna du revers de sa lame le coup du barbare et flanqua un coup de genou dans le ventre de celui-ci. L'Osje s'écroula, le souffle coupé, et le baron planta son épée dans le dos vulnérable de son assaillant.

Le parvis était sûr de nouveau.

Un mouvement en provenance du sud-ouest attira le regard de Dansec. Aussitôt, une vague de découragement le submergea : des renforts jaillissaient des ruelles bordant le temple, mais cette fois les arrivants ne portaient pas de crânes de bêtes et ce n'étaient donc pas des Osjes. L'absence de casques de métal prouvait qu'ils n'étaient ni des membres de l'armée royale ni des légionnaires de Damasie.

La nausée s'empara de Dansec. Il dut s'appuyer contre l'arche de la porte principale et inspirer profondément pour calmer son estomac. Les tours de la destinée lui soulevaient le cœur. Si Dansec avait envisagé que le hasard puisse faire avorter le plan, il n'avait cependant pas considéré que les dieux eux-mêmes puissent se liguer contre les Shiraniens. Le baron était prêt à négocier avec la chance ; toutefois, avec les dieux, il savait qu'il n'avait d'autre possibilité que de s'incliner.

◆

Terré dans une ruelle relativement éloignée des combats, Vilsin n'en perdait pas une miette, dans le but de rapporter fidèlement à Lyntas l'élimination des Shiraniens. Elle le récompenserait certainement de lui annoncer une nouvelle de premier choix.

Le grand prêtre avait tout intérêt à demeurer dans les bonnes grâces de la reine : si Léonte survivait et rapportait que Vilsin avait tenté de voler le bien de Shir, il devait être en mesure de se défendre. De toute façon, lorsque Lyntas l'avait nommé en remplacement de Fine, elle savait qu'elle n'engageait pas un humble serviteur du dieu mâle. C'était précisément pour cela que Lyntas l'avait choisi : en territoire ennemi, elle avait besoin d'alliés prêts à toutes les félonies pour

consolider son pouvoir. D'apprendre que son compatriote avait profané les objets du culte ne la surprendrait
donc guère, mais ce n'était que logique que Vilsin
s'assure qu'elle le protégerait.

Que le grand prêtre s'attarde près du champ de
bataille n'était pas uniquement dû à sa volonté d'informer la reine. Lui-même se repaissait du massacre
des Shiraniens; il y voyait, dans toute sa puissance
purificatrice, l'œuvre de justice de Shir et, à l'arrivée
de la première vague de renforts osjes, alors que la
défaite shiranienne semblait déjà inéluctable, il retint
difficilement un cri de joie.

Le grand prêtre avait peu d'intérêts en ce bas monde :
le pouvoir, l'or, le culte de Shir et le massacre des
hérétiques. L'apparition du bras vengeur du dieu mâle,
peu importe la forme qu'il adoptait, le plongeait toujours
dans une exaltation profonde. À cet effet, il avait souvent
contemplé le sort réservé à ceux qui déplaisaient à
Shir. Dans son courroux, le dieu tendait à être aussi
excessif que dans ses bienfaits; le grand prêtre en avait
encore une fois la preuve en voyant une deuxième
vague de renforts osjes envahir la grand-place.

Des Osjes ?

Vilsin plissa les yeux, tenta de discerner dans la
pénombre du soir l'identité des nouveaux venus. Ils
étaient aussi grands que les barbares, mais, contrairement à ceux-ci, ils avaient une silhouette élancée et
se déplaçaient sans bruit. Leur tenue différait également
de celle des Osjes : ils portaient des robes sombres
plutôt que des peaux de bêtes.

L'irruption silencieuse des arrivants prit les Osjes
de court. Ces derniers s'immobilisèrent et permirent
par le fait même aux Shiraniens de se regrouper au
pied des marches du sanctuaire.

Il restait moins de la moitié des chevaliers et, parmi
les survivants, rares étaient ceux qui n'avaient pas

une blessure grave. Les Shiraniens titubaient, leurs bras tremblaient de fatigue, mais avec l'héroïsme caractéristique de leur Ordre, ils n'abandonnaient pas.

Vilsin chercha la silhouette de Léonte, mais ne parvint pas à la distinguer parmi les chevaliers encore debout. Peut-être l'invincible héros avait-il été terrassé…

Réjoui par cette idée, Vilsin se détourna de la scène du combat et, le cœur léger, courut en direction du palais pour prévenir la reine de la tournure prise par l'affrontement.

◆

Les Shiraniens survivants s'étaient massés près du parvis. Leurs confrères archers, à court de flèches, les y avaient rejoints et avaient tiré leur épée. Puisqu'ils devaient périr, alors ils le feraient ensemble.

Dansec avait abandonné son poste en haut des marches pour rejoindre ses compagnons d'armes, de sorte qu'il ne manquait que deux personnes à l'Ordre pour être complet. Il s'agissait de Léonte, qui continuait à tailler les Osjes en pièce, et de Nantor, qui repoussait tout Osje voulant prendre le grand maître à revers. Blessé au flanc, le colosse saignait abondamment et peinait à rester debout. Seul le lien qui l'unissait à Léonte le maintenait encore sur ses jambes.

Une silhouette vêtue de noir se matérialisa sur le flanc de Léonte et leva son sabre. Le grand maître ne vit pas le nouvel arrivant, mais Nantor veillait : il brandit son propre sabre.

Une pointe aiguisée s'enfonça dans l'échine du colosse. Ce dernier baissa son arme.

Au même moment, Léonte enfonça sa hache dans le ventre de l'Osje devant lui et, sentant une présence nouvelle à ses côtés, fit volte-face. Du coin de l'œil, il aperçut la lame incurvée qui s'apprêtait à le frapper.

Il lâcha le manche de sa hache et repoussa le sabre à l'aide de son épée. Ensuite, le grand maître se pencha sur le corps de l'Osje, retira sa hache et pivota vers l'homme au sabre.

Ce dernier plongea sur Léonte. Un échange de coups s'ensuivit. Bien que l'arrivant n'eût qu'une arme alors que Léonte en avait deux, il se mouvait avec une telle aisance que le grand maître avait du mal à soutenir la cadence. Rapidement, les ripostes de ce dernier perdirent de leur vigueur.

Instinctivement, Nantor avança pour porter secours à son ami, mais la piqûre dans son dos se fit plus insistante.

« Il faut être un lâche pour attaquer un homme par-derrière, reprocha l'ancien général d'une voix sévère.

— Il faut être un traître pour s'apprêter à tuer un de ses frères », répliqua son assaillant invisible.

La lame se retira de l'échine de Nantor et celui-ci pivota sur lui-même. Il découvrit une seconde figure drapée de noire.

« Les Shiraniens sont nos alliés, rappela le colosse. Dis aux autres de se contenter des Osjes.

— Les Shiraniens ont attaqué les Namarres par le passé, souligna son interlocuteur. Comment pourrais-tu oublier l'humiliation que nous avons subie sur la plaine d'Alvers, alors que tu en es responsable ? Ne te mêle pas de nos affaires. Laisse-nous juger si aujourd'hui les Shiraniens sont dignes de combattre à nos côtés. »

Du menton, il désigna Léonte et son adversaire namarre. Ce dernier profitait de la fatigue de l'Hudresien et frappait le bras de celui-ci de son sabre. Léonte détourna le coup de son épée, mais sa réaction fut trop lente : le sabre entailla son bras.

Sous la douleur, il échappa sa hache.

Le Namarre ne lui laissa pas le temps de récupérer l'arme. Il se rua sur le grand maître et celui-ci essuya une nouvelle averse de coups fulgurants, qu'il repoussa péniblement.

« C'est à la valeur du chef qu'on juge celle de ses hommes, déclara le Namarre qui menaçait Nantor de son arme. Si le grand maître triomphe, nous ne toucherons plus aux Shiraniens.

— Et les Osjes ? »

Les dents humides de salive de l'autre luisirent dans la brunante.

« Pour les infidèles qui ont osé s'en prendre au temple de Shir, nulle pitié. »

Pour appuyer ses dires, le Namarre pivota sur lui-même et ouvrit le crâne du barbare qui se ruait sur lui, épée au clair, cri sauvage aux lèvres.

« À qui ira ta fidélité, Nantor ? reprit le Namarre après avoir dégagé son arme du corps de l'Osje.

— Au chef le plus valeureux », dit son interlocuteur, avant de repousser deux Osjes qui voulaient troubler les duellistes.

◆

Sans savoir que leur grand maître faiblissait face à son adversaire, les derniers Shiraniens, serrés les uns contre les autres, éliminaient tout Osje et toute silhouette drapée de noir qui fonçait sur eux. Quant à Dansec, déchiré entre la douleur qui consumait son bras et les ennemis qui se précipitaient sur lui, il n'avait aucune pensée à consacrer à Léonte.

Ce dernier se retrouvait donc seul. Sa vision, embrouillée par la sueur et le sang, peinait à discerner la silhouette noire dans la pénombre. La fatigue roidissait ses muscles, ses blessures l'élançaient, l'air se raréfiait dans ses poumons et son affaiblissement s'accompagna du reflux de sa détermination à tuer. Il sentit en lui la Dualité se retirer et libérer son esprit.

Subitement, il redevint humain et les remords accablèrent son âme en même temps que l'épuisement terrassait son corps.

Le Namarre remarqua le changement d'attitude de Léonte. Ses coups se firent plus rapides, plus puissants. Sa victoire était à portée de la main…

Le grand maître para de son mieux, mais ses mouvements n'étaient plus assez rapides pour bloquer toutes les attaques. Il repoussa les plus dangereuses, esquiva comme il put celles qui manquaient d'aplomb… mais l'assurance de la victoire avait décuplé les énergies de son assaillant.

Ce dernier prit un nouvel élan. Instinctivement, Léonte leva son épée en tenant la poignée à deux mains. Les lames s'entrechoquèrent. Le Namarre avait mis toute sa force dans son coup, et les genoux de l'Hudresien ployèrent, mais celui-ci serra les dents et, petit à petit, il se redressa et repoussa son adversaire. À la suite de son mouvement de recul, celui-ci écarta brièvement sa garde, et Léonte fonça sur la poitrine tout à coup vulnérable et la transperça de son épée. Emporté par l'élan, il tomba par-dessus l'autre et les deux combattants heurtèrent durement le sol où ils demeurèrent parfaitement immobiles.

Nantor et son compatriote s'approchèrent.

« Que feras-tu s'il n'y a ni vainqueur ni vaincu ? » demanda gravement Nantor.

Avant que l'autre n'ait répondu, le corps de Léonte remua. Lentement, il se dégagea de l'étreinte de son adversaire mort et il se releva, tremblant de tous ses membres après l'effort fourni. Un flot abondant s'écoulait de la plaie ouverte de son bras.

Nantor posa la main sur l'épaule de son ami et la tapota.

« Tu as sauvé les tiens, maître », dit-il gravement.

Léonte garda le silence.

Le second Namarre se pencha sur son compatriote mort, saisit la garde de l'épée du grand maître et tira. L'arme avait été plantée avec tant de détermination qu'il dut s'y prendre à deux fois avant qu'elle cède. Il essuya la lame sur sa robe et la tendit respectueusement à son propriétaire. Ce dernier l'accepta de son bras valide et la tint mollement contre son flanc.

Nantor reprit :

« Tu t'es bien battu, aujourd'hui, maître. Maintenant, d'autres vont prendre la relève. »

Pour appuyer les dires de son compatriote, le second Namarre brandit son sabre et fonça droit dans la mêlée.

« Si tu veux bien m'excuser, maître, dit Nantor, je vais aller aider les miens. »

Son épuisement était comparable à celui de Léonte et un incendie dévorait son flanc blessé ; cependant, il était Namarre et son peuple possédait une longue tradition de sacrifice pour la gloire de Shir. Les gens du nord considéraient cela comme du fanatisme. Les Namarres appelaient cela du courage.

Or, il n'était pas dit que les hommes du sud allaient donner l'exemple aux Hudresiens. Léonte inspira profondément, rassembla ses forces et leva son épée. Le feu de Shir envahit de nouveau ses veines et la froideur de Shirana glaça son esprit. Encore une fois, le grand maître oublia sa fatigue et le monde qui l'entourait ; ne demeura en lui que le désir de tuer, et les Osjes.

◆

« Ma reine ! Ma reine ! »

Sans se soucier du protocole, Vilsin bouscula le serviteur qui lui barrait la route de la salle d'audience et apparut devant Lyntas le souffle court, la robe froissée. Il était si excité qu'il ne remarqua pas la pénombre qui baignait l'endroit et l'absence de soldats pour protéger la reine, il ne prêta même pas attention au regard froid que la reine lui dédia.

« Qu'y a-t-il, Vilsin ? demanda-t-elle d'une voix agacée.

— Les Shiraniens ont voulu repousser les Osjes, ma reine, annonça le grand prêtre, les yeux brillants, mais l'Ordre a été écrasé !

— Je sais », dit froidement Lyntas.

L'affirmation décontenança Vilsin, et c'est à ce moment qu'il constata que quelque chose n'allait pas. Lyntas n'était-elle pas censée accueillir tout informateur à bras ouverts ?

« Comment le savez-vous ?

— Léonte m'a demandé des renforts, expliqua son interlocutrice, et j'ai refusé. »

Le grand prêtre esquissa une courbette obséquieuse.

« Je salue l'intelligence de ma reine, qui a toujours une longueur d'avance sur ses ennemis. Cependant, vous ne savez pas tout : les Osjes ne sont pas les seuls à contribuer à l'élimination de l'Ordre. Les Namarres du quartier sud ont également décidé de se mêler de la bataille ! »

Lyntas se départit brièvement de sa froideur et répéta, surprise :

« Les Namarres ?

— Oui, insista Vilsin. Comme ils ne se plient qu'à leur loi, ils vous ont désobéi, ma reine. Ils dissimulaient des armes et des guerriers dans leur quartier. Le duc de Sargus avait raison ! »

La femme hocha la tête, songeant du même souffle que Vilsin se révélait un acteur consommé. Ne parlait-il pas d'Elgire de Sargus comme s'il ignorait sa mort ?

« Qu'en est-il des anciens alliés de mon mari ? Certains ont-ils survécu ? »

Le grand prêtre secoua la tête.

« Je l'ignore. Lorsque je suis parti, il restait peu de Shiraniens debout et je suppose qu'ils ont péri. »

La reine le dévisagea froidement. Vilsin semblait si sûr de son triomphe ! D'abord ses Osjes terrassaient les Shiraniens, puis l'éliminaient, elle… Il s'en était fallu de peu que le traître de l'Hudres arrive à ses fins. Seulement, il avait commis l'erreur de la sous-estimer.

« Tu sembles bien informé, Vilsin, mais cela ne me dit pas ce que tu faisais là-bas.

— Je priais Shir de protéger Dafidec », mentit-il en déglutissant de façon peu discrète.

Lyntas secoua la tête.

« Tu n'es qu'un imbécile pour croire que je n'ai pas lu dans ton jeu ! Tu étais au temple pour donner tes instructions à tes complices osjes ! Je sais que c'est toi qui m'as trahi, Vilsin ! Depuis le temps que tu pilles le tronc des pauvres, tu as accumulé assez d'or pour soudoyer les Osjes ! »

Foudroyé par l'accusation, le grand prêtre écarquilla les yeux et dressa son corps reptilien.

« C'est faux, ma reine ! protesta-t-il avec véhémence. J'étais au temple pour éviter que l'or de Shir et les objets du culte tombent entre les mains des barbares ! Je n'avais que le bien du dieu en tête ! Quant à l'or que je prenais à même le tronc des pauvres, je ne le gardais pas pour moi ! Je l'envoyais en Damasie pour aider nos propres malheureux ! Mieux vaut aider les nôtres que ceux de l'Hudres ! »

Son interlocutrice le toisa froidement, un sourcil froncé en signe de scepticisme.

« Je suppose que tu ignores également qu'Elgire de Sargus a été assassiné ? On l'a lâchement poignardé dans le dos. »

Vilsin se tordit les mains. Non seulement la reine ne le croyait pas, mais elle l'accusait aussi d'un crime supplémentaire ! Désespéré, il regarda autour de lui en quête du soutien de quelqu'un, mais la salle d'audience était déserte. Même les serviteurs, terrés dans quelque recoin, attendaient que les Osjes s'attaquent au palais. Quant aux soldats, ils étaient tous postés sur les remparts.

Et c'est seulement à ce moment que Vilsin réalisa qu'il était seul, totalement seul, avec Lyntas.

Il s'avança vers la reine. Cette dernière se contenta de dire :

« C'est donc aujourd'hui que tu décides de te révéler sous ton vrai jour, Vilsin ? »

Le grand prêtre l'ignora et s'approcha davantage. Lorsqu'elle fut à portée de ses mains, il enserra le cou de la femme de ses longs doigts. Cette dernière braqua son regard insoutenable dans celui de son compatriote.

« Vas-y, tue-moi. Ainsi, tu pourras t'emparer de mon trône. C'est ce que tu veux depuis le début, non ? Je ne redoute pas la mort, Vilsin, je sais que Shir m'attend à bras ouverts, je me présenterai devant lui la conscience en paix. Peux-tu en dire autant ? »

La voix de la reine était glaciale, mais c'est la mention de Shir qui troubla le grand prêtre. Ses mains reculèrent lentement du cou de Lyntas et il la fixa. Était-elle donc inhumaine pour demeurer aussi calme ? Vilsin eut soudain l'impression de se trouver en présence de Shir lui-même, le dieu mâle qui, ironiquement, se serait incarné dans un corps de femme. Ses mains retombèrent le long de ses cuisses et il se mit à trembler.

« Tu prends une sage décision, continua, imperturbable, la reine. J'aurais très bien pu te faire mettre à mort, mais je me contenterai de t'infliger un séjour prolongé dans une geôle. Il y a une chose que Magne m'a apprise : ne jamais sacrifier les hommes de valeur. Il a accepté un Namarre parmi les membres de son conseil ; j'ai accepté que le mien soit composé d'hommes qui rêvent de m'assassiner. Gardes ! »

Jaillis de nulle part, des soldats armés vinrent prendre position de chaque côté de Vilsin, qui se reprocha amèrement d'avoir cru la reine seule. Un piège, elle lui avait tendu un piège et il s'était laissé prendre comme un débutant ! Encore une fois, elle avait une longueur d'avance sur ses ennemis. De là à croire qu'elle avait hérité de la clairvoyance divine, il n'y avait qu'un pas, que Vilsin fit : Lyntas n'avait-elle pas su lire en lui comme dans un livre ouvert et trouver le terme qui lui convenait le mieux ?

Un imbécile, voilà ce qu'il était !

◆

Dansec n'en croyait pas ses yeux. Le vent tournait !

Alors que les Osjes et les Namarres s'étaient rués sur les Shiraniens, voilà que les adorateurs de Shir se ralliaient aux chevaliers et massacraient les Osjes. Apparemment, l'Ordre était rentré dans les bonnes grâces de la Dualité ou, à tout le moins, du dieu mâle !

« Nous avons enfin des alliés ! lança-t-il aux chevaliers autour de lui.

— Mais ce sont des Namarres ! » répliqua d'une voix haineuse un des Shiraniens.

Aussitôt, un murmure tout aussi hostile parcourut les rangs des chevaliers.

Dansec scruta le visage de ceux qui l'entouraient, puis il reporta son regard vers les silhouettes sombres. Dont les sabres s'abattaient sur les crânes osjes, dont les sabres transperçaient les corps osjes. Ainsi donc, se dit-il, les négociations menées en compagnie de Léonte avaient servi à quelque chose !

Il se tourna vers les Shiraniens :

« Certes, ce sont des Namarres, mais ils sont prêts à nous aider. Allons-nous les laisser finir seuls de

massacrer les Osjes ? Les Shiraniens sont-ils incapables de mener à terme les combats qu'ils entre-
prennent ? Ne sont-ils pas capables de suivre leur
grand maître ? »

Le baron savait qu'il était injuste. Ses compagnons
avaient perdu plus de sang que de sueur et ils avaient
du mal à se tenir debout. Mais les provocations de
leur précepteur et la vue de leur grand maître et de
ceux qui combattaient à ses côtés dissipèrent comme
il se doit les appréhensions des chevaliers. Dans un
bel ensemble, ils poussèrent un cri de défi en levant
leurs épées et s'éparpillèrent sur la grand-place baignée
par la lumière de la lune montante.

Dansec les suivit du regard. Combien d'entre eux
verraient l'aube paraître ? Peut-être aucun. Puis le
baron se secoua : il était trop tôt pour le dire. La nuit
était encore jeune !

À son tour, il leva son arme et fonça dans la mêlée. Il
montrerait à ces Namarres, à ces Osjes et à ces Hudresiens que les Darsoniens, même si leur empire n'était
plus, n'avaient rien perdu de leur ardeur conquérante.

◆

La cacophonie des clameurs et des armes entrechoquées s'était tue.

Prudemment, Léane entrouvrit la porte du temple
et risqua un coup d'œil à l'extérieur. Elle aperçut la lune
au-dessus de la ville. Shirana éclairait le combat, ce
qui était un bon signe. Puis son regard se posa sur la
grand-place. Bien que la lumière argentée retirât toute
couleur au champ de bataille, la grande prêtresse
devina que celui-ci était rouge du sang des cadavres
qui gisaient sur les pavés. Des silhouettes enjambaient
les morts, mais dans l'obscurité elle était incapable
de déterminer s'il s'agissait d'Osjes ou de Shiraniens.

Face à l'horreur de la scène, Léane n'éprouva que détachement. Toutes ses émotions avaient été drainées par sa victoire sur le sosie de Gharf VIII. La jeune femme ne tremblerait plus jamais devant le souverain du Valdes. En plantant l'épée de Dansec dans l'échine de l'Osje, elle s'était libérée du joug qui l'écrasait. Désormais, elle ne recevrait d'ordres que de Shirana. Comme il en avait été autrefois.

«Que se passe-t-il? Avons-nous gagné?»

Léane se tourna vers Fyae, qui était assis à l'intérieur du temple sur le sol de pierre. Il ouvrait de grands yeux horrifiés et était suspendu aux lèvres de la grande prêtresse. Pas une fois, au cours de la bataille, il n'avait risqué de coup d'œil à l'extérieur. Les bruits qui filtraient à travers la porte massive lui avaient suffi. À chaque cri d'agonie qui parvenait à ses oreilles, le garçon tressaillait et, alors que les hurlements se multipliaient, que les râles s'élevaient, ses yeux se remplissaient de larmes. À un certain moment, n'en pouvant plus, il avait pressé ses mains contre ses oreilles, mais le chœur d'atrocités avait continué à affluer en lui, ne lui laissant aucun répit.

Léane referma la porte derrière elle avant de répondre:

«Je l'ignore, Fyae.

— Mais Dansec, Léonte et les autres sont en vie, n'est-ce pas? insista-t-il, des sanglots dans la voix.

— Je l'ignore, répéta la jeune femme, d'un ton qui trahissait son épuisement.

— Mais…

— Lorsque ce sera le moment, on viendra nous chercher», coupa-t-elle sèchement.

Le garçon entoura ses jambes de ses bras et posa son front sur ses genoux. Des spasmes agitèrent ses épaules.

La grande prêtresse ne fit pas un geste pour le réconforter. Elle sentait l'angoisse sourdre dans ses entrailles et ne tenait pas à accroître celle de son compagnon. Léonte et les autres étaient certainement en vie ; son cœur ne l'aurait-elle pas prévenue s'il leur était arrivé quelque chose ? Léonte, l'enfant des dieux, ne pouvait être tué !

Mais la jeune femme avait beau se raisonner, elle ne parvenait pas à se convaincre.

Trois coups discrets résonnèrent à l'entrée du sanctuaire. Fyae bondit sur ses pieds, mais Léane lui fit signe de se cacher sous un banc.

La grande prêtresse saisit l'épée osje d'une main et entrouvrit le battant de l'autre. Dansec se tenait appuyé au cadre de la porte, couvert de sang, un de ses bras replié contre son corps. Ses cheveux humides de sang et de sueur collaient à ses tempes, son regard trahissait un épuisement profond mais, en dépit de son état, le baron trouvait encore la force d'afficher son air blasé coutumier.

« Gente dame, valeureux jeune homme, j'ai l'honneur de vous saluer bien bas. Je ferais même la révérence si je ne redoutais d'être incapable de me relever.

— Nous avons gagné ! s'écria Fyae en émergeant de sa cachette.

— Si nous considérons la survie de l'Ordre comme un des enjeux de ce combat, répondit tristement Dansec en secouant la tête, alors nous avons perdu. Il reste moins de soixante-quinze Shiraniens en vie, dont dix sont aux portes de la mort. »

Les traits de Léane exprimèrent une vive anxiété et le Darsonien en devina immédiatement la cause. Cependant, il était trop éreinté pour éprouver au cœur quelque pincement douloureux que ce soit. Il avait largement dépassé son seuil de douleur au cours du combat, et avec la souffrance qui émanait de ses muscles, de son coude et même de ses os, il ne pouvait éprouver davantage de mal.

« Je n'ai pas vu Léonte, précisa-t-il. Je suppose qu'il est encore en vie puisque Nantor était avec lui. Les héros ne sont-ils pas invincibles ? »

Les traits de la grande prêtresse se détendirent.

« Par ailleurs, poursuivit Dansec, et pour revenir à la question principale, si obtenir l'aide de l'armée royale était un autre des enjeux de notre combat, je suis encore obligé de dire que nous avons échoué. Cependant, considérant que nous avons obtenu la collaboration des Namarres et que, grâce à eux, nous sommes parvenus à massacrer les Osjes et à repousser les survivants hors des murs de Dafidec, je puis dire cette fois que, oui, nous avons gagné. »

Il s'arrêta soudain de discourir, le temps de reprendre son souffle. Il tangua quelques instants sur place, passa une main hésitante sur son visage, puis, voyant que ses interlocuteurs avaient compris que l'invasion des Osjes était matée, il termina :

« Maintenant, gente dame, valeureux jeune homme, si vous voulez bien l'excuser, le courageux héros que voici va aller se faire soigner. »

Et le baron s'éloigna d'une démarche vacillante, abandonnant Fyae et Léane à leur joie.

CHAPITRE 16

Léonte achevait les Osjes qui respiraient encore de son épée et vérifiait s'il pouvait porter secours à ses Shiraniens tombés. Non loin de lui, Nantor soignait ceux de ses compatriotes qui n'avaient que quelques égratignures.

Les Namarres autour des deux compagnons récitaient des prières à la gloire de Shir. Comme Léonte connaissait les mœurs des fanatiques, il évitait soigneusement de s'approcher des Namarres tombés au combat, même si ceux-ci auraient eu besoin de soins. Les hommes du sud qui tenaient encore debout se chargeaient de leurs pairs grièvement blessés en les achevant, comme d'autres auraient tué un cheval... ou lui les Osjes. Léonte ne critiquait pas ses alliés. À l'aube, lorsque les anciennes animosités ressurgiraient et rompraient l'union temporaire, il serait toujours temps pour le grand maître de désapprouver les coutumes des Namarres. La bataille n'avait pas été tendre à l'égard de ces derniers, et de nombreuses maisons du quartier sud devraient se trouver de nouveaux occupants.

Ne découvrant plus aucun ennemi à éliminer et voyant que les Shiraniens avaient commencé à ramasser leurs morts, Léonte se détourna du champ de bataille et se dirigea vers le parvis du temple. Une seule personne était assise sur les marches et le fixait de ses yeux turquoise. D'un pas lourd, Léonte monta vers elle et se laissa tomber à ses côtés.

Pendant un long moment, ils contemplèrent la grand-place, puis Léane dit d'une voix douce :

«L'Hudres est sauvée.

— Nous avons fait notre devoir», renchérit Léonte.

Un silence malaisé s'établit. Les deux compagnons cherchaient les mots pour combler l'abîme que les années avaient creusé entre eux. Après avoir de nouveau lutté ensemble au nom du devoir et de l'Hudres, Léonte et Léane savaient qu'ils devaient refermer les vieilles plaies.

Cependant, faute d'avoir le courage de prononcer la première parole, l'homme et la femme regardaient les Namarres et les Shiraniens arpenter le champ de bataille. Dans la nuit, il était difficile de déterminer à quel camp appartenaient les guerriers debout. Le soleil de Shir éclairait les différences, mais sous la lune de Shirana, tous les hommes semblaient identiques.

Finalement, Léane demanda :

«Maintenant que les anciens conseillers de Magne sont réunis, resteras-tu à Dafidec ou repartiras-tu auprès de ta femme et de ton fils pour te cacher ?»

À l'évocation de sa famille, le regard de Léonte se perdit dans le lointain, traversa l'Hudres jusqu'à la baronnie de Palsius et se posa sur la ferme où sa femme et son fils dormaient en paix.

Tiames et leur enfant, qui l'aimaient tant…

… ou, plutôt, qui aimaient Léonte le paysan. Le Léonte aux mains rougies du sang des Osjes, Tiames et leur fils ne le connaissaient pas et, souhaita-t-il de tout son cœur, ne le connaîtraient jamais.

Or, ce Léonte, l'Hudres en avait encore besoin.

Le moment de tenir la promesse faite à Tiames n'était pas encore venu.

« Je n'ai pas le droit de partir, dit le grand maître d'une voix contrôlée. Je veux que mon fils grandisse dans l'Hudres de la Dualité, qu'il comprenne comment les hommes peuvent être pareils sous l'œil de Shirana et différents sous celui de Shir. Tant que Lyntas sera sur le trône et qu'un traître menacera le royaume, cela ne pourra être.

— Droits et devoirs, toujours ces mots aux lèvres…, commenta Léane en soupirant tristement. N'y a-t-il aucune place pour autre chose dans ta vie ? »

La cotte de mailles de Léonte était éclaboussée de sang séché, son corps n'était que douleur. Il contempla ses mains. La lumière lunaire leur retirait toute couleur, mais il les devinait brunies par le sang séché.

Le grand maître se tourna vers Léane. En voyant l'expression résignée sur les traits de la jeune femme, il se remémora les paroles qu'elle lui avait glissées à l'oreille avant le massacre. Le souvenir ne remontait qu'à quelques heures à peine, mais Léonte avait l'impression qu'une éternité s'était écoulée depuis.

« Pour toi, et pour l'Hudres », avait-elle dit.

Léane, la seule femme à connaître le véritable Léonte.

« Léane… »

Pendant qu'il s'égarait dans ses réflexions, la jeune femme s'était dressée. À l'appel de son compagnon, elle fixa celui-ci d'un œil interrogateur.

« Je suis désolé, dit Léonte, un tic agitant sa paupière gauche. Pour ce qui s'est passé sur la plaine d'Alvers. »

Le visage impassible, la grande prêtresse hocha gravement la tête.

« Nous avions chacun notre devoir à accomplir, Léonte, affirma-t-elle d'une voix sereine. Tu n'as pas à éprouver le moindre remords. Aujourd'hui pas davantage qu'autrefois. »

Avant qu'il ait pu répliquer, Léane se détourna de lui et descendit les marches. Elle ne pouvait conserver plus longtemps son masque austère. Les excuses de Léonte la bouleversaient, car elle avait compris que celui-ci n'était pas à blâmer ; en vérité, c'était elle qui avait eu tort de vouloir détourner le grand maître de sa tâche. Toutefois, elle avait été trop orgueilleuse pour le reconnaître.

Il lui avait fallu souffrir pendant onze ans pour triompher de sa vanité. À présent, l'orgueilleuse Léane d'autrefois n'était plus, au même titre que la servile Piesa. Une nouvelle grande prêtresse pouvait naître.

Léane leva les yeux vers l'œil unique de Shirana. Une larme solitaire dévala sa joue. Elle avait compris que la seule place disponible dans le cœur de Léonte était réservée à l'amour de l'Hudres. La Dualité ne permettrait pas que son enfant se détourne de son devoir pour une femme.

Pas plus que Shirana n'autoriserait sa grande prêtresse à la quitter pour l'amour d'un homme. Léane devait renoncer à Léonte.

Tel avait été le lot de la mère du grand maître, qui avait abandonné son fils à la naissance de celui-ci.

Tel était le lot des grandes prêtresses de Shirana.

« Pour toi, et pour l'Hudres », murmura Léane à la face de la lune.

La jeune femme marcha un temps entre les cadavres éparpillés sur la grand-place, puis, guidée par la lumière de la déesse femelle, elle disparut bientôt dans la nuit.

◆

Nyam parcourait les couloirs déserts de la demeure de son parrain à la recherche d'un objet dont elle ignorait la nature.

« Debout ! » intima une voix masculine.

La jeune fille s'éveilla en sursaut. Instinctivement, elle posa la main sur le livre mystérieux qu'Elgire lui avait confié et que, conformément au désir de celui-ci, elle gardait toujours enfoui dans les replis de sa robe.

Maintenant que le duc était mort, Nyam aurait la responsabilité de remettre le livre à qui de droit.

À cette pensée, le cœur de la jeune fille se serra. Son parrain, aussi désagréable ait-il été, avait été un de ses rares parents. Cela était suffisant pour accroître le vide dans sa poitrine. D'abord sa mère, puis Fyae, et à présent Elgire… Elle était donc condamnée à une vie de solitude, sans confident ni proche ni protecteur !

Le soldat qui se tenait dans l'embrasure de la porte annonça :

« La reine vous attend ! »

À l'autre extrémité de la pièce, Seres bondit sur ses pieds, entreprit de lisser ses vêtements et de démêler sa tignasse frisée à l'aide de ses doigts. Il avait poussé la bienséance et la galanterie jusqu'à laisser toute la paille à sa compagne et avait dormi sur la pierre froide et humide du cachot. S'il éprouvait la moindre séquelle de sa nuit inconfortable, il n'en laissa rien paraître et adressa un sourire chaleureux à Nyam.

Cette dernière fixa le novice en retour. Le soutien du jeune homme, au cours de la journée précédente, avait été précieux. Avec lui, elle se sentait en sécurité. Était-ce donc Shir lui-même qui l'avait providentiellement placé sur la route de Nyam, alors qu'elle se sentait abandonnée de tous ?

« Dépêchez-vous ! » s'impatienta le soldat.

Le charme fut brisé. Nyam et Seres se tournèrent précipitamment dans la direction du soldat et le suivirent docilement.

◆

Lyntas avait commandé une assemblée dans la salle d'audience.

À ses yeux, cette première réunion marquait le début d'une ère nouvelle. Elle entendait que ses conseillers partagent son interprétation, aussi avait-elle volontairement dérogé au protocole en convoquant ses gens dans la salle d'audience et en les empêchant de s'asseoir au même niveau qu'elle, comme s'ils étaient ses égaux. Aussi demeurait-elle assise sur le trône tandis qu'eux demeuraient debout. Le siège royal étant posé sur une estrade, la reine dominait ses conseillers.

Moebes fixait le vide ; Antore dansait d'un pied sur l'autre, incapable de dissimuler sa nervosité ; Léonte et Dansec, en armure d'apparat, ce dernier avec un bras en écharpe, se tenaient derrière le trésorier et le chancelier ; Léane, avec sa chevelure identique à celle de la reine, se trouvait aux côtés des deux Shiraniens et Fyae, habillé de la robe des novices de l'Ordre de Shirana, restait légèrement en retrait.

Le garçon n'était d'ailleurs pas le seul : deux figures drapées de noir se trouvaient dans un coin de la salle. Il ne plaisait guère à Lyntas d'avoir des Namarres dans la même pièce qu'elle, mais comme ces derniers avaient permis de repousser l'invasion osje, elle se devait de les convoquer également à l'assemblée.

La porte de la salle d'audience s'ouvrit. Nyam et Seres firent leur entrée, escortés d'un soldat.

Les traits partagés entre la surprise et l'inquiétude, Fyae fit un pas dans la direction de sa jumelle. Nyam l'aperçut, se détourna précipitamment et feignit de l'ignorer totalement. Son cœur se serra lorsqu'elle vit Fyae la fixer d'un regard confus, mais elle réprima son envie de courir vers lui et de se jeter dans ses bras en signe de réconciliation. Son jumeau apprendrait qu'il ne fallait pas l'abandonner !

Seres, qui marchait aux côtés de la jeune fille, la quitta brusquement, courut jusqu'à Dansec et Léonte et tomba à genoux.

« Pardon, les implora-t-il. J'ai tenté d'accomplir ma mission, mais… »

Le grand maître l'invita à se relever.

« Tu n'as pas à t'excuser. Nous savons que ton obéissance n'est pas à remettre en cause. »

Pendant qu'il prononçait ces mots, le regard accablant de Léonte ne lâcha pas le visage de la reine, mais celui-ci demeura imperturbable.

« L'armée de la reine n'est pas à la disposition du grand maître des Shiraniens, déclara Lyntas. Le grand maître a son Ordre pour le défendre, cela devrait lui suffire.

— Il ne s'agissait pas de ma sécurité, Lyntas, mais de celle de Dafidec tout entière. Heureusement, nous avons pu compter sur l'aide des Namarres.

— Vous avez désobéi à mes ordres. Je vous avais dit de rester dans votre maison-mère jusqu'à ce que je fasse appel à vous. Vous méritez d'être punis ! »

Léonte ouvrit la bouche pour protester, mais la reine le fit taire d'un geste impératif.

« Cependant, Dafidec est délivrée de la menace osje grâce à vous, et les lourdes pertes subies par votre Ordre constituent un châtiment suffisant à mes yeux.

— Vous êtes trop bonne », siffla le grand maître entre ses dents.

Dansec écrasa discrètement le pied de Léonte et affronta l'œil de glace de celui-ci. En raison de la demande que les Shiraniens avaient à faire à la reine, ils avaient tout intérêt à entrer dans ses bonnes grâces. Or, le grand maître la flattait à rebrousse-poil !

Mais Lyntas s'était déjà tournée vers les deux silhouettes encapuchonnées.

« J'ai eu vent que les immigrants namarres détenaient des armes et que la population de leur quartier était composée en majeure partie de guerriers. Comme ils ont transgressé les interdictions contenues dans le décret royal de mon défunt époux, j'ai bien envie de chasser les Namarres de la capitale et d'interdire leur peuple de séjour en Hudres. »

Le chef du quartier sud rejeta violemment son capuchon en arrière et s'avança vers le trône. Nantor retint son compatriote par le bras tandis que la reine levait un index en un nouveau signe impérieux.

« Cependant, le récit de la bataille m'a fait hésiter à en venir à de telles extrémités. De fait, il montre hors de tout doute que, sans votre aide, Dafidec serait toujours aux mains des Osjes. J'ai donc décidé de fermer les yeux. Pour cette fois et à la condition que toutes les armes soient remises aujourd'hui même à l'armée royale. »

Le Namarre en chef ouvrit la bouche pour déverser un flot d'injures et Dansec, afin d'éviter tout incident diplomatique, prit précipitamment la parole :

« Ma reine, les Shiraniens ne vous demandent rien. Il a toujours été du devoir de l'Ordre de défendre l'Hudres. Néanmoins, les Namarres ne nous doivent rien, ils auraient aussi bien pu s'emmurer dans leur quartier et tenir un siège tandis que les Hudresiens étaient massacrés. Ils ont fait passer les intérêts de l'Hudres avant ceux du Namarre. En cela, ils méritent une récompense, ne croyez-vous pas ? »

— Et qu'avez-vous à proposer ? demanda Lyntas en haussant un sourcil méfiant.

— Pas grand-chose. Seulement la réhabilitation de Nantor au sein du conseil royal. »

Antore fit un bond en avant et un spasme agita le long corps de Moebes, ce qui n'empêcha pas le baron de poursuivre après qu'il eut vérifié que le Namarre se calmait lentement.

« En défendant Dafidec comme si c'était leur ville natale, les Namarres ont prouvé hors de tout doute qu'ils sont des citoyens à part entière de l'Hudres. Ils méritent donc d'avoir une voix au conseil. Nantor a déjà l'expérience nécessaire et, en outre, les Hudresiens se souviennent qu'il a déjà siégé du temps de Magne. Sa présence les choquera moins que celle d'un nouveau Namarre. »

Si Lyntas n'avait contrôlé ses émotions à la perfection, elle aurait poussé un cri de joie. Tout se mettait en place conformément à ses desseins : l'Ordre de Shirana était réduit à néant, Vilsin se trouvait au cachot pour quelque temps et Moebes et Antore s'opposaient à l'admission de Nantor au conseil. La division au sein de ce dernier deviendrait définitive, la reine devrait toujours trancher. De plus, si ses conseillers n'arrivaient pas à s'entendre, elle aurait les arguments nécessaires pour dissoudre le conseil royal et pourrait donc exercer un pouvoir absolu. Mais, en fine politicienne, elle savait qu'elle ne devait pas céder trop facilement. Il ne fallait pas éveiller les soupçons de Dansec et de Léonte.

« Je vais réfléchir à votre demande, dit-elle après quelques secondes d'un silence tendu. Mais, entre-temps, je demande que les Namarres remettent les armes entrées illégalement dans la ville. Les légions de Damasie arrivent bientôt. Si les Namarres regimbent, les légions se chargeront de les leur confisquer, non sans raser le quartier sud par la même occasion. »

Les yeux du chef du quartier namarre lancèrent des éclairs, mais il réussit à se maîtriser alors que la reine, d'un geste hautain, se levait et signifiait que l'audience était terminée. Le Namarre partit aussitôt à grands pas. Dansec jeta un œil vers Léonte, leva les yeux au ciel en guise de conclusion. Voilà bien les stupides décisions d'une vache damasienne, semblait-il vouloir dire. Tous faisaient mine de se retirer quand la reine indiqua Nyam du doigt.

« Quant à vous, jeune fille, je vous veux désormais parmi mes dames de compagnie. C'est le moins que je puisse faire pour récompenser les loyaux services que votre père a rendus à la couronne. »

De la sorte, Lyntas s'assurerait que Sterne, qui avait servi Magne aux côtés de Léonte et de Dansec, lui reste fidèle.

Nyam blêmit. Pas plus tard qu'hier, elle avait souhaité trouver la sécurité auprès de la reine. Néanmoins, c'était avant que Seres la trouble, qu'Elgire se fasse assassiner dans les couloirs du palais et que Lyntas la fasse jeter au cachot. À présent, la jeune fille souhaitait regagner la maison-mère en compagnie du novice qui avait veillé sur elle.

Elle jeta un coup d'œil affolé à Seres, mais celui-ci semblait aussi démuni qu'elle. En désespoir de cause, elle braqua son regard implorant vers son frère, qui secoua la tête, la mine résignée. Dans leur intérêt à tous deux, ainsi que dans celui de leur père, la jeune fille devrait se plier à la volonté royale. Nyam tourna brutalement le dos aux deux garçons et réprima les larmes de terreur et de rage mêlées qui lui picotaient les yeux.

La reine ignora la réaction de sa nouvelle dame de compagnie et poursuivit:

« J'allais oublier de vous annoncer deux tristes nouvelles, qui viennent ternir la joie de la victoire et expliquer l'absence parmi nous de deux membres du conseil. Tout d'abord, le grand prêtre de Shir a décidé d'entrer en réclusion pour quelques mois afin de méditer les très saintes paroles de Shir. Quant au duc de Sargus, il a été trouvé mort dans les couloirs du palais, un poignard planté dans le dos. Ce sont ces jeunes gens qui l'ont découvert, ils pourront donc fournir davantage de détails à ceux qui le désirent. »

La Damasienne esquissa aussitôt après un geste, et les gardes pressèrent tout le monde vers la sortie alors que la stupeur les clouait toujours sur place.

Une fois seule, Lyntas esquissa un sourire de satisfaction. Elle aurait dû être troubadour : elle savait jouer sur les nerfs de son auditoire tout comme s'il s'agissait des cordes d'un luth et sa dextérité n'avait pas d'égale. D'ailleurs, elle userait de ce même talent lorsque viendrait le moment de leur apprendre que, dorénavant, quiconque ne pratiquait pas strictement le culte de Shir finirait sur le bûcher. Et que les légions de son père, une fois entrées en Hudres, y séjourneraient longuement, voire de façon permanente. Ainsi, ce qui avait commencé comme une défaite, avec l'invasion osje et le retour des anciens conseillers de son époux, se terminerait en une victoire absolue.

Si la vie avait appris une chose à Lyntas, c'était qu'après les jours sombres venaient toujours les jours lumineux. À ce titre, l'avenir s'annonçait particulièrement rose pour elle.

◆

« Cette femme est un monstre de froideur ! explosa Léane dès que les portes de la salle d'audience furent refermées derrière eux. Comme elle nous a ménagés pour nous apprendre la nouvelle du trépas d'Elgire !

— À quoi bon perdre notre temps en rancœurs inutiles ? dit amèrement Dansec. Nous venons de perdre un ami très cher, et un allié de poids. Mieux vaut réfléchir aux conséquences de cette perte qu'à l'agréable personnalité de Lyntas.

— Avec Elgire et les Shiraniens hors de combat, elle a toutes les chances de son côté, résuma Léonte. Elle a remporté cette joute haut la main.

— Mais le tournoi n'est pas terminé », contesta le baron.

Il chercha une trace d'approbation sur les visages de ses compagnons.

« N'est-ce pas ? » les implora-t-il.

Des regards épuisés lui répondirent. Pour l'instant, l'idée de lutter ne souriait à personne.

Un peu en retrait, Fyae dévisageait ses compagnons, atterré par le sort de sa sœur, que deux gardes avaient entraînée loin de lui vers les appartements réservés aux dames de compagnie, et surtout par ce qu'il venait d'apprendre. La nouvelle de la mort d'Elgire lui avait littéralement scié les jambes et c'est à grand-peine, et principalement pour montrer à ses compagnons qu'il était un homme, qu'il réprimait ses sanglots.

N'était-ce pas ce que son parrain avait voulu ?

Fyae mettrait tout en œuvre pour concrétiser cette dernière volonté.

Il avait toujours aimé Elgire, sa vivacité d'esprit et sa capacité à prendre des décisions. Bien qu'il n'ait pas été très présent, il avait fait figure de héros auprès du garçon. Que le duc ait disparu créait un vide béant dans le cœur de Fyae et celui-ci avait l'impression que rien ne pourrait le combler.

« Tu as raison, Dansec, admettait Léonte pendant que le garçon réfléchissait. Ce sera à nous de contre-carrer ses plans et, par la même occasion, de contrer tous les ennemis de l'Hudres. Le chef des Osjes n'est pas mort cette nuit, il a fui avec les derniers membres de sa bande de barbares en direction des montagnes. Nos chevaliers, hélas, étaient trop épuisés pour tous les pourchasser.

— Le traître qui a permis aux Osjes d'entrer dans Dafidec n'a pas été pris non plus, ajouta le baron. Il nous faudra mettre au plus tôt la main sur celui qui les a si gracieusement invités en Hudres… et qui a aussi mis un prix sur ta tête.

— Comment ? s'écria Léonte. Ce n'était pas toi ? »

Un éclair de colère traversa les yeux noirs de Dansec, mais lorsqu'il vit l'étincelle qui pétillait dans ceux de son ami d'enfance, il répliqua sur un ton d'excuse affecté :

« Pas cette fois. Ça ne peut pas toujours être moi, tu sais. Tu as beaucoup d'ennemis, il faut que je laisse la chance aux autres.

— Tu es moins égoïste que tu n'en as l'air.

— Et toi aussi cruel que tu le parais. Tourneras-tu le fer encore longtemps dans la plaie pour cette erreur de jeunesse ? »

Pendant que les deux compagnons se réconciliaient enfin pour de bon, Fyae replongea dans ses pensées. La dernière fois qu'il avait parlé à son parrain, c'était dans la maison-mère des Shiraniens. Il se souvenait de l'excitation d'Elgire et, connaissant ce dernier, le garçon se disait qu'il n'y avait pas grand-chose qui pouvait le rendre aussi agité sinon…

« J'ai trouvé pourquoi mon oncle vous a donné rendez-vous dans le temple ! » s'écria soudain Fyae à l'adresse de Léonte.

Tous s'immobilisèrent et l'interrogèrent du regard.

« Je crois que… qu'une seule chose aurait pu le détourner de l'invasion osje : la découverte de l'identité du traître. Et c'est pour vous montrer de qui il s'agissait qu'il vous a donné rendez-vous dans l'aile désaffectée du palais !

— Me montrer ? répéta Léonte. Que veux-tu dire par là ?

— Quand je suis allé prévenir la reine de notre arrivée à Dafidec, expliqua son interlocuteur, on m'a mené à ses appartements et les gardes qui m'escortaient ronchonnaient parce qu'ils devaient respirer la poussière de l'aile désaffectée plutôt que l'air propre de la nouvelle section du palais. Or, le lendemain matin, au conseil, messires Antore et Vilsin discutaient du fait qu'ils avaient dû quitter leurs appartements pour d'autres. Les conseillers et la reine sont installés dans l'aile désaffectée !

— Et… ? intervint Dansec d'un ton où perçait une note d'excitation pendant que Fyae reprenait son souffle. Où veux-tu en venir, Fyae ?

— Nous supposons que le traître est un conseiller. Mon parrain avait sans doute découvert son identité. Le traître l'a appris et l'a fait assassiner. De plus, nous savons que le traître a accès à des fonds importants pour payer et armer les Osjes. Or, maître Léonte et moi avons surpris le grand prêtre en train de piller le temple, et la reine a dit qu'il venait de quitter le conseil pour entrer en réclusion. Ces coïncidences ne sont-elles pas étranges ? »

Un long silence suivit ces paroles. Plus mort que vif, tour à tour rougissant et confus, Fyae crut avoir prononcé une aberration en voyant la mine impassible du grand maître. Dansec mit fin à son supplice en félicitant Léane.

« Pas mal. Ta déesse sait choisir ses élus !

— Heureuse que tu l'admettes enfin.

— Je n'ai jamais prétendu le contraire, Léane. Shirana choisit, mais elle n'est pas responsable des actes de ses élus. La sélection est divine, mais l'erreur, elle, est humaine. »

Les yeux de la grande prêtresse brillèrent d'un éclat dangereux. Mais avant qu'elle engage les hostilités, Léonte leva une main autoritaire et se tourna vers Fyae.

« Ton histoire se tient, d'autant plus que la reine n'aurait pas d'autre raison de jeter Vilsin au cachot, car c'est bien là que se trouve le vieux serpent. Vilsin n'est pas du tout le genre de grand prêtre à s'isoler volontairement des affaires de ce monde. Il y a trop de complots à ourdir et d'or à voler.

— Tu oublies un détail, objecta Léane. Les Osjes sont des adorateurs de Shirana. Jamais ils n'auraient écouté un prêtre de Shir.

— Et s'il avait dissimulé son identité ? reprit le baron. Je connais une certaine prêtresse de la Dualité qui n'a pas hésité à recourir à cet artifice. Après tout, ces barbares sont si faciles à berner !

— Peut-être as-tu raison, concéda la grande prêtresse en étouffant un soudain bâillement.

— Petite nature ! Un rien la fatigue ! C'est bien une femme ! »

Léane ouvrit la bouche, puis la referma. Elle ne tenait pas à révéler à Dansec qu'elle n'avait pas vraiment dormi depuis onze ans puisque ses remords l'avaient tourmentée nuit après nuit. Avoir fait la paix avec Léonte et sa déesse lui permettrait de goûter son premier repos depuis des lustres, même s'il lui restait encore deux pardons à obtenir, qui seraient peut-être les plus ardus : celui du baron… et le sien propre. Machinalement, elle posa la main sur son ventre et s'isola dans des réflexions douloureuses.

Dansec coula dans sa direction un coup d'œil étonné ; à la mine distante de la jeune femme, il comprit qu'il n'aurait pas de réplique ; aussi la partie fut-elle abandonnée faute de combattant.

À la queue de la petite troupe, Seres traînait de la patte. Si les gardes ne l'avaient pas repoussé hors de la salle d'audience, il serait resté. La pensée de quitter la jeune noble qu'il avait protégée jusque-là le plongeait dans une douce tristesse. Il mettrait tout en œuvre pour la revoir… à la condition qu'elle le souhaite, bien entendu. Une suivante de la reine ne s'acoquinait généralement pas avec de simples paysans. Lorsqu'il serait chevalier shiranien, la situation changerait peut-être, mais pour l'instant, Seres ne pesait pas très lourd dans la hiérarchie sociale de l'Hudres et pour Nyam de Rasg, il se fit le serment de hâter l'achèvement de sa formation.

Inséré entre Fyae et Seres, l'imposant Nantor ne disait rien. Son grave visage demeurait indéchiffrable, tout comme ses pensées. Était-il heureux de retrouver son ancienne servitude et sa position au sein du conseil royal ou pleurait-il encore cette terre du Namarre dont il avait été exilé onze ans auparavant ? Nul, hormis Léonte, n'était parvenu à lire ses sentiments depuis qu'il avait uni sa destinée à la sienne.

La mine basse, les compagnons quittèrent le palais pour gagner la maison-mère des Shiraniens. Hors de l'enceinte royale, nombre d'habitations n'étaient plus que ruines et, dans les ruelles, les gueux détroussaient les cadavres des citoyens qui avaient croisé la route des Osjes.

Un nouveau mal avait accablé le royaume, mais celui-ci avait survécu encore une fois. Malgré les souverains, malgré les invasions, les famines et les épidémies, l'Hudres résistait.

Toutefois, il n'aurait pas trop de la protection de deux divinités pour survivre. Qu'une des parties de la Dualité se retire et l'Hudres tomberait en miettes.

◆

Le lendemain, Fyae se présenta dans les appartements du grand maître des Shiraniens. Le garçon voulait prendre congé afin de retourner à Rasg pour annoncer la mort d'Elgire et la nouvelle fonction de Nyam à son père.

La mine impassible, Léonte le dévisagea longuement avant d'acquiescer à la demande.

« Permission accordée. Que comptes-tu faire ensuite ? »

La question décontenança Fyae.

« Je vais entreprendre mon noviciat, balbutia-t-il. J'en ai fait le serment à Léane.

— Et pour Elgire ? demanda Léonte.

— Pour Elgire ? Que voulez-vous dire ?

— Ton parrain a été assassiné, Fyae, rappela le grand maître avec une pointe d'agacement. Ne vas-tu pas réagir ?

— Je ne sais pas encore », avoua son interlocuteur.

Léonte le fixa de son œil de glace.

« Quand tu le sauras, dit-il, c'est que tu auras compris ton devoir. À ce moment-là, tu seras vraiment un homme. Si c'est ce que tu souhaites devenir, bien entendu. »

Le garçon déglutit.

« Bien entendu, dit-il d'une toute petite voix. Je dois cela à mon oncle ! »

Fyae tourna les talons pour se retirer, mais avant qu'il franchisse la porte, Léonte lança :

« Ne sois pas trop long à revenir ! Léane a horreur qu'on tarde à tenir la parole donnée à sa déesse, et Shirana est plus impatiente encore ! »

Fyae hocha la tête.

« Je tâcherai de m'en souvenir », promit-il.

Puis il quitta la pièce.

Lorsque ses bagages furent prêts, Fyae descendit aux écuries pour qu'on lui fournisse une monture. Il y croisa Dansec qui, chargé de sa cotte de mailles, cherchait quelqu'un pour la réparer.

Un regard au fardeau du garçon suffit au Darsonien pour comprendre que Fyae partait.

« Ainsi, tu nous quittes ? s'étonna Dansec. Tu en as déjà assez de l'Ordre et de son précepteur ?

— Oh non ! protesta le garçon en rougissant jusqu'à la pointe de ses oreilles.

— Ne tarde pas trop à revenir. Léane aime avoir les poussins de Shirana sous son aile.

— Je sais, répondit Fyae, Léonte m'a déjà prévenu. »

Un éclair douloureux traversa le regard du baron.

« Il n'y a pas mieux que Léonte pour connaître les rouages de l'esprit de Léane, admit-il. Bon vent, jeune Fyae ! Que la Dualité veille sur toi !

— Sur vous aussi ! »

Le Darsonien haussa les épaules.

« Je n'en ai pas besoin, j'ai ma propre personne pour s'occuper de moi ! »

Fyae esquissa un sourire timide et murmura, comme pour lui-même : « Vous me manquerez, Dansec, vous me manquerez… » Puis il tourna précipitamment les talons et s'en fut.

Perplexe, le baron fronça les sourcils et le regarda disparaître.

« Toi aussi, Fyae, tu me manqueras… »

Sur quoi il reprit sa quête d'un forgeron capable de réparer sa cotte endommagée.

◆

Quand la porte se fut refermée sur Fyae, Léonte se mit à tourner dans ses appartements telle une bête en cage. Sa culpabilité ne connaissait aucun répit. Chaque fois qu'il contemplait ses mains, il y voyait le sang de tous ceux qu'il avait massacrés. Il n'osait plus croiser son propre regard, dans les miroirs, de crainte d'y apercevoir un monstre. Comment réagirait Tiames lorsqu'elle découvrirait l'être horrible qu'elle avait épousé ?

À moins qu'elle ne pose jamais plus les yeux sur lui…

Le monstre pouvait laisser sa femme et son fils à leur existence paisible et rester à Dafidec pour accomplir son devoir à jamais. Léonte avait donné sa parole à Magne, des années auparavant. Les responsabilités du grand maître se trouvaient dans la capitale de l'Hudres.

Néanmoins, Léonte avait également donné sa parole à Tiames et il avait des devoirs envers elle et leur fils…

Déchiré entre son roi et sa famille, incapable de trancher, Léonte s'en remit, comme il l'avait toujours fait, à la Dualité qui gouvernait sa destinée. Il était l'enfant de Shir et de Shirana avant d'être le serviteur de Magne et avant d'être l'époux de Tiames. Cela, seule Léane l'avait compris, comme elle avait également saisi qu'en raison de cela il ne pouvait aimer personne hormis l'Hudres, la terre bénie de la Dualité.

Devant l'unique fenêtre de sa chambre, le grand maître s'immobilisa et contempla le paysage qui s'étendait vers les montagnes du nord. Les Osjes étaient descendus de ces dernières, des semaines auparavant, pour tirer Léonte de sa quiétude.

Au-dessus des montagnes et de l'Hudres, des nuages gris s'amoncelaient.

Léonte jugea leur présence de mauvais augure. Les anciens héros étaient revenus, mais les heures sombres de l'Hudres n'étaient pas terminées pour autant.

Ainsi s'achève
Les Conseillers du Roi,
le premier livre des
Chroniques de l'Hudres.

REMERCIEMENTS

Les remerciements qui accompagnent la parution d'un premier roman ne concernent pas seulement l'aide apportée à la rédaction de ce dernier ; ils s'adressent également à tous ceux qui m'ont apporté leur soutien précieux au fil des ans.

Ainsi, en tête de liste figure Jean Pettigrew qui, lorsque je lui ai envoyé, à l'âge de seize ans, mon premier manuscrit, m'a encouragée à continuer à écrire, en me disant qu'un jour « ça y serait ». Merci pour cet appui précieux et, surtout, pour ce coup de téléphone, en novembre 2002, pour m'annoncer que « ça y était », qu'Alire irait de l'avant avec ma trilogie !

Un gros merci également à toute l'équipe d'Alire pour son accueil chaleureux et son travail. Vous constituez une famille à laquelle c'est un plaisir de se joindre.

Enfin, les derniers témoignages de gratitude (et non les moindres) vont aux parents, amis, professeurs, enseignants qui ont cru en moi et m'ont aidée à progresser dans le domaine de l'écriture. Merci tout particulièrement à Kathleen et Donald pour leur foi inébranlable, leur patience à toute épreuve, en dépit de bien des sautes d'humeur… et pour leur « mécénat », qui m'a permis de passer plusieurs étés à écrire. Pour tout cela, un petit merci, sous lequel se cache une immense reconnaissance.

HÉLOÏSE CÔTÉ...

... est une jeune auteure dans la vingtaine qui adore, depuis qu'elle est haute comme trois pommes, raconter et entendre des histoires dans lesquelles se mêlent magie, sorciers et créatures mythiques. Aujourd'hui titulaire d'un baccalauréat en enseignement du français et de l'histoire au secondaire et d'une maîtrise en psychopédagogie, elle effectue un doctorat en fondements de la pédagogie à l'Université Laval. Elle est également chargée d'enseignement à la Faculté des sciences de l'éducation de l'Université. *Les Conseillers du Roi*, qui ouvre les *Chroniques de l'Hudres*, est son premier roman publié.

LES CONSEILLERS DU ROI
est le quatre-vingt-onzième titre publié
par Les Éditions Alire inc.

Ce deuxième tirage
a été achevé d'imprimer
en août 2006 sur les presses de